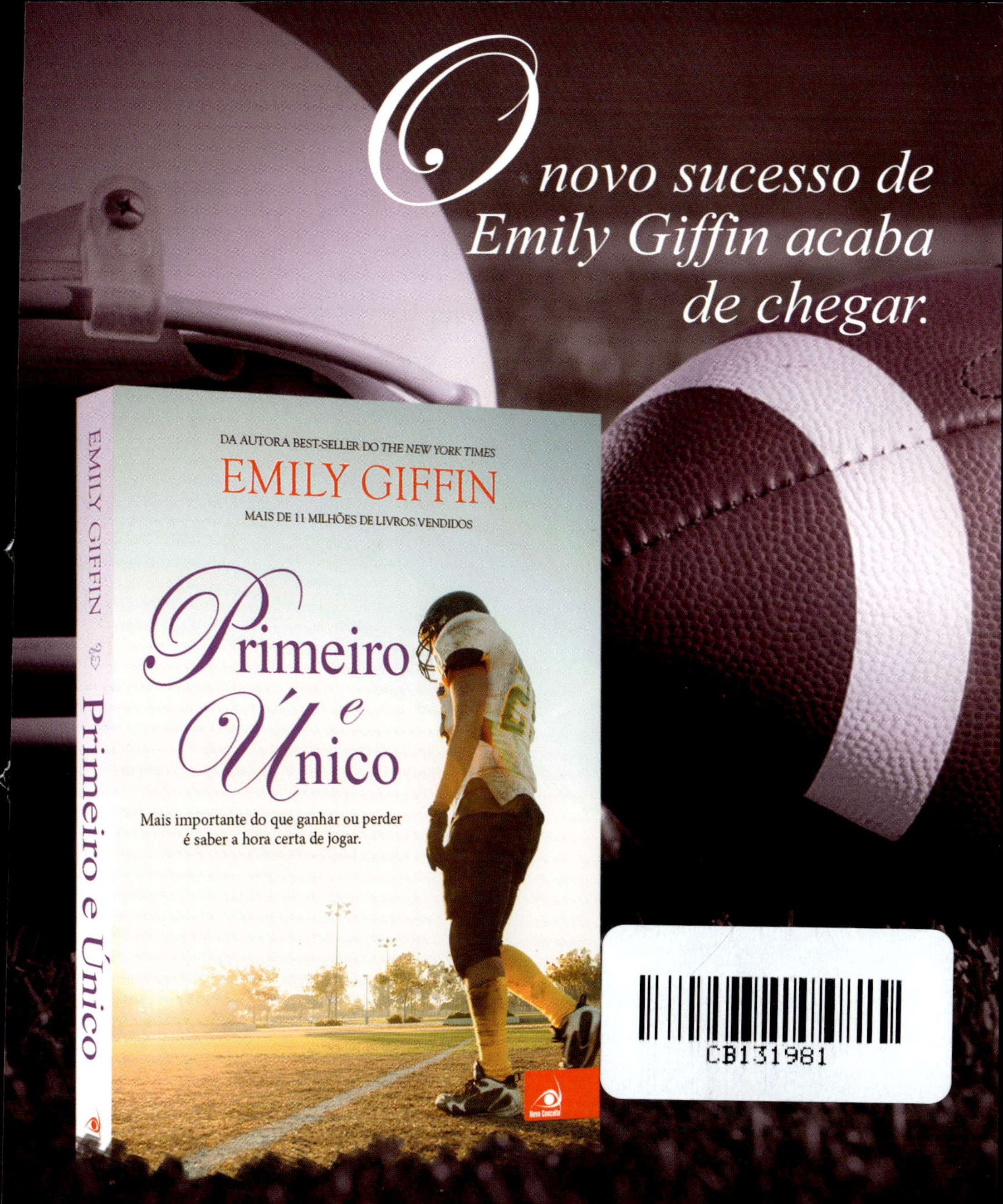

Shea nunca teve expectativas na vida. Nunca pensou em sair da cidadezinha universitária onde nasceu, que vive em função do futebol americano. No momento em que resolve abrir mão da segurança e trilhar um caminho desconhecido, descobre novas verdades sobre pessoas e fatos que a obrigam a confrontar seus desejos mais profundos, medos e segredos.

Como se Apaixonar

CECELIA AHERN

Tradução:
Bárbara Menezes de Azevedo Belamoglie

Novo Conceito

Esta é uma obra de ficção. Nomes, personagens, lugares e acontecimentos descritos são produtos da imaginação do autor. Qualquer semelhança com nomes, datas e acontecimentos reais é mera coincidência.

1ª Impressão — 2015
Impressão e Acabamento Intergraf 270815

Produção Editorial:
Equipe Novo Conceito

Dados Internacionais de Catalogação na Publicação (CIP)
(Câmara Brasileira do Livro, SP, Brasil)

Ahern, Cecelia
Como se apaixonar / Cecelia Ahern ; tradução Bárbara Menezes de Azevedo Belamoglie. -- Ribeirão Preto, SP : Novo Conceito Editora, 2015.

Título original: How to fall in love.
ISBN 978-85-8163-786-0

1. Ficção irlandesa I. Título.

15-04686 CDD-ir823.9

Índices para catálogo sistemático:
1. Ficção : Literatura irlandesa ir823.9

Novo Conceito
Rua Dr. Hugo Fortes, 1885
Parque Industrial Lagoinha
14095-260 – Ribeirão Preto – SP
www.grupoeditorialnovoconceito.com.br

Para David, que me ensinou a como me apaixonar

1

Como ser condescendente com um homem

Dizem que um raio nunca cai duas vezes no mesmo lugar. Não é verdade. Bem, é verdade que as pessoas dizem isso, mas não é um fato verdadeiro.

Cientistas financiados pela Nasa descobriram que raios nuvem-solo frequentemente acertam o chão em dois ou mais lugares, e a probabilidade de alguém ser atingido é cerca de 45% mais alta do que se presume. Mas o que as pessoas querem dizer, no geral, é que um raio nunca cai duas vezes no mesmo lugar, o que também não é verdade. Embora a probabilidade de ser atingido por um raio seja de uma em três mil, entre 1942 e 1977, Roy Cleveland Sullivan, um guarda-florestal da Virginia, foi atingido por raios em sete ocasiões. Roy sobreviveu a todas as descargas, mas cometeu suicídio quando tinha 71 anos, atirando na própria barriga por causa do que dizem ter sido um amor não correspondido. Se as pessoas dispensassem a metáfora do raio e, em vez disso, simplesmente dissessem o que querem, seria algo como *a mesma coisa muitíssimo improvável nunca acontece com a mesma pessoa duas vezes.* Não é verdade. Se o motivo por trás da morte de Roy for real, então um coração partido carrega um tipo particular e único de tristeza, e Roy saberia, melhor que qualquer outra pessoa, que era muitíssimo provável que aquele azar muitíssimo improvável pudesse acontecer de novo. O que me leva ao assunto da minha história: o primeiro dos meus eventos muitíssimo improváveis.

Eram 11 horas de uma noite congelante de dezembro em Dublin e eu me vi em um lugar onde nunca estivera antes. Não é uma metáfora para meu estado psicológico, embora se encaixe bem; o que quero dizer é que eu nunca tinha mesmo estado geograficamente na área antes. Um vento gelado soprou pelo condomínio residencial abandonado de Southside fazendo uma canção sobrenatural tocar através das janelas quebradas e dos instáveis andaimes. Havia buracos escuros onde deveria haver janelas, superfícies sem acabamento com buracos ameaçadores no chão e lajes viradas ao contrário, varandas e rotas de saída cheias de canos, fios e tubos que começavam ao acaso e terminavam em lugar nenhum; o local era um palco pronto para uma tragédia. A própria visão, sem relação nenhuma com a temperatura negativa, fez com que eu tremesse. A propriedade deveria estar repleta de famílias adormecidas, luzes apagadas e cortinas fechadas; em vez disso, o condomínio estava sem vida, evacuado pelos donos, que tinham sido deixados para viver com bombas-relógio por causa de problemas de prevenção de incêndios tão grandes quanto a lista de mentiras que haviam escutado dos construtores, incapazes de cumprir a promessa de residências de luxo a preços baixos.

Eu não devia estar lá. Estava invadindo, mas não era isso que devia ter me preocupado; era perigoso. Para uma pessoa convencional, era intimidador. Eu devia ter dado meia-volta e retornado pelo caminho de onde viera. Sabia de tudo isso e, ainda assim, continuei em frente, discutindo com meus pressentimentos. Entrei.

Quarenta e cinco minutos depois, eu estava do lado de fora de novo, tremendo, me sacudindo e esperando os policiais, como a atendente do número de emergência me instruíra a fazer. Vi as luzes da ambulância a distância, seguida de perto pelo carro da polícia sem identificação. Dele, pulou para fora o detetive Maguire, barba por fazer, cabelo desgrenhado, amassado e talvez exausto, alguém que agora já sei se tratar de uma caixinha de surpresas, retraído e emocionalmente confuso, pronto para explodir a qualquer momento. Embora sua aparência no geral pudesse ter sido um visual bacana para um membro de uma banda de rock, ele era um detetive de quarenta e sete anos em horário de trabalho, o que afastava dele o estilo e destacava a seriedade da situação em que eu me encontrava. Depois de guiá-los até o apartamento de Simon, voltei a sair para relatar minha história.

Contei ao detetive Maguire sobre Simon Conway, o homem de trinta e seis anos que eu conhecera dentro do prédio e que, com outras cinquenta famílias, fora evacuado da propriedade por motivos de segurança. Simon tinha falado na maior parte do tempo sobre dinheiro, sobre a pressão de ter que pagar a hipoteca do apartamento onde ele não podia morar e sobre o conselho, que tinha um caso pendente para parar de pagar por suas acomodações substitutas, e sobre o fato de ter acabado de perder o emprego. Relatei minha conversa com Simon para o detetive Maguire, as palavras que eu tinha usado exatamente já não estavam claras, e alternei entre o que eu achava que tinha dito e o que percebi que deveria ter dito.

Veja bem, Simon Conway estava segurando uma arma quando o encontrei. Acho que fiquei mais surpresa em vê-lo do que ele ficou com minha aparição repentina na sua casa abandonada. Simon pareceu presumir que eu fora mandada até lá pela polícia para falar com ele, e eu não lhe disse que não era o caso. Queria que pensasse que eu tinha todo um exército na sala ao lado enquanto ele segurava aquela arma preta na mão, balançando-a conforme falava e eu me esforçava ao máximo para não me abaixar, mergulhar e, às vezes, sair correndo do local. Enquanto o pânico e o medo cresciam dentro de mim, tentei persuadi-lo, acalmá-lo para abaixar a arma. Conversamos sobre os filhos dele, fiz o melhor que pude para mostrar-lhe uma luz naquela escuridão e consegui convencê-lo a colocar a arma no balcão da cozinha para poder chamar a polícia para ajudar, e foi o que fiz. Quando desliguei o telefone, algo aconteceu. Minhas palavras, embora inocentes — as quais sei agora que não deveria ter pronunciado àquela altura —, foram o gatilho para algo.

Simon olhou para mim e eu soube que ele não estava me vendo. Seu rosto mudara. Campainhas de alerta soaram na minha cabeça, mas, antes de eu ter uma chance de falar ou fazer mais alguma coisa, Simon havia pegado a arma e a segurado na sua cabeça. A arma foi disparada.

2

Como deixar seu marido (sem machucá-lo)

Às vezes, quando você vê ou vivencia algo muito real, fica com vontade de parar de fingir. Você se sente um idiota, um charlatão. Fica com vontade de afastar-se de tudo o que é falso, seja algo inocente e inofensivamente falso ou algo mais sério; como seu casamento. Isso aconteceu comigo.

Quando uma pessoa se vê com inveja de casamentos que estão acabando, tem que saber que o dela está com problemas. Era assim que eu me encontrava nos últimos meses, daquele jeito incomum quando você pode saber de algo e não saber de verdade ao mesmo tempo. Depois de ter acabado, percebi que sempre soubera que o casamento não estava certo. Quando eu estava em meio àquilo, tinha sentido momentos de felicidade e uma sensação geral de esperança. E, embora a atitude positiva seja a semente de muitas coisas maravilhosas, o pensamento positivo sozinho não forma uma boa base para o casamento. Porém, o evento, a *experiência* com Simon Conway, como eu me referia ao fato ocorrido, ajudou a abrir meus olhos. Eu testemunhara uma das coisas mais reais da minha vida, e isso me fez querer parar de fingir, isso me fez querer ser verdadeira e que tudo na minha história fosse real e honesto.

Minha irmã Brenda acreditava que o fim do meu casamento tinha sido causado por algum tipo de distúrbio de estresse pós-traumático, e implorou para eu conversar com alguém a respeito. Informei a ela que eu já estava falando com alguém, a conversa interna tinha começado havia um bom tempo. E havia mesmo, de certa forma; Simon tinha apenas apressado a epifania. Aquela, é claro, não era a resposta que Brenda tinha em mente; ela queria dizer uma conversa com um profissional, não um blá-blá-blá bêbado em meio a uma garrafa de vinho na cozinha dela à meia-noite, no meio da semana.

Meu marido, Barry, tinha sido compreensivo e me apoiara no meu momento de necessidade. Ele também acreditava que a decisão repentina era parte de algum efeito em cascata do tiro. Mas, quando percebeu — enquanto eu empacotava meus pertences e deixava nosso lar — que eu estava falando sério, logo me chamou das coisas mais horrendas. Não o culpei, embora não fosse gorda nem nunca tivesse sido, e fiquei intrigada ao descobrir que gostava muito mais da mãe dele do que ele achava. Entendi a confusão de todos e a incapacidade de acreditarem em mim. Tinha muito a ver com quão bem eu escondera minha infelicidade e tinha totalmente a ver com o momento em que tudo estava acontecendo.

Na noite da experiência com Simon Conway, depois de eu ter percebido que o berro horripilante tinha saído da minha própria boca, e depois de ter ligado para a polícia pela segunda vez e depoimentos terem sido recolhidos para relatórios serem preenchidos, depois do copo de isopor com chá e leite, eu havia dirigido até minha casa e feito quatro coisas. Primeiro, tinha tomado um banho no esforço para me eliminar da cena; segundo, folheei meu exemplar muito lido de *Como deixar seu marido (sem machucá-lo)*; terceiro, acordei-o com um café e uma torrada para lhe dizer que nosso casamento estava acabado; e, quarto, quando questionada, contei a ele que tinha testemunhado um homem atirar em si mesmo. Agora que estou me lembrando, Barry tinha mais perguntas sobre detalhes do tiro do que sobre o fim do casamento.

O comportamento de Barry desde então me surpreendeu, e minha surpresa também me chocou, porque achei que tinha lido muito sobre tais assuntos. Eu havia estudado antes desse grande teste da vida, tinha lido como nós dois iríamos e poderíamos nos sentir caso eu um dia decidisse acabar o casamento... Apenas para me preparar, estar atenta, descobrir se era a decisão certa. Tive amigos cujo casamento acabou, e eu passara muitas noites até tarde ouvindo os dois lados. Ainda assim, nunca pensei que meu marido se tornaria o homem que se tornou, que ele passaria por um transplante completo de personalidade, ficaria frio e maldoso, tão amargo e malicioso. O apartamento, que era nosso, agora era dele, que não me deixava colocar nem um pé lá dentro. O carro que era nosso agora era dele, que não me deixava dirigi-lo também. E qualquer outra coisa que era nossa ele faria tudo o que pudesse para manter com ele. Até coisas que não queria. Literalmente. Se tivéssemos tido filhos, ele teria ficado com eles e nunca me deixaria vê-los. Barry foi muito claro quanto à cafeteira, possessivo com as xícaras de café *espresso*, bastante furioso por causa da torradeira e teve um chilique com a chaleira. Eu o deixei perder a cabeça na cozinha, como fiz na sala de estar, no quarto e mesmo quando ele me seguiu até o banheiro e gritou comigo enquanto eu fazia xixi. Tentei me manter o mais paciente e compreensiva possível. Sempre fui uma boa ouvinte, então podia escutá-lo; o que eu não era muito boa era em explicar, e fiquei surpresa de ter que explicar tanto quanto ele pedia. Tinha certeza de que, bem no fundo, Barry sentia o mesmo em relação a nosso casamento, mas estava tão ferido por ter acontecido *com ele* que esquecera que houve momentos em que nós dois nos sentimos presos em algo que esteve errado desde o começo. Contudo ele estava com raiva, e a raiva costuma ensurdecer os ouvidos para a realidade; pelo menos aconteceu com os dele e, assim, esperei os surtos de ira passarem e desejei que, em algum momento, pudéssemos conversar sobre aquilo com sinceridade.

Eu sabia que meus motivos estavam certos, no entanto mal podia viver com a dor que senti no coração pelo que fizera a Barry. Assim, eu tinha essa questão, e também o fato de não ter conseguido impedir um homem de atirar em si mesmo pesando bastante nos meus ombros. Fazia meses que eu não dormia direito e agora parecia que eu não dormia *nada* havia semanas.

— Oscar — falei para o cliente sentado na poltrona do outro lado da minha mesa. — O motorista de ônibus não quer matá-lo.

— Ele quer. Ele me odeia. E não tem como você saber porque nunca o viu nem viu o jeito como ele olha para mim.

— E por que você acha que o motorista de ônibus se sente assim em relação a você?

Oscar encolheu os ombros.

— Assim que o ônibus para, ele abre as portas e, então, olha para mim bravo.

— Ele fala alguma coisa para você?

— Quando eu subo, nada. Quando não subo, ele resmunga comigo.

— Tem vezes em que você *não* sobe?

Ele revirou os olhos e olhou para os dedos.

— Às vezes o meu assento não está livre.

— *Seu* assento? Essa é nova. Que assento?

Oscar suspirou, sabendo que fora descoberto, e confessou.

— Olha, todo mundo no ônibus encara, o.k.? Sou o único que sobe naquele ponto e todos eles olham para mim. Assim, como todos eles encaram, eu me sento no banco atrás do motorista. Sabe, aquele de lado que fica de frente para a janela? É como um lugar à janela, todo escondido do resto do ônibus.

— Você se sente seguro ali.

— É perfeito. Eu poderia me sentar nesse banco o caminho todo até a cidade. Mas, às vezes, tem uma menina sentada ali, uma menina com necessidades especiais, ela ouve seu iPod e canta Steps para o ônibus inteiro ouvir. Se ela está lá, não posso subir, e não só porque pessoas com necessidades especiais me deixam nervoso, mas porque é o meu lugar, sabe? E não consigo ver se ela está ali até o ônibus parar. Então, verifico o assento para ver se está livre e desço se ela estiver lá. O motorista do ônibus me odeia.

— Há quanto tempo isso está acontecendo?

— Não sei. Algumas semanas?

— Oscar, você sabe o que isso significa. Vamos ter que começar de novo.

— Ah, cara.

Ele enfiou o rosto nas mãos e largou o corpo.

— Mas eu já tinha percorrido metade do caminho para a cidade.

— Tenha cuidado para não projetar sua ansiedade real em outro medo futuro. Vamos dar um fim nesse logo de cara. Então, amanhã, você vai subir no ônibus. Vai sentar em *qualquer lugar* que tenha um assento livre e vai ficar sentado nele por uma parada. Depois, você pode descer e andar de volta para casa. No dia seguinte, quarta-feira, você vai subir no ônibus, sentar em *qualquer lugar* e vai ficar nele por duas paradas e, depois, voltar para casa. Na quinta-feira, você vai ficar por três paradas e, na sexta, por quatro paradas, entendeu? Você tem que ir pouco a pouco, pequenos passos, e uma hora vai chegar lá.

Eu não tinha certeza de quem estava tentando convencer. Ele ou eu.

Oscar lentamente levantou o rosto. Toda a cor dele tinha sumido.

— Você consegue — falei com delicadeza.

— Você faz parecer tão fácil.

— E não é fácil para você, entendo isso. Trabalhe as técnicas de respiração. Em pouco tempo, não vai ser tão difícil. Você vai conseguir ficar no ônibus até a cidade e essa sensação de medo vai ser substituída por euforia. Seus piores momentos logo se tornarão seus momentos mais felizes, porque você vai superar obstáculos enormes.

Oscar pareceu em dúvida.

— Confie em mim.

— Eu confio, mas não sinto coragem.

— O homem corajoso não é aquele que não sente medo, mas o que supera esse medo.

— Um dos seus livros?

Ele acenou com a cabeça para as prateleiras lotadas de livros de autoajuda no meu escritório.

— Nelson Mandela. — Sorri.

— Que pena que você está no departamento de contratações, daria uma boa psicóloga — Oscar falou, levantando-se da cadeira.

— É, bem, estou fazendo isto por nós dois. Se você conseguir ficar sentado no ônibus por mais de quatro paradas, vai aumentar suas oportunidades de emprego.

Tentei esconder a tensão na minha voz. Oscar era um cientista prodígio altamente qualificado para quem eu conseguiria achar uma vaga com facilidade — na verdade, eu já encontrara, três vezes —, mas, devido aos seus problemas de deslocamento, suas oportunidades de trabalho eram limitadas. Eu estava tentando ajudá-lo a superar seus medos para enfim arrumar um emprego ao qual ele compareceria todos os dias. Ele tinha medo de aprender a dirigir e eu não podia me desdobrar para virar professora de direção, mas Oscar pelo menos tinha concordado em acabar com seu medo do transporte público. Olhei para o relógio por cima do ombro dele.

— Certo, marque um horário para a próxima semana com a Gemma, e estou ansiosa para saber como você vai se sair.

Assim que a porta se fechou atrás dele, apaguei meu sorriso e vasculhei minha estante à procura de uma das minhas coleções "Como...". Os clientes ficavam maravilhados com a quantidade de livros que eu guardava, e eu acreditava que era responsável, sozinha, por manter a pequena livraria da minha amiga Amelia aberta. Os livros eram minhas bíblias, meu auxílio para resolver problemas quando eu mesma estava perdida ou precisava de soluções para clientes problemáticos. Eu estivera sonhando em escrever um nos últimos dez anos, mas nunca fora além de me sentar à escrivaninha e ligar o computador, pronta, animada para contar minha história, porém acabava encarando a tela branca e o ícone piscante, o vazio em frente a mim espelhando meu fluxo criativo.

Minha irmã Brenda dizia que eu estava mais interessada na ideia de escrever um livro do que em escrever mesmo, porque, se eu quisesse escrever, simplesmente escreveria, todos os dias, por conta própria, para mim, fosse um livro ou não. Brenda dizia que um escritor se sente compelido a escrever tenha ele uma ideia ou não, tenha ele um computador ou não, tenha ele caneta e papel ou não. O desejo dele não era determinado pela marca ou cor específica da caneta ou se o seu *latte* tinha açúcar suficiente ou não; coisas que eram distrações e obstáculos para meu processo criativo sempre que eu me sentava para escrever. Brenda costumava ter *insights* patéticos, mas eu temia que, pela primeira vez, suas observações pudessem ser verdadeiras. Eu queria escrever, só não sabia se conseguiria e, se um dia começasse, tinha medo de descobrir que não. Eu havia dormido com *Como escrever um romance de sucesso* ao lado da cama por meses, mas não tinha aberto as páginas nem uma vez, temendo que não ser capaz de seguir as dicas significasse que eu nunca poderia escrever um livro e, assim, escondi-o no armário com chave ao lado da cama, deixando de lado aquele sonho em particular até o momento certo.

Enfim, encontrei o que estava procurando na prateleira. *Seis dicas para demitir um funcionário (ilustrado)*.

Não tenho certeza se as imagens ajudaram, mas experimentei parar em frente ao espelho do banheiro e imitar o olhar preocupado no rosto do patrão. Estudei as anotações que fizera no post-it dentro da capa, sem ter certeza se conseguiria fazer aquilo. Minha empresa, Rose Recruitment, estava aberta fazia quatro anos e era um escritório pequeno com quatro pessoas, e nossa secretária Gemma nos ajudava. Eu não queria abrir mão dela, mas, devido às pressões financeiras pessoais cada vez maiores, estava tendo que pensar na possibilidade. Estava lendo minhas anotações quando ouvi uma batida na porta, seguida pela entrada de Gemma.

— Gemma — dei um berrinho, atrapalhando-me, culpada pelo livro e me esforçando para escondê-lo dela.

Enquanto eu o estava colocando na estante já lotada, deixei-o escorregar e cair pesadamente no chão, onde aterrissou nos pés de Gemma.

Gemma riu e se curvou para pegar o livro. Ao reparar no título, ela corou. Olhou para mim; surpresa, medo, confusão e dor passando pelo seu rosto. Abri e fechei a boca, sem palavras, tentando lembrar em que ordem o livro me dissera para dar a notícia, as frases corretas, as expressões faciais certas, as dicas, *claridade, empatia, não muito emocional, comunicar com franqueza ou sem franqueza?* Mas levei tempo demais e, então, ela soube.

— Bem, enfim um dos seus livros idiotas funcionou — Gemma disse, seus olhos ficando marejados enquanto ela entregava o livro para mim e se virava, pegava sua bolsa e saía com violência do escritório.

Mortificada, não consegui deixar de me sentir insultada pela ênfase no *enfim*. Eu vivia de acordo com aqueles livros. Eles funcionavam.

— Maguire — uma voz desagradável cuspiu no telefone.

— Detetive Maguire, aqui é Christine Rose.

Coloquei um dedo no meu ouvido livre para bloquear o som do choro do telefone tocando do outro lado da parede na recepção. Gemma ainda não voltara depois de ter saído de repente e, como eu não tinha conseguido juntar todo mundo para planejar como dividir as responsabilidades dela, meus colegas Peter e Paul estavam se recusando a fazer o trabalho de alguém que fora dispensado injustamente. Estavam todos contra mim, independentemente de quantas vezes eu tivesse dito a eles que havia sido um erro. "Eu não tinha a intenção de demiti-la... *hoje*" não era uma boa defesa.

Era simplesmente uma manhã desastrosa. Porém, embora fosse óbvio que eu precisava continuar com Gemma — algo que eu tinha certeza de que ela estava tentando provar —, meu extrato bancário discordava. Eu ainda tinha que pagar metade da hipoteca da casa que Barry e eu tínhamos juntos e, daquele mês em diante, teria que abrir mão de mais 600 euros para alugar um apartamento de um quarto enquanto esperava que resolvêssemos tudo. Considerando que teríamos de vender um apartamento que ninguém queria por um preço eventual que não seria suficiente de verdade para sobrevivermos, eu imaginava que precisaria usar minhas economias por um longo tempo. E, mesmo que essa situação desesperadora me fizesse pensar em medidas desesperadas, Barry já declarara uma guerra sobre minha coleção de joias, pegando cada item que ele me dera e guardando para si. Fora com essa mensagem de voz que eu acordara naquela manhã.

— Sim? — Foi a resposta de Maguire, longe de estar maravilhado de ouvir notícias minhas, embora eu estivesse surpresa por ele se lembrar do meu nome.

— Estou ligando para você há duas semanas. Deixei mensagens.

— Recebi todas elas sem problemas, entupiram minha caixa de entrada. Não há necessidade de entrar em pânico. Você não está encrencada.

Aquilo me desestabilizou. Nem havia passado pela minha cabeça que eu estaria encrencada.

— Não é por isso que eu estava ligando.

— Não? — Ele fingiu surpresa. — Você ainda não me explicou o que estava fazendo em um bloco de apartamentos abandonados em uma propriedade privada, às 11 da noite.

Fiquei em silêncio enquanto digeria aquilo. Quase todo mundo que eu conhecia havia me perguntado a mesma coisa, aquelas pessoas que não questionaram claramente estavam se perguntando a respeito e eu não dera uma resposta a ninguém. Eu precisava mudar de assunto depressa antes que o detetive me pressionasse com aquilo de novo.

— Tenho ligado para perguntar mais detalhes sobre Simon Conway. Queria saber dos preparativos do funeral. Não consegui achar nada nos jornais. Mas isso foi duas semanas atrás.

Tentei manter a irritação longe da minha voz. Estava ligando para ele para conseguir mais informações, pois Simon havia deixado um buraco enorme na minha vida e perguntas infinitas na minha cabeça. Não conseguia descansar sem saber tudo o que acontecera e fora dito depois daquele dia, queria detalhes sobre a família dele para poder contar todas as coisas bonitas que Simon dissera sobre eles, como ele os amava muito e como suas ações não tinham nada a ver com eles. Queria olhá-los nos olhos e dizer que eu tinha feito tudo o que pude. Para aliviar a dor deles ou aliviar minha culpa? O que havia de errado em querer os dois? Eu não queria parecer tão desesperada a ponto de fazer a

Maguire aquelas exatas perguntas e sabia que ele não me diria de qualquer forma, mas não podia simplesmente apagar o que tinha vivido. Eu queria, precisava de *mais*.

— Duas coisas. Primeiro, você não devia se envolver tanto com nenhuma vítima. Estou neste jogo há muito tempo e...

— Jogo? Eu vi um homem *atirar em si mesmo na cabeça bem diante dos meus olhos*. Isso não é um *jogo* para mim.

Minha voz falhou, o que encarei como um sinal para parar.

Houve silêncio. Eu me retraí e cobri o rosto. Tinha estragado tudo. Recompus-me e limpei a garganta.

— Alô?

Esperei uma resposta espirituosa, algo cínico e frio, que não veio. Em vez disso, a voz do detetive estava suave, o ruído ao fundo de onde quer que ele estivesse cessara e eu estava preocupada que todos tivessem parado para me ouvir.

— Você sabe que temos pessoas aqui para conversar depois de um evento assim — ele falou, com delicadeza pela primeira vez. — Eu lhe disse naquela noite. Dei um cartão para você. Ainda o tem?

— Não preciso conversar com ninguém — respondi, nervosa.

— É claro.

Ele parou com o jeito de bonzinho.

— Olhe, como eu estava dizendo antes de você me interromper, não há detalhes sobre o funeral. Não houve funeral. Não sei onde você conseguiu suas informações, mas estão lhe dizendo potoca.

— O que você quer dizer?

— Lorota, mentiras.

— Não, como assim não teve funeral?

O detetive pareceu exasperado por ter que explicar algo que era muitíssimo óbvio para ele.

— Ele não morreu. Ainda não, de qualquer forma. Está no hospital. Vou descobrir onde. Vou ligar lá para avisar que você pode vê-lo. Mas ele está em coma, não vai adiantar muito.

Congelei, sem conseguir falar.

Houve um longo silêncio.

— Mais alguma coisa?

O detetive estava andando de novo, ouvi uma porta bater e, depois, ele voltou à sala com as vozes altas.

Eu me esforcei para formular um único pensamento conforme afundava devagar na minha poltrona.

E, às vezes, quando você testemunha um milagre, passa a acreditar que tudo é possível.

3

Como reconhecer um milagre e o que fazer depois disso

O quarto estava calmo e silencioso, os únicos sons eram os bipes regulares do monitor cardíaco de Simon e o sopro do ventilador enquanto auxiliava sua respiração. Simon estava o completo oposto de como eu o vira pela última vez. Agora ele parecia em paz, o lado direito do rosto e da cabeça enfaixados, o lado esquerdo sereno e liso como se nada tivesse acontecido. Escolhi sentar-me do lado esquerdo dele.

— Eu o vi atirar em si mesmo — sussurrei para Angela, a enfermeira de serviço. — Ele segurou uma arma ali em cima — gesticulei — e puxou o gatilho. Eu vi o... tudo... dele voar por toda parte... Como ele sobreviveu?

Angela sorriu, um sorriso triste, não um sorriso de verdade, apenas músculos trabalhando em volta dos lábios dela.

— Um milagre?

— Que tipo de milagre é esse? — Continuei a murmurar, sem querer que Simon me ouvisse. — Continuo repassando isso, de novo e de novo, na minha cabeça.

Eu estivera lendo livros sobre suicídio e o que eu deveria ter dito, e diziam que, se você conseguir fazer uma pessoa que está ameaçando se suicidar pensar racionalmente, se ela pensar mesmo na realidade do suicídio e em suas consequências, então pode, talvez, mudar de ideia. O que ela está procurando é uma solução rápida para acabar com a dor emocional, não acabar com a própria vida e, se você a fizer enxergar outra forma de diminuir a dor, talvez possa ajudar.

— Acho que, levando em consideração que eu não tinha experiência, me saí bem. Acho que realmente conseguia chegar até ele. Acho que ele realmente reagiu. Por um momento, de qualquer forma. Quer dizer ele baixou a arma. Ele me deixou ligar para a polícia. Só não sei o que o levou àquele estado de espírito.

Angela franziu as sobrancelhas como se ouvisse ou visse algo de que não gostava.

— Você sabe que não é sua culpa, não sabe?

— Sim, eu sei.

Encolhi os ombros para afastar aquilo.

Angela me estudou, pensativa, e me concentrei na roda direita da cama do hospital, como ela deixava uma marca preta arranhada cada vez que era movida, muitas marcas, e tentei contar quantas vezes ela fora deslocada. Doze, pelo menos.

— Sabe, há pessoas com quem você pode conversar sobre esse tipo de coisa. Seria uma boa ideia falar sobre suas preocupações.

— Por que todo mundo fica me dizendo isso?

Eu ri, tentando parecer despreocupada, mas, no fundo, sentia a raiva queimar no meu peito. Estava cansada de ser analisada, cansada de as pessoas me ameaçarem como se eu fosse alguém que precisava ser cuidada.

— Estou bem.

— Vou deixá-la com ele por um tempo.

Angela se afastou, seus sapatos brancos silenciosos davam a impressão de que ela flutuava.

Eu estava lá, porém não sabia bem o que fazer. Estendi a mão para pegar a mão dele, mas, depois, parei. Se Simon estivesse consciente, talvez não quisesse que eu tocasse nele, talvez me culpasse pelo que acontecera. Tinha sido minha função impedi-lo e eu não fizera isso. Talvez ele quisesse que eu o fizesse mudar de ideia, ele estava desejando que eu dissesse as palavras certas, mas falhei com ele. Limpei a garganta, olhei ao redor, para ter certeza de que ninguém estava ouvindo, e me inclinei mais para perto da orelha esquerda dele, não tão perto a ponto de assustá-lo.

— Oi, Simon — sussurrei.

Eu o observei para ver se haveria reação. Nada.

— Meu nome é Christine Rose, sou a mulher com quem você falou na noite do... incidente. Espero que não se importe se eu ficar aqui por um tempinho.

Fiquei ouvindo à espera de algo, qualquer coisa, e estudei o rosto e as mãos dele procurando sinais de que estava chateado com minha presença. Não queria lhe causar mais nenhuma dor. Quando aparentemente tudo permaneceu como estava, calmo e imóvel, me encostei na cadeira e fiquei confortável. Não estava esperando que ele acordasse, eu não tinha nada que quisesse dizer para ele, só gostava de estar ali, em silêncio, ao seu lado. Porque, enquanto estava ao lado de Simon, eu não estava em nenhum outro lugar perguntando-me sobre ele.

Às nove da noite, depois do horário de visita, ainda não haviam pedido que eu fosse embora. Achei que o horário regular não contava para alguém em uma condição como a de Simon. Ele estava em coma, com uma máquina o ajudando a viver, e sua situação não estava melhorando. Fiquei pensando sobre minha vida e a de Simon e em como nosso encontro tinha mudado tudo sem possibilidade de volta. Fazia apenas algumas semanas desde a tentativa de suicídio dele, mas aquilo tinha feito minha vida girar em espiral para outra direção. Perguntei-me se era pura coincidência ou se eu estar naquele lugar aleatório tinha sido destino.

— O que você estava fazendo lá? — Barry me perguntara, confuso, sonolento, sentando-se na cama com o rosto amassado, seus pequeninos olhos aumentados depois de ele pegar os óculos de aro preto no baú ao lado da cama e colocá-los. Eu não soubera como responder para ele naquele momento; eu não saberia como responder agora. Dizer em voz alta seria constrangedor, destacaria quão ridiculamente perdida eu me encontrava; a ironia dessa frase não passou despercebida por mim.

Deixando de lado o que eu estava fazendo lá, o fato de ter escolhido lidar com um homem com uma arma em um prédio deserto era o suficiente para me fazer questionar a mim mesma. Eu gostava de ajudar as pessoas, mas não tinha certeza se era apenas essa a questão. Eu me via como uma solucionadora de problemas e aplicava esse pensamento à maioria dos aspectos da vida. Se algo não podia ser consertado, podia, pelo menos, ser mudado, em especial o comportamento. Meu sistema de crenças surgiu por conta do meu pai, que consertava coisas. Era da natureza dele perguntar o problema e, depois, resolvê-lo como fazia para suas três filhinhas que cresciam sem a mãe. Como não tinha instinto de mãe para saber se estava tudo bem conosco e não tinha mais ninguém com quem discutir isso, ele nos perguntava, ouvia a resposta e, depois, ia atrás da solução. Era o jeito dele e era o que ele sentia que podia fazer por nós. Deixado com três crianças com menos de dez anos, a mais nova com apenas quatro, um pai faz o que pode para proteger suas filhas.

Tenho minha própria agência de recrutamento, o que parece muito simples, porém prefiro pensar em mim mesma como uma casamenteira, encontrando a pessoa certa para o emprego certo. É importante levar a energia certa para a empresa certa, e vice-versa, o que uma empresa pode fazer por uma pessoa. Às vezes, é apenas matemática, uma vaga disponível para uma pessoa disponível com as habilidades adequadas; outras vezes, quando acabo conhecendo a pessoa, como Oscar, vou além da minha função quando se trata de achar um lugar para ela. As pessoas com quem lido têm emoções diferentes em relação aos seus objetivos, algumas porque perderam o emprego e estão sob grande estresse, outras apenas querem uma mudança de carreira e estão ansiosas, mas cheias de expectativa, e há aquelas que estão entrando no mercado de trabalho, animadas com novos começos. Independentemente, todas estão em uma jornada, e estou no meio disso. Sempre senti a mesma responsabilidade com cada uma delas: ajudar as pessoas a encontrar o lugar certo no mundo. E, ainda assim, usando essa filosofia, minhas palavras conduziram Simon Conway para aquele quarto.

Não queria deixá-lo sozinho, e voltar para um apartamento emprestado sem televisão nem nada para fazer além de encarar as quatro paredes não me atraía. Eu tinha muitos amigos em cujas casas poderia ter ficado, mas, como eram amigos meus e do Barry, demoraram para oferecer, relutantes em entrar no meio da bagunça, de achar que estavam tomando partido, em especial quando era eu quem estava parecendo a vilã, a "loba má" que partira o coração de Barry. Era melhor, para mim, não fazê-los passar por aquele estresse. Brenda me convidara para ficar com ela, mas eu não conseguia aguentar minha irmã atormentada com meu suposto transtorno de estresse pós-traumático. Eu precisava ir e vir quando quisesse sem questionamentos, em especial sobre minha sanidade. Queria me sentir livre; era por isso que eu tinha abandonado meu casamento para começo de conversa. O fato de eu me sentir mais em casa em uma unidade de tratamento intensivo do que me sentia em qualquer outro lugar era bem significativo.

Essa era a informação que eu não podia contar ao detetive Maguire, ou a Barry, ou ao meu pai e às minhas duas irmãs, ou a ninguém, na verdade. Havia um lugar específico que eu estava tentando encontrar para me sentir melhor em relação a mim mesma. Aprendi isso em um livro: *Como viver no seu lugar feliz*. A ideia era escolher um lugar que nos deixava animados. Podia ser um lugar onde você se liga a uma memória que enriqueceu sua alma ou simplesmente um no qual você goste da iluminação, ou um que faz com que você se sinta contente por um motivo que não conseguia reconhecer em nível consciente. Depois de ter encontrado esse lugar, o livro oferecia exercícios para ajudar a chamar esse mesmo sentimento feliz que você associa a esse lugar a qualquer momento e onde quer que seu coração deseje, mas só funcionaria se você tivesse encontrado o lugar certo. Eu estivera procurando. Era o que estava fazendo na noite em que conheci Simon Conway. Não era o terreno de construção que eu estava procurando, era o que costumava ficar lá antes de virar um terreno de construção. Eu tinha uma lembrança feliz ali naquele lugar.

Era uma partida de críquete, Clontarf contra Saggart. Eu tinha cinco anos de idade e mamãe morrera apenas alguns meses antes e lembro que era um dia de sol, o primeiro depois de um inverno escuro e frio, e minhas irmãs e eu estávamos ali para assistir ao papai jogar. Todo o clube de críquete estava lá fora, eu me lembro do cheiro de cerveja e posso sentir em meus lábios o gosto salgado dos pacotes de amendoim que estava consumindo um depois do outro. Papai estava fazendo um arremesso e chegava perto do fim da partida; eu podia ver o olhar intenso no rosto dele, o olhar que tínhamos visto todos os dias nas semanas anteriores, o olhar sombrio com seus olhos praticamente perdidos embaixo das sobrancelhas. Ele foi para o seu terceiro arremesso e o cara com o taco calculou muitíssimo mal seu giro e errou. A bola bateu no *wicket* e o cara estava fora. Papai gritou muito alto e deu um soco no ar com grande ferocidade, todos à nossa volta explodiram em comemoração. Aquilo me assustou no começo, observar a histeria em massa, como se todos tivessem pegado um vírus estranho que eu vira em um filme de zumbi e eu fosse a única que não havia sido afetada, mas, depois, ao observar o rosto de papai, eu soube que estava tudo bem. Ele estava com um sorriso enorme, e eu me lembro da expressão no rosto das minhas irmãs. Elas não eram muito fãs de críquete também; na verdade, tinham resmungado durante todo o caminho no carro porque não estavam indo brincar com os amigos na rua... Mas observavam papai comemorar, ser erguido sobre os ombros dos colegas de time, que estavam sorrindo, e lembro-me de que aquele foi o momento em que pensei: nós vamos ficar bem.

Fui ao condomínio para ter aquele sentimento de novo, e, quando cheguei lá, vi uma propriedade fantasma e conheci Simon.

Quando deixei Simon no hospital naquela noite, continuei minha busca por lugares que me animavam. Estava fazendo aquilo havia cerca de seis semanas e já tinha ido à minha antiga escola do primário, uma quadra de basquete onde eu beijara um menino que eu achava que era muita areia para o meu caminhão, minha faculdade, a casa dos meus avós, a loja de jardinagem aonde eu costumava ir com meus avós, o parque local, o clube de tênis no qual passei meus verões e vários outros lugares que sempre frequentava e tinham sido palco de boas memórias. Eu havia passado aleatoriamente pela casa de uma antiga amiga do primário e acabei tendo a conversa mais constrangedora da minha vida. No mesmo instante desejei não ter me dado ao trabalho de ir. Eu a visitara porque, quando estava passando, tive uma lembrança repentina: o aroma quente e doce de algo sendo assado na cozinha dela. Todas as vezes em que eu brincava ali, a mãe dela parecia estar cozinhando. Vinte e quatro anos depois, o cheiro de comida sendo preparada tinha sumido, assim como a mãe, e, no seu lugar, estavam os dois filhos da minha exausta velha amiga, que a estavam usando como suporte de escalada e não nos davam um segundo para conversar, o que foi uma bênção porque, de qualquer forma, nós não tínhamos nada a dizer uma para a outra que encobrisse a pergunta silenciosa nos lábios dela: *por que você veio aqui? Nós nem éramos tão amigas.* Como presumiu que eu estava passando por um momento difícil, ela foi educada o bastante para não dizer isso em voz alta.

Durante as primeiras semanas, não encontrar um lugar não me incomodou, pois a busca era uma forma de passar meu tempo; porém, depois de três semanas, minha incapacidade de encontrar meu lugar começou a afligir minha mente. Em vez de me reenergizar, eu estava, na verdade, estragando as boas memórias que eu tinha.

Depois daquela visita ao hospital, eu estava ainda mais concentrada em encontrar um lugar. Precisava melhorar meu humor e sabia que voltar para aquele lar de aluguel com paredes amareladas não me ofereceria nenhum consolo.

Era isso que eu estava fazendo no momento em que o evento muitíssimo improvável aconteceu pela segunda vez no mesmo mês com a mesma pessoa.

4

Como se segurar para sobreviver

As ruas de Dublin estavam silenciosas em uma noite de domingo, em dezembro, e fazia um frio congelante à medida que eu seguia rumo à ponte Ha'penny saindo do cais Wellington. A neve ameaçava cair, mas ainda não chegara. A ponte Ha'penny, conhecida oficialmente como ponte Liffey, antiga e charmosa para pedestres com suas grades de ferro fundido, cruza o rio, ligando o norte da cidade ao sul. Passou a ser conhecida como Ha'penny porque o pedágio era de um *penny* quando ela foi construída, em 1816. Um dos pontos mais notórios de Dublin, é especialmente bela à noite, quando as três lâmpadas decorativas são acesas. Eu escolhera aquele lugar porque, como parte do meu diploma na faculdade, Administração e Espanhol, tive que morar na Espanha por um ano. Não me recordo do quanto nossa família era unida antes de mamãe morrer, mas certamente me lembro de ficarmos mais unidos depois e, então, conforme os anos se passavam, parecia impensável que um de nós abandonasse o grupo. Quando comecei o curso na faculdade, sabia que o estágio internacional Erasmus era uma realidade inevitável e, àquela altura, senti o desejo incontrolável de cortar aqueles laços e abrir minhas asas. Assim que cheguei lá, soube que fora um erro, chorei o tempo todo, não conseguia comer, não conseguia dormir, contudo conseguia me concentrar nos estudos. Sentia como se meu coração tivesse sido arrancado do peito e deixado em casa com a minha família. Meu pai escrevia para mim todo dia, reflexões espirituosas sobre o dia a dia dele e das minhas irmãs, que tentavam melhorar meu humor, mas apenas davam mais combustível para minha saudade de casa. Porém, houve um cartão-postal em particular que ajudou a me tirar dessa minha saudade crônica. Ou melhor, a saudade de casa ainda estava lá, mas eu conseguia viver. Esse cartão tinha sido da ponte Ha'penny à noite, com o horizonte de Dublin iluminado ao fundo e todas as luzes coloridas refletindo no Liffey abaixo. Eu ficara encantada com aquela imagem, olhara as pessoas pixelizadas e tentara lhes dar nomes e histórias, lugares para onde estavam indo, lugares de onde estavam vindo, nomes familiares indo e voltando de locais que eu conhecia. Eu o pregava na minha parede quando dormia e o levava comigo no meu caderno da faculdade durante o dia; sentia que ele era uma parte de casa comigo o tempo todo.

Não fui idiota o bastante para achar que aquela mesma sensação se repetiria no momento em que visse a ponte, porque eu a via quase toda semana. Àquela altura, tinha muita experiência em procurar pelo meu lugar feliz e sabia que não seria instantâneo, porém eu esperava que pudesse parar ali e pelo menos relembrar a emoção, a experiência, os sentimentos. Era noite, o horizonte estava iluminado ao fundo e, embora os novos prédios ao longo do cais criassem uma imagem diferente do meu antigo cartão-postal, o reflexo das luzes no rio escuro parecia o mesmo. Tinha todos os elementos do cartão.

Exceto uma coisa.

Um homem sozinho, vestindo preto, agarrando-se ao lado de fora da ponte enquanto olhava para o rio frio que fluía rápido e ameaçador embaixo dele.

Nos degraus de entrada vindo do cais Wellington, uma pequena multidão havia se formado. As pessoas estavam paradas, observando o homem na ponte. Eu me juntei a elas em seu espanto, perguntando-me se fora assim que Roy Cleveland Sullivan se sentira ao ser atingido por um raio pela segunda vez: *de novo não*.

Alguém havia chamado a polícia e as pessoas estavam discutindo quanto tempo ela demoraria para chegar e que poderia não dar a tempo.

Todos estavam debatendo o que fazer. Não pude deixar de ver o rosto de Simon antes de ele apertar o gatilho e, então, depois, na UTI, repassando a maneira como a fisionomia dele mudara no apartamento antes de ele pegar a arma. Algo tinha sido o gatilho para aquele momento. Poderia ser o que eu dissera a ele? Não conseguia me lembrar das palavras que eu dissera; talvez não fosse culpa minha. Pensei nas duas filhinhas dele, esperando o papai acordar, perguntando-se por que ele não levantava como fazia sempre. Depois, olhei para o homem na ponte e pensei nas incontáveis vidas que seriam impactadas pela necessidade dele de acabar com sua dor, sua incapacidade de enxergar outra saída.

De repente, a adrenalina foi bombeada pelo meu corpo e não havia nenhuma outra decisão que pudesse tomar. Eu não tinha escolha: tinha que salvar aquele homem na ponte.

Dessa vez, eu faria de um jeito diferente. Desde Simon Conway, eu havia lido alguns livros, tentando descobrir o que havia feito de errado, como poderia ter conversado com ele para fazê-lo mudar de ideia. O primeiro passo seria me concentrar no homem, ignorar a comoção à minha volta. As três pessoas ao meu lado estavam começando a discutir quanto ao que fazer, e isso não iria ajudar ninguém. Coloquei o pé no degrau. Eu podia fazer aquilo, disse a mim mesma, sentindo-me confiante e no controle.

O vento gelado me atingiu como um tapa na cara, dizendo-me: "Acorde! Esteja pronta!". Minhas orelhas já estavam doendo com o frio e meu nariz estava adormecido e começou a escorrer. A maré estava alta no Liffey, a água estava preta, sombria, malevolente, nada convidativa. Eu me afastei das pessoas que aguardavam com expectativa atrás de mim e tentei esquecer que cada palavra que eu dizia e cada fôlego trêmulo que inspirava poderiam ser carregados pela brisa até os ouvidos dos espectadores. Minha visão do homem ficou mais clara: vestindo preto, parado do lado de fora da proteção, os pés na saliência estreita acima da água, as mãos apertando a balaustrada. Era muito tarde para voltar agora.

— Olá — chamei com gentileza, sem querer assustá-lo e mandá-lo para a água.

Apesar de tentar ser ouvida por cima do barulho da brisa, mantive a voz calma e clara com um tom regular e semblante suave, lembrando o que eu lera: evite tons agudos e mantenha contato visual.

— Por favor, não se assuste, não vou tocar você.

Ele se virou para me olhar e, depois, seus olhos voltaram direto para o rio abaixo, encarando com intensidade a água. Estava claro que eu mal penetrara os pensamentos que passavam pela mente dele; ele estava perdido demais em sua cabeça para reparar.

— Meu nome é Christine — eu disse, dando passos lentos e regulares em direção a ele.

Fiquei perto da beira da ponte, tentando ver o rosto dele enquanto falava.

— Não se aproxime mais! — ele gritou, a voz revelando seu pânico.

Parei, feliz com a distância; ele estava a um braço de mim. Se precisasse, poderia agarrá-lo.

— Certo, certo, vou ficar aqui.

Ele se virou para ver quão distante dele eu estava.

— Mantenha o foco, não quero que você caia.

— Cair?

Ele levantou o olhar para mim rapidamente e, depois, baixou-o de novo, em seguida voltou-o para mim e nossos olhares se prenderam um ao outro. Ele estava na faixa dos trinta anos, tinha o maxilar anguloso, o cabelo escondido debaixo de um gorro de lã. Seus olhos azuis me encararam de volta, grandes e aterrorizados, pupilas tão enormes que quase tomavam os olhos, e eu me perguntei se ele tinha usado alguma coisa ou se estava bêbado.

— Você está falando sério? — ele disse. — Acha que eu me importo se cair? Acha que cheguei aqui por acidente?

Ele tentou me desconcentrar de novo e focar no rio.

— Qual é o seu nome?

— Me deixe em paz — ele disparou e, depois, acrescentou com delicadeza: — Por favor.

Mesmo atormentado, ele era educado.

— Estou preocupada. Posso ver que você está perturbado. Estou aqui para ajudá-lo.

— Não preciso da sua ajuda.

Ele me bloqueou e concentrou-se na água de novo. Observei os nós dos dedos dele, passando de branco para vermelho conforme ele apertava ou afrouxava a mão. Meu coração disparava sempre que ele se segurava com menos força, e eu temia que os dedos se soltassem por completo. Não tinha muito tempo.

— Gostaria de conversar com você.

Aproximei-me um pouquinho mais.

— Por favor, vá embora. Quero ficar sozinho. Não queria nada disto, eu não queria fazer uma cena, só quero fazer isto. Sozinho. Eu só... Não achei que fosse demorar tanto.

Ele engoliu em seco de novo.

— Olhe, ninguém vai se aproximar de você a menos que você diga. Então, não há motivo para pânico, nenhuma pressa, você não precisa fazer nada sem pensar bem. Temos muito tempo. Tudo o que peço é que você converse comigo.

Ele ficou em silêncio. Mais perguntas gentis levaram a nenhuma resposta. Eu estava pronta para ouvir, pronta para dizer todas as coisas certas, mas minhas perguntas estavam sendo recebidas com silêncio. Por outro lado, ele ainda não pulara, pelo menos.

— Gostaria de saber o seu nome — falei.

Não.

Imaginei o rosto de Simon enquanto ele me olhava nos olhos e puxava o gatilho. Uma onda de emoção passou por mim e eu quis chorar, quis desmontar e chorar. Eu não tinha capacidade para aquilo. O pânico cresceu dentro de mim. Estava a ponto de desistir e voltar para a pequena multidão de espectadores e dizer a eles que não conseguia fazer aquilo, que não queria ser responsável por outra vítima, quando ele falou:

— Adam.

— Certo — eu disse aliviada por ele estar interagindo comigo.

Lembrei-me de uma frase em um dos livros que dizia que a pessoa que tenta o suicídio precisa ser lembrada de que há outros pensando nela, amando-a, quer ela sinta ou não, mas eu estava com medo de que isso o mandasse na direção oposta. E se ele estivesse ali por causa dos outros ou porque sentia que era um fardo para eles? Meus pensamentos corriam enquanto eu tentava decidir o que fazer; havia tantas regras, e tudo o que eu queria era ajudar.

— Quero ajudá-lo, Adam — falei enfim.

— Não há motivo.

— Gostaria de ouvir o que você tem a dizer — afirmei, permanecendo positiva.

Ouça com carinho, não diga "não", não diga "não pode". Repassei tudo o que tinha lido. Não podia errar. Nem uma única palavra.

— Você não pode me convencer a desistir disto.

— Dê para mim uma chance de mostrar a você que, embora esta possa parecer a única opção, há muitas outras. Sua mente está tão cansada agora... Deixe que eu o ajude a sair daí. Depois, podemos analisar as opções. Pode ser difícil vê-las no momento, mas elas existem de verdade. Porém, por enquanto, vamos sair da ponte, deixe que eu o ajude a ficar seguro.

Ele não respondeu. Em vez disso, olhou para mim. Eu conhecia aquele olhar, aquele olhar familiar. Simon tinha tido aquela expressão também.

— Desculpe.

Seus dedos ficaram mais soltos na barra de ferro, seu corpo inclinou-se para a frente, afastando-se da proteção.

— Adam!

Disparei para a frente, lancei meus braços através das grades largas e os envolvi apertados em volta do peito dele, puxando-o para trás com tanta força que ele bateu na proteção. Meu corpo estava pressionado tão perto da grade que as costas dele estavam contra mim. Enterrei o rosto no gorro de lã dele, fechei os olhos e segurei com força. Esperei que ele empurrasse, perguntei-me se continuaria a segurá-lo, sabendo que não seria capaz de fazê-lo por muito tempo se ele usasse sua força para resistir a mim. Esperei um espectador chegar correndo e assumir, desejei que os policiais estivessem por perto para que os profissionais pudessem intervir. Eu estava dando um passo maior que minha perna; o que pensava que estava fazendo? Apertei os olhos fechados, descansei a cabeça na nuca dele; ele cheirava a loção pós-barba, limpo, como se tivesse acabado de tomar banho. Ele tinha cheiro de vivo, como alguém que estava indo a algum lugar, não alguém que estivera planejando pular de uma ponte. Parecia forte e cheio de vida também; eu mal conseguia envolver o peito dele, era tão largo. Segurei-o, determinada a não soltar.

— O que você está fazendo? — Ele ofegou, seu peito arfando para cima e para baixo.

Enfim, levantei o olhar e verifiquei a multidão atrás de mim. Não havia sinal das luzes da polícia, nenhum sinal de alguém vindo me ajudar. Minhas pernas estavam tremendo, como se fosse eu quem estivesse encarando a profundidade da escuridão do Liffey.

— Não faça isso — sussurrei, começando a chorar. — Por favor, não faça isso.

Ele tentou se virar para me ver, mas eu estava atrás e ele não conseguia enxergar meu rosto.

— Você está... Você está chorando?

— Sim — funguei. — Por favor, não faça isso.

— Puxa.

Adam tentou virar-se de novo e me olhar.

Eu estava chorando mais agora, soluçando sem controle, meus ombros pulando para cima e para baixo, meus braços ainda enrolados no peito dele, segurando como se quisesse salvar minha própria vida.

— Que é isso?

Ele se mexeu mais um pouco, moveu os pés ao longo da saliência para poder virar a cabeça e ver meu rosto.

Nossos olhares se fixaram um no outro.

— Você está... Você está bem?

Ele ficou mais calmo, saindo de qualquer que fosse o estado tipo transe no qual estivera.

— Não.

Tentei parar de chorar. Eu queria limpar meu nariz, que escorria como uma torneira, mas estava com medo de soltá-lo.

— Eu a conheço? — Adam perguntou confuso, analisando meu rosto, perguntando-se por que eu me importava tanto.

— Não — falei, fungando de novo.

Eu o apertei mais perto, abraçando-o como eu não abraçava ninguém havia anos, não desde que era criança, não desde que minha mãe tinha me abraçado.

Ele estava olhando para mim como se eu fosse louca, como se ele fosse a pessoa sã da história e eu tivesse perdido a cabeça. Estávamos praticamente de narizes colados enquanto ele estudava meu rosto, como se procurasse por muito mais do que conseguia ver.

O encanto entre nós foi quebrado quando algum idiota observando do cais gritou:

— Pule!

O homem de preto começou a tentar se soltar de mim remexendo o corpo com uma raiva renovada.

— Tire as mãos de mim — ele falou, esforçando-se para se livrar de mim enquanto chacoalhava.

— Não.

Neguei balançando a cabeça.

— Por favor, ouça...

Tentei me recompor antes de continuar:

— Não é o que você acha que vai ser ali — falei, olhando para baixo e imaginando qual seria a sensação para ele, encarando a escuridão, querendo acabar com tudo aquilo; quão ruins as coisas deviam estar para ele querer aquilo.

Adam estava me analisando com atenção de novo.

— Você não quer acabar com a sua vida, você quer acabar com a sua dor, a dor que você está sentindo agora, a dor com a qual tenho certeza de que você acorda e vai dormir à noite. Talvez ninguém à sua volta entenda isso, mas eu entendo, acredite em mim.

Vi que os olhos dele estavam ficando marejados, eu estava conseguindo atingi-lo.

— Mas você não quer acabar com ela o tempo todo, quer? Apenas algumas vezes passa pela sua cabeça, provavelmente com mais frequência nos últimos tempos do que antes. É como um hábito, tentar pensar em maneiras diferentes de acabar com tudo. Só que passa, não é?

Adam olhava para mim com cuidado, absorvendo cada palavra.

— É um *momento*, isso é tudo. E momentos passam. Se você aguentar, esse momento vai passar e você não vai querer acabar com a sua vida. Você provavelmente acha que ninguém se importa, ou que as pessoas vão se esquecer de você. Talvez ache que elas querem que você faça isso. Não querem. Ninguém quer isso para outra pessoa. Pode parecer que não há opções, mas há... Você pode superar isso. Saia daí e vamos conversar sobre o assunto. O que quer que esteja acontecendo, você consegue superar. É um momento, isso é tudo — sussurrei, lágrimas escorrendo pelas minhas bochechas.

Eu o olhei de soslaio. Adam engoliu em seco com força, estava olhando para baixo. Pensava a respeito, avaliava suas opções. Viver ou morrer. Clandestinamente, passei o olho pelas entradas no Bachelors Walk e no cais Wellington, e nada da polícia, ninguém ali para me ajudar. Eu estava feliz por isso naquele momento; tinha conseguido interagir com Adam, não queria que mais ninguém o distraísse, o deixasse em pânico, o levasse de volta para aquele lugar de novo. Pensei no que dizer a seguir, algo que fizesse o tempo passar até a ajuda profissional chegar, algo positivo que não disparasse nenhuma raiva nele. Porém, no final, não tive que dizer nada porque ele falou primeiro.

— Li a respeito de um cara que pulou no rio no ano passado. Ele estava bêbado e decidiu ir nadar, mas ficou preso embaixo de um carrinho de compras e a corrente o levou para longe. Ele não conseguiu sair — Adam disse, sua voz falhando com a emoção.

— E você achou isso bom?

— Não. Mas, depois, tudo vai acabar. Depois de tudo isso, vai acabar.

— Ou será o início de um novo tipo de dor. Assim que você estiver na água, não importa quanto queira isso, vai entrar em pânico. Você vai lutar. Vai se esforçar para puxar o oxigênio e seus pulmões vão se encher de água porque, mesmo que você pense que não quer viver, seu instinto vai ser o de continuar vivo. Está *em você* querer continuar vivo. Assim que a água for puxada para a sua laringe, outro instinto natural é engoli-la. A água vai encher seus pulmões, o que vai fazer peso no seu corpo para baixo, e, se você mudar de ideia e decidir que quer viver e tentar chegar à superfície, não vai conseguir. E a questão é que há muitas pessoas em volta de você agora, elas estão prontas para mergulhar e resgatá-lo... E, quer saber? Você acha que será tarde demais, mas não será. Mesmo depois de perder a consciência, seu coração vai continuar batendo. Elas podem fazer respiração boca a boca em você e bombear a água para fora e encher seus pulmões de ar de novo. Elas podem salvá-lo.

O corpo dele estava tremendo e não apenas de frio. Eu o senti ficar mole debaixo dos meus braços.

— Quero que isso acabe.

A voz dele vacilou.

— Dói.

— O que dói?

— Especificamente? Viver.

Adam deu uma risada fraca.

— Acordar é a pior parte do meu dia. Tem sido assim há muito tempo.

— Por que não falamos sobre isso em algum outro lugar? — perguntei, preocupada, conforme o corpo dele ficava rígido de novo.

Talvez não fosse uma boa ideia falar sobre os problemas dele enquanto Adam estava pendurado do lado de fora de uma ponte.

— Quero ouvir tudo o que você tem a dizer, então vamos sair daqui agora.

— É demais.

Ele fechou os olhos e falou mais para si mesmo:

— Não posso mudar as coisas agora. É tarde demais — ele disse em voz baixa, inclinando a cabeça para trás de forma que ela descansou na minha bochecha. Estávamos estranhamente próximos para dois estranhos.

— Nunca é tarde demais. Acredite em mim, é possível mudar sua vida. Você pode mudá-la. Eu posso ajudar — falei, minha voz um pouco mais que um sussurro.

Não havia motivo para eu falar alto; o ouvido dele estava bem ali, nos meus lábios.

Adam me olhou nos olhos e eu não pude desviar; senti-me presa. Ele parecia tão perdido.

— E o que acontece se não der certo? Se nada mudar como você diz que vai?

— Vai mudar.

— Mas e se não mudar?

— Estou dizendo que vai.

Tire-o da ponte, Christine!

Ele me analisou, seu maxilar enrijecendo conforme ele pensava a respeito.

— E, se não mudar, juro que vou fazer isto de novo — ele ameaçou. — Não aqui, mas vou encontrar um jeito, porque não vou voltar para aquilo.

Eu não queria que ele perdesse tempo com coisas negativas, com o que quer que fosse que o tivesse mandado para lá.

— Certo — falei com confiança —, se sua vida não mudar, é decisão sua o que fazer. Mas estou dizendo que pode mudar. Vou mostrar a você. Você e eu, nós vamos fazer isso juntos, vamos ver como a vida pode ser maravilhosa. Eu prometo a você.

— Estamos de acordo — ele quase sussurrou.

O medo invadiu meu corpo no mesmo instante. Um acordo? Não era minha intenção fazer um acordo com ele, mas não iria discutir isso naquele momento. Eu estava cansada. Só queria que ele saísse da ponte. Queria estar na cama, enrolada, com tudo aquilo já no passado.

— Você precisa me soltar para eu poder escalar por cima — ele disse.

— Não vou soltá-lo. Sem chance — falei, severa.

Adam riu, uma risada tímida, mas estava ali.

— Olhe, estou tentando voltar para a ponte e agora você não me deixa.

Observei a altura das barras que Adam precisava subir e, depois, a queda abaixo. Aquilo seria perigoso.

— Deixe-me ligar e pedir ajuda — falei.

Devagar, tirei uma mão do peito dele sem confiar por completo que ele manteria sua palavra.

— Cheguei aqui sozinho, posso voltar para a ponte sozinho — garantiu.

— Não gosto dessa ideia, deixe que eu peça para alguém ajudar.

No entanto, ele me ignorou e eu o observei tentar se virar, seus pés grandes na saliência estreita. Adam passou a mão direita para uma barra mais distante e mexeu os pés para poder virar-se de frente para a ponte. Meu coração bateu forte enquanto eu olhava, sentindo-me impotente. Queria gritar para os espectadores ajudarem, mas fazer isso naquele momento o teria assustado e o mandado para a água. De repente, o vento pareceu mais forte, o ar pareceu mais frio e eu estava até mais ciente do quanto Adam estava em perigo depois do nosso breve intervalo. Ele inclinou o corpo para a direita, preparando-se para lançar o pé esquerdo por cima da água e virar-se de frente para as barras, mas, quando se virou, escorregou da pequena saliência. De alguma forma, sua mão esquerda conseguiu segurar na barra que ele estivera tentando alcançar bem a tempo, e ele ficou pendurado por um braço. Ouvi a inspiração de fôlego coletiva dos espectadores ao eu tentar pegar a mão direita dele que balançava e, agarrando-a bem, usei toda a minha força para puxá-lo para cima. Naquele momento, era o medo nos olhos de Adam que mais me aterrorizava, mas, pensando bem, foi o olhar que me deu força, porque o homem que apenas momentos antes tinha desejado acabar com a própria vida agora estava lutando por ela.

Eu o ajudei a subir e ele se agarrou às barras, os olhos fechados, respirando fundo. Eu ainda estava tentando me recompor quando o detetive Maguire veio correndo na nossa direção com uma expressão enfurecida.

— Ele quer voltar para a ponte — falei, sem força.

— Estou vendo.

O detetive me empurrou de lado e tive que desviar o olhar enquanto conduziam Adam em segurança. Assim que ele pisou na ponte, nós dois nos sentamos pesadamente no chão, todas as nossas energias gastas.

Adam sentou-se com as costas contra as grades, eu me sentei de frente para ele no outro lado, tentando fazer minha cabeça parar de girar. Enfiei-a entre as pernas e inspirei profundamente várias vezes.

— Você está bem? — perguntou preocupado.

— Sim.

Fechei os olhos.

— Obrigada — acrescentei.

— Pelo quê?

— Por não pular.

Adam fez uma careta, a exaustão aparecendo em seu rosto e seu corpo.

— Sempre fico feliz em fazer favores. Parecia ser mais importante para você do que para mim.

— Bem, eu agradeço.

Virei um sorriso trêmulo para ele.

Ele ergueu as sobrancelhas.

— Desculpe, não me lembro do seu nome.

— Christine.

— Adam.

Ele estendeu o braço e ofereceu a mão. Eu me afastei das grades para alcançar e, quando peguei a mão dele na minha, ele segurou com força e me olhou nos olhos.

— Estou ansioso para você me convencer de que isso foi uma boa ideia, Christine. Acho que meu aniversário será um bom prazo final.

Prazo final? Congelei, minha mão ainda envolvida na dele. Adam dissera com suavidade, mas parecera um aviso. De repente, senti-me fraca, para não dizer boba, ao pensar no acordo com o qual eu concordara. O que eu tinha feito?

Apesar de querer retirar tudo o que dissera, fiz que sim com a cabeça, nervosa. Ele apertou minha mão uma vez, um cumprimento único e firme, no centro da ponte e, depois, soltou.

5

Como fazer sua relação dar um passo à frente

— Que diabos você estava fazendo lá? — O detetive Maguire resmungou, empurrando seu rosto para perto do meu.

— Tentando ajudar.

— Como você conhece *esse homem*?

Ele queria dizer: esse homem *também*.

— Não conheço.

— Então, o que aconteceu aqui?

— Eu só estava passando por ali e vi que ele estava com problemas. Estávamos preocupados que vocês não chegassem aqui a tempo, então pensei em falar com ele.

— Porque sua conversa deu tão certo da primeira vez — ele desabafou e, depois, pareceu se arrepender do que disse. — Sério, Christine, você espera que eu acredite nessa história? Você estava apenas "de passagem"? Duas vezes em um mês? Espera que eu acredite que foi uma coincidência? Se você está planejando se tornar algum tipo de super-heroína...

— Não estou. Eu estava no lugar errado na hora errada. Pensei que podia ajudar.

Como estava ficando brava com a maneira como ele me tratava, acrescentei:

— E ajudei, não ajudei? Eu o fiz voltar para a ponte.

— Por pouco — ele comentou furioso.

Andou de um lado para o outro diante de mim.

De longe, eu podia ver Adam observando-me com preocupação. Eu lhe lancei um sorriso fraco.

— Não acho que isto é engraçado.

— Não estou rindo.

O detetive me analisou, tentando descobrir o que fazer comigo.

— Você pode me falar sobre isso do começo ao fim na delegacia.

— Mas não fiz nada de errado!

— Você não está sendo presa, Christine. Preciso preencher um relatório.

Ele se afastou, esperando que eu o seguisse até o carro.

— Você não pode levá-la também — Adam protestou.

Ele parecia exausto.

— Não se preocupe com o que vamos fazer com ela — Maguire adotou uma voz diferente, muito mais suave para o bem de Adam, uma que eu não sabia que existia dentro dele.

— De verdade, estou bem — Adam contestou conforme Maguire começava a ajudá-lo a ir para o carro. — Foi um momento de loucura. Estou bem agora. Só quero ir para casa.

Maguire murmurou palavras de apoio, mas o acompanhou para o automóvel mesmo assim, independentemente dos desejos dele. Enquanto Adam era levado em um carro, eu era levada em outro para a delegacia da rua Pearse, onde pediram que eu contasse minha história de novo. Era óbvio que Maguire não estava convencido por completo de que eu estava dizendo a verdade. O fato é que eu estava escondendo informações, e ele sabia disso. Não consegui me obrigar a dizer o que eu estava fazendo na ponte ou no condomínio residencial. E não consegui contar para a senhora simpática que entrou na sala depois dele, querendo conversar comigo sobre minha experiência.

Depois de uma hora, o detetive Maguire me disse que eu estava livre para ir embora.

— E quanto ao Adam?

— Adam não é problema seu agora.

— Mas onde ele está?

— Está sendo avaliado por um psicólogo.

— Então, quando posso vê-lo?

— Christine... — ele alertou, tentando se livrar de mim.

— O quê?

— O que eu lhe disse sobre se envolver? Há um táxi lá fora. Vá para casa. Durma um pouco. Tente se manter longe de encrenca.

Assim, eu saí da delegacia. Era meia-noite de um domingo e o frio foi direto para meus ossos; as ruas estavam livres de tráfego, a não ser por um ou outro táxi. A Trinity College, que tudo vê, erguia-se escura e vazia diante de mim. Não sei quanto tempo fiquei parada ali, tentando compreender tudo, o choque enfim me afetando, quando a porta atrás de mim foi aberta e senti a presença de Maguire antes de ouvi-lo.

— Você ainda está aqui.

Eu não sabia o que responder e apenas olhei para ele.

— Adam está perguntando por você.

Meu coração se animou.

— Ele vai passar a noite fora. Posso dar o seu telefone para ele?

Fiz que sim com a cabeça.

— Entre no táxi, Christine — Maguire ordenou e me lançou um olhar tão ameaçador que eu me vi fazendo sinal para o táxi mais próximo.

Fui para casa.

Não foi surpresa eu não dormir. Sentei-me, minha cafeteira me fazendo companhia enquanto eu observava o telefone e perguntava-me se o detetive Maguire tinha dado a Adam o número certo. Quando as sete da manhã chegaram e eu ouvi carros na rua, comecei a cochilar. Quinze minutos depois, meu despertador me acordou para o trabalho. Adam não me ligou o dia todo e, então, às seis da tarde, quando eu estava desligando meu computador, meu telefone tocou.

Combinamos de nos encontrar na ponte Ha'penny, o que pareceu certo naquele momento, já que era nossa ligação um com o outro, mas, depois de chegarmos lá, vinte e quatro horas após o incidente, pareceu inadequado. Ele não estava na ponte, mas parado ao lado dela em Bachelors Walk, olhando para a água embaixo. Eu teria dado tudo para saber no que ele estava pensando.

— Adam.

Ao som da minha voz, ele se virou. Estava usando o mesmo casaco preto de tecido grosso e o chapéu de lã preto da noite anterior, as mãos enfiadas nos bolsos.

— Você está bem? — perguntei.

— Sim, é claro.

Ele parecia em estado de choque.

— Estou bem.

— Aonde eles o levaram na noite passada?

— Fizeram algumas perguntas na delegacia e, depois, fui ao St John of Gods para uma avaliação psicológica. Passei com louvor — ele brincou. — De qualquer forma, liguei porque queria agradecer pessoalmente.

Ele mudou o peso de uma perna para a outra.

— Então, obrigado.

— Certo. Bem, de nada — respondi, com constrangimento, sem saber se lhe dava um aperto de mão ou o abraçava.

Todos os sinais indicavam que eu deveria deixá-lo em paz.

Adam fez que sim com a cabeça e virou-se em direção até a rua Lower Liffey. Ele não estava olhando para onde ia e um carro buzinou com raiva por pouco não atropelá-lo. Adam mal registrou o som e continuou andando.

— Adam!

Ele se virou.

— Acidente. Juro.

Soube naquele momento que teria que segui-lo. O hospital podia ter acreditado nele, mas não havia jeito de eu deixá-lo sozinho depois do que ele passara. Apertei o botão de pedestre do semáforo, mas ele era lento demais; com medo de perdê-lo, esperei uma brecha no trânsito e cruzei a rua correndo. Outro carro buzinou. Corri para me aproximar de Adam e, depois, diminuí o passo, decidindo que poderia garantir que ele estava seguro de longe. Ele virou à direita na rua Middle Abbey e, quando já tinha virado a esquina e estava fora de vista, disparei para alcançá-lo. Quando virei a esquina, Adam sumira, como se tivesse desaparecido no ar. Àquela hora, não havia estabelecimentos abertos para ele entrar e desaparecer. Procurei na rua escura e deserta à frente e briguei comigo mesma, desejando ao menos ter pegado o número de telefone dele.

— Bu! — ele falou de repente, impassível, ao sair das sombras.

Eu pulei:

— Poxa, Adam. Você está tentando me fazer ter um infarto?

Ele sorriu para mim, achando graça.

— Pare de usar seus truques de *Cagney and Lacey* comigo.

Senti meu rosto corar no escuro.

— Queria garantir que você estava bem. Não queria ficar em cima de você.

— Eu lhe disse que estou bem.

— Não acho que você está.

Ele desviou o olhar, piscando várias vezes à medida que seus olhos começavam a se encher de lágrimas de novo. Eu podia vê-los brilharem sob a luz do poste.

— Preciso saber que você vai ficar bem. Não posso simplesmente deixá-lo. Você vai atrás de alguma ajuda? — perguntei.

— E como toda essa conversa incrível que as pessoas querem ter comigo vai consertar alguma coisa? Não vai mudar o que está acontecendo.

— *O que* está acontecendo?

Adam recuou.

— Certo, você não precisa me contar. Mas, pelo menos, você não está aliviado? Por não ter pulado?

— Claro. Foi um grande erro. Eu me arrependo de ter ido até a ponte.

Eu sorri.

— Viu? Isso é bom... Já são passos para a frente.

— Eu devia ter ido até lá em cima — ele falou, levantando o olhar para o Liberty Hall, o prédio de dezesseis andares que era o mais alto do centro de Dublin.

— Quando é o seu aniversário? — falei, lembrando-me do nosso acordo.

Ele riu.

— Aonde estamos indo? — questionei, correndo para alcançá-lo conforme ele andava a passos largos pela rua O'Connell.

Meus pés e minhas mãos estavam adormecidos e, assim, eu esperava que não tivéssemos que ir longe. Adam parecia estar andando sem rumo, sem um destino em mente, o que me fazia imaginar se morte por congelamento seria seu próximo método de suicídio.

— Estou hospedado no Hotel Gresham.

Ele levantou os olhos para o Spire.

— Ou poderia ter pulado no ar e caído naquilo. Poderia ter me atravessado bem no estômago. Ou, melhor ainda, no coração.

— Certo, estou começando a entender seu humor. E é um pouco doentio.

— Ainda bem que o hospital não pensou assim.

— Como você saiu de lá?

— Eu os encantei com minha alegria e meu maravilhamento de menino — ele contou, ainda sem expressão.

— Você mentiu para eles — acusei.

Adam encolheu os ombros.

— Onde você mora?

Ele hesitou.

— Atualmente? Em Tipperary.

— E você veio a Dublin especialmente para...?

— Pular da ponte Ha'penny?

Ele olhou para mim, achando graça de novo.

— Vocês, dublinenses, são tão arrogantes. Há pontes perfeitamente boas no resto do país, sabia? Não, eu vim para ver uma pessoa.

Chegamos ao Hotel Gresham e Adam virou-se para mim.

— Bem, obrigado. De novo. Por salvar minha vida. Eu deveria, não sei, dar um beijo constrangido em você ou um abraço ou... Já sei...

Ele levantou a mão no ar e revirei os olhos antes de bater nela.

E, depois, eu realmente não sabia o que dizer. Boa sorte? Aproveite a vida?

Ele também não fazia ideia e os comentários sarcásticos continuaram a fluir.

— Eu deveria lhe dar uma estrela dourada — falou. — Ou um distintivo.

— Eu realmente preferiria não abandoná-lo agora.

— Meu aniversário é daqui a duas semanas. Não há muita coisa que pode mudar em duas semanas, mas agradeço por você ter mentido para mim.

— É possível — falei, mais confiante do que me sentia.

Duas semanas? Eu estava esperando por um ano inteiro de distância, mas, se era com aquilo que eu tinha de lidar, que fosse.

— Vou usar minha folga anual e, assim, posso vê-lo todo dia. Definitivamente é possível — afirmei, otimista.

Ele deu aquele mesmo sorriso divertido.

— Prefiro mesmo ficar sozinho agora.

— Para você poder se matar?

— Pode falar baixo? — sibilou quando um casal passou andando e o olhou com desconfiança. — Mais uma vez, obrigado — falou, com pouco caso.

Depois, deixando-me na calçada, Adam desapareceu pela porta giratória. Eu o observei cruzar o lobby e, depois, o segui. Ele teria muita dificuldade para se livrar de mim. Entrou no elevador e, esperando até o último momento possível antes de as portas se fecharem, avancei correndo e me juntei a ele. Ele olhou para mim sem expressão. Depois, apertou o botão.

Saímos no último andar e eu o segui até a suíte da cobertura, chamada Suíte Grace Kelly. Quando entramos na sala de visitas, pude sentir o cheiro de flores. A porta para o quarto estava aberta e vi uma cama salpicada de pétalas de rosa e uma garrafa de champanhe dentro de um balde de prata na ponta da cama, com duas taças cruzadas. Adam olhou rapidamente para a cama e, depois, desviou o olhar de novo como se a simples visão o ofendesse. Ele andou direto para o escritório e pegou um pedaço de papel.

Eu o segui.

— É o seu bilhete de suicida?

Ele se encolheu.

— Você tem que usar essa palavra?

— O que você queria que eu dissesse?

— "Tchau, Adam, foi bom te conhecer"?

Ele balançou os ombros para tirar o casaco e jogou-o no chão, depois, puxou o gorro e lançou-o no ar. Por pouco não acertou o fogo que estava queimando lentamente na lareira de mármore. Adam se deixou cair no sofá, exausto.

Fiquei surpresa; não tinha esperado ver uma cabeça de cabelo loiro e espesso debaixo do gorro de lã.

— O que foi? — perguntou, e percebi que eu estava encarando sua beleza.

Sentei-me no sofá em frente a ele, tirei meu casaco e minhas luvas e esperei que o fogo me aquecesse depressa.

— Posso ler?

— Não.

Ele aproximou o papel do peito e o dobrou.

— Por que você não o rasga?

— Porque não.

Adam o guardou no bolso.

— É uma lembrança. Da minha viagem para Dublin.

— Você não é muito engraçado.

— Outra coisa para acrescentar à minha lista de coisas nas quais não sou bom.

Olhei ao redor para a arrumação do quarto e tentei descobrir quem ele era.

— Você está esperando alguém aqui esta noite?

— É claro. Sempre deixo champanhe e rosas no jeito para moças bonitas que me convencem a sair de pontes.

Era errado e eu sabia que era errado, mas comemorei por dentro o fato de ele ter me chamado de bonita.

— Não, deve ter sido na noite passada — falei, observando-o.

Apesar das brincadeiras e da autoafirmação, ele estava inquieto. Imagino que aquelas piadas eram a única coisa que o impediam de cair em frangalhos bem ali.

Adam se levantou e foi até o rack da TV, abrindo o armário embaixo dele e revelando um frigobar.

— Não acho que álcool seja uma ideia muito boa.

— Posso pegar uma bebida sem álcool.

Ele me lançou um olhar magoado e eu me senti culpada. Pegou um Jack Daniel's depois e me dirigiu um olhar insolente ao levá-lo de volta para o sofá.

Não comentei, mas reparei que, conforme ele o derramava em um copo, suas mãos estavam tremendo. Sentei-me e o observei por um tempo e, depois, incapaz de aguentar mais, servi um pouco para mim, mas misturei o meu com uma bebida sem álcool. Eu fizera um pacto com um homem que tentou se matar e, depois, segui-o para seu quarto de hotel, então, por que não me embebedar com ele também? Se havia algum tipo de livro de regras sobre integridade moral e cidadania responsável, eu basicamente tinha pisoteado nele todo, então por que não terminar o trabalho e jogá-lo pela janela? Além disso, eu estava congelando até os ossos e precisava de algo para me esquentar. Dei um gole; a bebida queimou minha garganta pelo caminho todo até o estômago e a sensação foi boa.

— Minha namorada — Adam falou, do nada, interrompendo meus pensamentos.

— O que tem ela?

— Era ela quem eu estava esperando. Vim a Dublin para surpreendê-la. Ela tinha dito que eu não andava muito atencioso nos últimos tempos. Não estava presente quando estávamos juntos, ou sei lá o quê.

Ele esfregou o rosto com força.

— Ela disse que estávamos com problemas. "Em perigo" foi a expressão que ela usou.

— Então você veio a Dublin para resgatar seu relacionamento — eu disse, feliz por enfim estar descobrindo algo sobre ele. — O que aconteceu?

— Ela estava com outro cara — ele respondeu, o maxilar ficando tenso de novo. — No Milano's. Ela disse que iria lá com as amigas. Moramos em um apartamento ali no cais, mas fiquei em Tipperary por um tempo... De qualquer forma, ela não estava com as amigas — contou com amargura, encarando o conteúdo do seu copo.

— Como sabe que eles não eram apenas amigos?

— Ah, eles eram amigos sim. Eu os apresentei. Meu melhor amigo, Sean. Estavam de mãos dadas por cima da mesa. Eles nem me viram entrar no restaurante. Ela não estava esperando que eu chegasse, eu deveria ainda estar em Tipperary. Eu os confrontei. Eles não negaram.

Adam encolheu os ombros.

— O que você fez?

— O que eu poderia fazer? Saí do lugar parecendo um completo idiota.

— Você não quis bater no Sean?

— Não.

Ele recostou-se para trás, derrotado.

— Eu sabia o que tinha que fazer.

— Tentar se suicidar?

— Você pode parar de usar essa palavra?

Fiquei em silêncio.

— De qualquer forma, de que teria adiantado bater nele? Causar uma cena? Fazer com que eu parecesse mais imbecil ainda?

— Teria aliviado a tensão.

— Então a violência é uma coisa boa agora?

Ele fez que não com a cabeça.

— Se eu tivesse batido nele, você teria me perguntado por que eu não dei uma volta para me acalmar.

— Socar o seu suposto amigo, que claramente merecia, é melhor que se suicidar. Ganha disparado todas as vezes.

— Você pode parar de falar essa palavra? — disse em voz baixa. — Caramba.

— Foi o que você tentou fazer, Adam.

— E vou fazer de novo se você não mantiver sua parte do acordo! — ele gritou.

A raiva dele me pegou de surpresa. Ele se levantou e foi até a porta de vidro que levava a uma varanda com vista para a rua O'Connell e os telhados do Northside.

Eu tinha certeza de que havia muito mais na história de Adam do que querer acabar com a própria vida porque a namorada o estava traindo. Aquele era provavelmente o gatilho para uma mente já perturbada, mas não parecia o momento certo para tentar descobrir a verdade. Ele estava ficando tenso de novo e nós dois estávamos cansados, precisávamos dormir.

Evidentemente, ele concordava. Ainda de costas para mim, disse:

— Você pode dormir no quarto, eu fico com o sofá.

Quando não respondi, Adam se virou para me olhar.

— Imagino que você queira ficar.

— Você não se importa?

Ele pensou a respeito.

— Acho que pode ser uma boa ideia.

Depois, virou-se de novo para observar a cidade.

Havia tanto que eu podia dizer a ele para encerrar o dia, dar-lhe palavras positivas de incentivo. Eu havia lido uma quantidade boa de livros de autoajuda: frases para animar uma pessoa vinham aos montes. Porém nenhuma delas parecia adequada naquele momento. Se eu iria ajudá-lo a sair daquela situação, teria que descobrir não apenas o que dizer, mas quando dizer.

— Boa noite — falei.

Deixei a porta do quarto meio aberta, sem gostar do fato de Adam estar no aposento com acesso para a varanda. Observei-o pelo espaço aberto enquanto ele tirava o agasalho, revelando uma camiseta justa por baixo. Não pude deixar de olhar por um pouco mais de tempo que o necessário, tentando me convencer de que estava fazendo aquilo pela segurança de Adam, caso ele se sufocasse com o próprio agasalho. Ele sentou-se no sofá e colocou os pés para cima. Era muito alto para o móvel; teve que apoiar os pés no braço do sofá, o que fez com que eu me sentisse culpada por ter ficado com a cama. Eu estava prestes a dizer isso quando ele falou:

— Está gostando do show? — perguntou, os olhos fechados e os braços dobrados atrás da cabeça.

Com as bochechas queimando, revirei os olhos e me afastei da porta. Sentei-me na cama com dossel, as taças tilintando ao meu lado, o gelo derretido do balde caindo na cama. Coloquei-o na escrivaninha e estava estendendo a mão para um morango coberto de chocolate quando reparei em um cartão ao lado daquela arrumação. Dizia: *Para minha linda noiva, com amor, Adam*. Então, ele fora para Dublin para pedi-la em casamento. Certa de que aquilo era apenas o começo, resolvi pôr as mãos naquele bilhete de suicida.

Eu pensara que a noite em que vi Simon Conway atirar em si mesmo, a noite em que deixei meu marido e todas as noites desde então tinham sido as mais longas.

Eu estava errada.

6

Como acalmar sua mente e conseguir dormir um pouco

Eu não conseguia dormir. Isso não era incomum, eu praticamente estava insone nos últimos quatro meses, desde que me ocorrera a ideia de que queria que meu casamento acabasse. Não era um pensamento que me ajudava. Antes, eu estivera buscando por maneiras de encontrar felicidade, plenitude, sentimentos positivos, maneiras de salvar meu casamento, não maneiras de *sair*. Porém, assim que tive aquele pensamento, *escapar*, ele não ia embora, em especial à noite, quando eu não tinha os problemas de mais ninguém para me distrair dos meus. Em geral, acabava seguindo meu livro de cabeceira, *Quarenta e duas dicas para combater a insônia*, e, como resultado, tinha tentado mergulhar em banhos quentes, limpar minha geladeira, pintar as unhas, fazer ioga — às vezes, dois dos três ao mesmo tempo — durante a madrugada, na esperança de encontrar repouso. Outras vezes, eu me contentava com simplesmente ler um livro até meus olhos doerem tanto que eu tinha que fechá-los. Eu nunca parecia cair no sono como o livro declarara que conseguiria; não havia essa história da sensação de leveza de *cair no sono*. Ou eu estava acordada, frustrada e exausta, ou estava dormindo, frustrada e exausta, e ainda não tinha experimentado aquele deslizamento agradável de um mundo para o outro.

Embora tivesse percebido que queria que meu casamento acabasse, nunca pensei em terminá-lo de verdade. Por muito tempo, passei minhas noites preocupando-me com a maneira como eu iria viver com a minha infelicidade até, um dia, pensar que não precisaria fazer isso; o conselho que dei a amigos poderia se aplicar a mim. Depois disso, passei incontáveis noites fantasiando sobre uma vida com outra pessoa, alguém que eu amasse mesmo, alguém que me amasse mesmo; seríamos um desses casais que pareciam ter faíscas entre eles em cada olhar e toque. Depois, fantasiei comigo e quase todos os homens por quem me sentia atraída, o que se transformou na maioria dos homens que eram de alguma forma gentis comigo. Incluindo Leo Arnold, um cliente de cujas consultas eu gostava em especial. Leo se tornara o objeto de muitas das minhas fantasias, o que me fazia ficar com o rosto corado todas as vezes em que ele pisava no meu escritório.

Por trás de tudo isso, reconheço agora, havia um pânico básico; o pânico de que tudo aquilo fosse coisa demais para eu lidar, mas, depois de ter reconhecido esse fato, não havia como afastá-lo. Cada probleminha entre nós foi aumentando até se tornar mais um sinal de que estávamos condenados. Como quando ele terminava antes de mim na cama, de novo; quando ele dormia de meias porque seus pés estavam sempre frios; e quando ele deixava suas unhas cortadas em uma tigelinha no banheiro e nunca se lembrava de jogar no lixo. A maneira como quase não nos beijávamos mais; aqueles beijos antes completos tinham sido reduzidos a beijinhos familiares na bochecha. Quando eu ficava entediada com as histórias dele, cansada de ouvi-lo recontar os mesmos antigos relatos do rúgbi. Se eu fosse julgar minha vida em cores, o que aprendera a fazer em livro, nossa relação tinha passado de um tom vibrante — pelo menos foi assim por um tempo, quando namorávamos — para um cinza entediante e monótono. Eu não era idiota o bastante para pensar que a chama queimaria fortemente para sempre em um casamento, mas achava que restaria pelo menos uma faísca depois de menos de um ano de casados. Quando relembro, acho que me apaixonei por estar apaixonada. E, agora, meu caso de amor com o sonho tinha acabado.

Naquela noite, enquanto fiquei deitada e acordada na cobertura do Hotel Gresham, todas as minhas preocupações começaram a se empilhar. A preocupação por ter deixado Barry; os reveses financeiros que vieram depois; o que as pessoas pensavam de mim; o medo de nunca conhecer ninguém, nunca mais, e ficar sozinha pelo resto da vida; Simon Conway... E, agora, Adam, cujo sobrenome eu não sabia, que vinte e quatro horas antes tentara tirar a própria vida e estava deitado no aposento ao lado, no sofá, perto de uma varanda, perto de um frigobar cheio, esperando que eu cumprisse minha promessa de consertar a vida dele antes do seu aniversário de trinta e cinco anos, dali a duas semanas, ou ele tentaria se matar de novo.

Nauseada diante das perspectivas, saí da cama e fui olhá-lo de novo. A TV estava no mudo e as cores tremulavam, mudavam e dançavam pela sala. Eu podia ver o peito dele subindo e descendo. Havia algumas opções disponíveis para mim, de acordo com *Quarenta e duas dicas*, para acalmar minha mente e conseguir dormir um pouco, mas tudo o que consegui fazer enquanto ficava com os ouvidos atentos para Adam foi beber chá de camomila. Liguei a chaleira pela quarta vez.

— Nossa, você nunca dorme? — gritou.

— Desculpe, estou incomodando?

— Não, mas o motor a vapor aí dentro de você está.

Eu abri a porta.

— Quer uma xícara? Ó. Vejo que você tem bebida suficiente.

Três garrafas pequenas e vazias de Jack Daniel's estavam na mesa de centro.

— Eu não diria *suficiente* — falou. — Você não pode me vigiar vinte e quatro horas por dia. Mais cedo ou mais tarde, vai ter que dormir.

Adam enfim abriu os olhos e olhou para mim. Não parecia nem um pouco cansado. Ou bêbado. Apenas bonito. Perfeito.

Eu não queria contar a ele o motivo real, ou motivos reais, da minha insônia.

— Eu preferiria, se pudesse, dormir aqui com você — comentei.

— Aconchegante. Mas é um pouco cedo demais já que acabei de terminar meu namoro, então, se não se importar, melhor não.

Sentei-me no sofá.

— Não vou pular da varanda — garantiu.

— Mas você pensou nisso?

— É claro. Pensei em várias maneiras de me matar neste quarto. É o que eu faço. Poderia ter ateado fogo em mim mesmo.

— Tem um extintor de incêndio, eu apagaria.

— Eu poderia ter usado minha lâmina de barbear no banheiro.

— Eu escondi.

— Ter me afogado no banho, ou tomar um banho com o secador de cabelo.

— Eu o olharia durante o banho e ninguém consegue encontrar secadores de cabelo em hotéis.

— Eu teria usado a chaleira.

— Ela mal consegue esquentar água, não poderia eletrocutar nem um rato. É só barulho.

Ele deu uma risada.

— E aqueles talheres mal conseguem atravessar uma maçã, muito menos uma veia — falei.

Adam olhou os talheres ao lado da tigela de frutas.

— Pensei em guardar essa para mim mesmo.

— Você pensa muito em se matar?

Aconcheguei-me em um canto do sofá.

Ele parou com o teatro.

— Parece que não consigo evitar. Você estava certa no que disse na ponte, está se tornando um hobby muito doentio.

— Eu não disse bem isso. Mas você sabe que provavelmente não há nada de errado em pensar nisso, desde que não faça nada.

— Obrigado. Pelo menos você não vai tirar meus pensamentos de mim.

— Pensar nisso o consola, é a sua muleta. Não vou tirar a sua muleta, porém essa não deveria ser sua única forma de lidar com as coisas. Você em algum momento conversa sobre isso com alguém?

— Sim, claro, é o tópico número um dos encontros-relâmpago. O que você acha?

— Você já pensou em terapia?

— Acabei de ter uma noite e um dia disso.

— Acho que seria bom você ter mais de uma noite e um dia.

— Terapia não é para mim.

— Provavelmente é o caminho no momento.

— Pensei que *você* fosse o caminho.

Adam olhou para mim.

— Não foi o que você disse? Fique comigo e vou mostrar como a vida pode ser maravilhosa?

Mais uma vez, cresceu o pânico de que ele estava colocando toda a sua confiança em mim.

— E vou fazer isso. Só estava pensando...

Engoli em seco.

— A sua namorada sabia como você estava se sentindo?

— Maria? Não sei. Ela ficava dizendo que eu tinha mudado. Eu estava distraído. Retraído. Não era o mesmo. Mas, não, nunca contei a ela o que eu estava pensando.

— Você tem estado deprimido.

— Se é assim que você chama isso... Não ajuda quando você está fazendo seu melhor para ficar feliz e alguém fica dizendo que você não é o mesmo, que está triste, que não é emotivo, que não é espontâneo. Poxa, quero dizer, o que mais eu podia fazer? Eu estava tentando manter minha maldita cabeça no lugar.

Adam suspirou.

— Ela achou que tinha a ver com o meu pai. E o emprego.

— E não eram essas coisas?

— Ah, não sei.

— Mas elas não ajudaram? — insisti.

— Não. Não ajudaram.

— Então, conte para mim sobre o trabalho que o está preocupando.

— Isto parece uma sessão de terapia, eu deitado aqui, você sentada aí.

Ele encarou o teto.

— Recebi uma licença do meu emprego para ajudar a administrar a empresa do meu pai enquanto ele estava doente. Detesto isso, mas não tinha problema porque era temporário. Depois, meu pai ficou mais doente e, por isso, tive que ficar mais tempo. Foi difícil convencer as pessoas do meu emprego a aumentarem minha licença e, agora, o médico diz que meu pai não está melhorando. É terminal. Depois, descobri na semana passada que serei demitido, não podem manter meu afastamento.

— Então, você perde seu pai e seu emprego. E sua namorada. E seu melhor amigo — resumi. — Tudo em uma semana.

— Ora, muito obrigado por dizer tudo isso em voz alta para mim.

— Tenho quatorze dias para consertá-lo, não tenho tempo para pisar em ovos — falei em um tom leve.

— Na verdade, são treze.

— Quando seu pai falecer, não esperam que você continue no cargo, esperam?

— Esse é o problema, é um negócio de família. Meu avô deixou a empresa para o meu pai, então ela passa para mim, e assim por diante.

A tensão estava aumentando só de conversarmos sobre o assunto. Ao perceber que deveria seguir com cuidado, perguntei:

— Você falou com o seu pai sobre não querer o trabalho?

Ele deu uma risada leve, amarga.

— Você claramente não conhece minha família. Não importa o que eu diga a ele, o trabalho é meu, queira eu ou não. O testamento do meu avô prevê que a empresa é do meu pai pela vida toda dele e, depois, passa para os filhos do meu pai e, se eu não entrar no negócio, ela vai para o filho do meu tio e a família dele vai herdá-la.

— Isso com certeza vai salvá-lo.

Ele enterrou a cabeça nas mãos e esfregou os olhos em frustração.

— Isso acaba ainda mais comigo. Olhe, agradeço por tentar, mas você não entende a situação. É muito complicada para explicar, então vamos apenas dizer que envolve anos e anos de *merda* da família e estou bem no meio dela.

Seus dedos estavam tremendo. Adam os esfregou no jeans, para cima e para baixo, para cima e para baixo. Era provável que nem estivesse ciente de que fazia aquilo. Hora de melhorar o humor.

— Conte do seu emprego, o emprego que você ama.

Ele olhou para mim, uma rara expressão brincalhona nos olhos.

— O que você acha que eu faço?

Eu o analisei.

— É modelo?

Ele sentou-se. Foi tão rápido que pensei que ele iria pular em mim; em vez disso, me olhou em choque.

— Você está brincando?

— Você não é modelo?

— Por que raios você diria isso?

— Porque...

— Porque o quê?

Ele estava pasmo. Era a primeira vez que eu o via tão animado.

— Não me diga que ninguém nunca lhe disse isso antes.

Ele fez que não com a cabeça.

— Não. De jeito nenhum.

— Ah. Nem sua namorada?

— Não!

Ele deu uma risada rápida, e foi linda, um lindo som que eu queria ouvir de novo.

— Você está fazendo piada comigo.

Depois, Adam deitou-se mais uma vez, os pés para cima, o sorriso e a risada desapareceram.

— Não estou. É que por um acaso você é o homem mais bonito que eu já vi e, assim, pensei que você podia ser modelo — expliquei racionalmente. — Eu não estava inventando!

Ele então me olhou, seu rosto mais suave, um pouco constrangido conforme tentava descobrir se eu estava brincando. Mas eu não estava. Pelo contrário, estava mortificada; não tive a intenção de falar daquele jeito. Tive a intenção de dizer que ele era bonito, mas saiu errado porque saiu certo.

— Então, o que você faz?

Mudei de assunto, pegando fiapos imaginários dos meus jeans para evitar olhar para ele.

— Você vai achar divertido.

— Vá em frente.

— Sou mensageiro-stripper. Um daqueles Chippendales. Porque sou tão bonito e tal.

Revirei os olhos e me encostei.

— Ah, estou brincando. Sou piloto de helicóptero da guarda costeira irlandesa.

Meu queixo caiu.

— Viu, eu disse que você ia achar divertido.

Adam me examinou.

— Você resgata pessoas — falei.

— Nós temos tanto em comum, você e eu.

Não havia possibilidade de Adam poder voltar para aquele emprego com aquele estado de espírito. Eu não deixaria, não poderia deixar, *eles* não deixariam.

— Você disse que a empresa da família passa para os filhos do seu pai depois da morte dele. Você tem irmãos?

— Tenho uma irmã mais velha. Ela é a próxima da fila, mas se mudou para Boston. Ela teve que correr para lá quando foi revelado que o marido dela tinha roubado milhões dos seus amigos em um esquema de vendas em pirâmide. Ele deveria investir o dinheiro para eles, mas, em vez disso, gastou tudo. Levou um tanto de mim também. Levou bastante do meu pai.

— Coitada da sua irmã.

— Lavinia? Ela provavelmente foi o cérebro por trás de tudo. Não é só isso, há outras complicações. A empresa devia ter passado para o meu tio, que era o irmão mais velho, mas ele é um babaca egoísta e meu avô sabia que ele levaria a empresa para o buraco se fosse deixada para ele e, em vez disso, passou para o meu pai. Como resultado, a família se dividiu entre aqueles que se solidarizavam com o tio Liam e aqueles que tomaram o lado do meu pai. Assim, se eu não assumir, ela fica para o meu primo... É difícil explicar para alguém que não faz parte da família. Você não tem como saber quanto é difícil virar as costas para algo, mesmo que você o despreze, porque há lealdade envolvida.

— Deixei meu marido na semana passada — disparei.

Simples assim. Falei. Meu coração estava martelando em meu peito; deve ter sido a primeira vez que disse aquilo para alguém, em voz alta. Por muito tempo eu quisera abandoná-lo, mas não conseguia porque queria ser a esposa leal que mantinha seus votos. Conhecia com exatidão a lealdade de que Adam estava falando.

Ele olhou para mim, surpreso. Por um momento, ele me analisou, como se questionasse se minha alegação era autêntica.

— O que ele fazia?

— Ele é eletricista, por quê?

— Não. Por que você o deixou? O que ele fazia de errado?

Engoli em seco, examinei minhas unhas.

— Ele não fazia nada de errado na verdade. Ele... Eu não estava feliz.

Adam espirou, sem achar graça.

— Então você encontra a sua própria felicidade à custa dele.

Eu sabia que ele estava pensando na namorada.

— Não é uma filosofia que gosto de pregar.

— Mas você a pratica.

— Não tem como você saber quanto é difícil abandonar alguém — ecoei as palavras anteriores dele.

— *Touché*.

— Você tem que pesar os riscos — falei. — Juntos, nós dois teríamos sido infelizes pelo resto da vida. Ele vai se esquecer de mim. Ele vai se esquecer muito mais rápido do que acha.

— E se ele não se esquecer?

Eu não sabia o que responder. A ideia nunca me ocorrera. Eu tinha certeza de que Barry iria me esquecer. Ele teria que fazer isso.

Adam desapareceu depois disso. Permaneceu no quarto, mas sumiu para dentro da sua mente, sem dúvida ponderando o futuro para ele e a namorada. Esquecê-la não era uma opção; ele a queria de volta. E se ela sentia por Adam o que senti por Barry, eles não tinham uma única chance.

— Então, o que você faz? — perguntou, como se percebesse de repente que não sabia nada sobre a mulher que estava concentrada em salvar sua vida.

— O que você acha que eu faço?

Joguei o jogo dele.

Ele não pensou por muito tempo.

— Trabalha na loja de uma instituição de caridade.

Eu tive que rir.

— Isso foi aleatório.

Olhei para as minhas roupas, perguntando-me se ele achava que meu jeans, minha camisa de sarja e meus tênis All Star tinham vindo de uma loja de instituição de caridade. Podiam ser casuais, mas eram todos novinhos, e usar blusa e calça jeans juntas estava de volta à moda.

Adam sorriu.

— Não falo das suas roupas. É mais... Você parece ser do tipo que se importa. Talvez veterinária ou algo a ver com animais resgatados?

Ele encolheu os ombros.

— Estou chegando perto?

Limpei a garganta.

— Trabalho com recrutamento.

O sorriso dele desapareceu. Sua decepção era palpável, sua preocupação, ainda mais. E Adam nem tentou disfarçar.

Em algumas horas, eu teria doze dias restantes. E até então não tinha conseguido nada.

7

Como construir amizades e desenvolver confiança

Eu teria jurado para qualquer um que me ouvisse que eu não dormira a noite toda porque tinha certeza disso, mas, em vez de perceber que a manhã tinha enfim chegado, foi o som de água corrente que me forçou a sair do modo de sono. Confusa por ter dormido, levei um momento para lembrar onde estava. Despertei por completo e estava alerta no mesmo instante; não fiquei grogue. Quando descobri que o sofá onde Adam estivera deitado estava vazio, imediatamente dei um pulo, fiquei em pé, corri para o banheiro, batendo o joelho na mesa de centro e o cotovelo na moldura da porta, sem pensar direito nas coisas, e invadi o banheiro, onde encarei um traseiro nu, muito bem-feito e musculoso que não via a luz do sol havia um bom tempo. Adam girou a parte de cima do corpo, seus cachos loiros estavam baixos, escurecidos e escorrendo ao longo do seu rosto. Eu não pude deixar de ficar olhando fixamente.

— Não se preocupe, estou vivo — falou, achando graça de novo.

Recuei depressa para fora, fechei a porta contendo uma risada constrangida e apressei-me até o banheiro social para me deixar apresentável depois de uma noite usando blusa e calças jeans. Quando emergi da sala de visitas, a água continuava a cair no banheiro. Depois de dez minutos, ainda estava caindo. Andei pelo quarto perguntando-me o que fazer. Entrar no banheiro de surpresa uma vez tinha sido um erro, uma segunda vez seria puramente nojento, mas eu não tinha certeza se podia ficar preocupada com minha integridade quando, duas noites antes, ele tinha tentado se matar; embora, a não ser por se encolher até a morte, eu não tivesse certeza de como ele poderia se machucar lá dentro. Eu removera os vidros da área da pia para Adam não poder se ferir e não ouvira nenhum espelho ser quebrado. Estava prestes a abrir a porta do banheiro de novo quando ouvi o som. Foi baixo no começo e, depois, pareceu engasgado, tão cheio de dor, tão profundo e desejoso que soltei a maçaneta e encostei a cabeça contra a porta, querendo muito consolá-lo. Sentindo-me impotente, fiquei ouvindo o choro soluçado dele.

Depois, lembrei-me do bilhete suicida. Se eu não colocasse as mãos nele antes de Adam sair do chuveiro, nunca o veria. Olhei pela sala e vi as roupas dele jogadas em um canto, os jeans espalhados em cima da mala. Apalpei cada bolso e, enfim, encontrei o pedaço de papel dobrado. Abri-o, esperando descobrir mais sobre os motivos da tentativa de suicídio, mas, em vez disso, encontrei uma série de rabiscos, riscos, outros sublinhados e logo vi que não era nada de bilhete suicida; era o pedido de casamento dele para Maria, muito praticado, reescrito até estar perfeito.

O telefone de Adam vibrou e roubou minha atenção. Estava ao lado das roupas limpas que ele estendera para usar naquele dia. O telefone parou de tocar e a tela revelou *17 chamadas perdidas*. Ele tocou de novo. *Maria*. Tomei uma decisão rápida, uma em que não pensei muito bem. Eu o atendi.

Estava no meio da conversa com ela quando percebi que o chuveiro tinha sido desligado; na verdade eu não o ouvia fazia um tempo. Virei-me, o telefone ainda na orelha. Adam estava parado na porta do banheiro, como se estivesse ali havia alguns instantes, toalha enrolada na cintura, a pele seca por completo, raiva no rosto. Rapidamente, dei algumas desculpas e finalizei a chamada. Falei antes de ele ter a chance de me atacar:

— Você tinha dezessete ligações perdidas no seu telefone, achei que podia ser importante, então atendi. Além disso, se é para as coisas funcionarem entre nós, preciso de acesso total à sua vida. Sem restrições. Sem segredos.

Parei para garantir que ele entendera. Adam não fez objeção.

— Era a Maria. Ela estava preocupada com você. Tinha medo de que você fosse se machucar depois da noite passada, ou pior. Ela tem estado preocupada com você há um ano já, muitíssimo preocupada há nove meses. Ela sentia que não estava conseguindo chegar até você e, assim, foi pedir a ajuda de Sean, para eles pensarem no que fazer. Ela lutou contra o que sentia por ele, mas se apaixonou pelo Sean. Eles não queriam machucá-lo. Estão juntos há seis semanas. Ela não sabia como contar a você. Pensou que seu comportamento era por causa da saída da sua irmã da Irlanda e, depois, por você ter tido que largar seu emprego e seu pai estar doente. Ela disse que toda vez que queria falar com você, alguma coisa ruim acontecia. Ela queria contar sobre ela e Sean, mas, então, veio a notícia sobre a doença do seu pai ser terminal. Maria disse que tinha se programado para se encontrar com você na semana passada e enfim contar e, em vez disso, você contou a ela que tinha sido demitido. Ela queria que você não tivesse descoberto do jeito como descobriu.

Observei enquanto Adam absorvia tudo aquilo. Estava furioso, a raiva borbulhando por baixo da sua pele, mas eu conseguia ver a dor também, ele era mesmo muito frágil, muito delicado, estava muito arrasado, a um sussurro de desmontar.

Continuei:

— Ela pareceu incomodada por eu ter atendido o telefone, chateada, quase brava comigo por não saber quem eu era. Disse que, nos seis anos em que vocês ficaram juntos, ela achava que tinha conhecido todos os seus amigos. Ficou com ciúme.

A raiva pareceu diminuir nesse momento, com a ideia de Maria ter ciúme dele com outra mulher agindo como água sobre sua ira quente.

Senti-me hesitante quanto a acrescentar o restante, mas fiz uma aposta que achei que valeria a pena.

— Ela disse que não o reconhece mais. Que você costumava ser divertido... Engraçado e espontâneo. Ela disse que você perdeu seu brilho.

Os olhos dele ficaram um pouco marejados, ele tossiu e fez que não com a cabeça, o *macho man* de volta.

— Vamos deixá-lo de novo desse jeito, Adam, prometo. Quem sabe talvez ela reconheça o homem por quem se apaixonou e se apaixone por você outra vez. Vamos redescobrir o seu brilho.

Eu lhe dei espaço para pensar naquilo e esperei na sala de visitas, roendo as unhas de nervosismo. Após longos vinte minutos, Adam apareceu na porta, vestido, os olhos limpos e escondendo qualquer prova de desespero.

— Café da manhã?

O bufê tinha uma boa variedade de comida e os clientes iam e voltavam várias vezes para aproveitar o fato de poderem comer quanto quisessem. Sentamos com as costas para o balcão com xícaras de café preto e jogos americanos vazios.

— Então, você não come, não dorme de verdade e nós dois gostamos de resgatar pessoas. O que mais temos em comum? — ele quis saber.

Eu perdera o apetite três meses antes, ao mesmo tempo em que percebi que não era feliz no casamento. Como resultado de ter perdido o apetite, eu perdera muito peso, embora estivesse trabalhando naquilo por meio do meu livro *Como recuperar seu apetite com uma mordida por vez*.

— Relacionamentos acabados — sugeri.

— Você saiu do seu. Eu fui deixado. Não conta.

— Não leve para o lado pessoal o fato de eu ter abandonado meu marido.

— Eu posso se quiser.

Suspirei.

— Então, fale de você. Maria disse que você perdeu seu brilho há mais de um ano, e foi um comentário que realmente me marcou.

— Sim, isso me marcou também — interrompeu, com animação falsa. — Estou me perguntando se ela percebeu isso antes ou depois de trepar com o meu melhor amigo, ou talvez tenha sido durante. Isso não seria incrível?

Não respondi àquilo, permiti que ele tivesse seu momento.

— Como você ficou quando sua mãe faleceu? Como você se comportou?

Maria também havia revelado aquele detalhe ao telefone, desvendando muito da vida e dos problemas de Adam como se eu fosse uma velha amiga de confiança que sabia todas aquelas informações. Tenho certeza de que ela teria sido muito mais cuidadosa com suas palavras se soubesse a situação real, mas não sabia, não era da conta dela e, assim, eu a deixei falar, seu desabafo sendo uma tentativa de justificar suas ações e também uma forma de eu ter uma luz quanto aos aspectos da vida de Adam que, talvez, ele próprio não teria compartilhado comigo.

— Por quê?

— Porque isso me ajuda.

— Vai me ajudar?

— Sua mãe faleceu, sua irmã se mudou, seu pai está doente, sua namorada conheceu outra pessoa. Acho que o fato de sua namorada o deixar foi o gatilho. Talvez você não saiba lidar com as pessoas indo embora. Talvez você se sinta abandonado. Sabe, se você puder reconhecer seus gatilhos, isso pode ajudá-lo a ficar imune a esses pensamentos negativos antes de cair em um precipício. Talvez quando alguém o deixa, você se conecte a como se sentiu quando tinha cinco anos de idade.

Eu estava impressionada comigo mesma, mas parecia ser a única.

— Acho que você deveria parar de brincar de terapeuta.

— Acho que você deveria ver uma terapeuta de verdade, mas, por algum motivo, você não vai e eu sou o melhor que você tem.

Adam ficou em silêncio com isso. Quaisquer que fossem seus motivos, aquilo não parecia ser uma opção. Ainda assim, eu estava esperando levá-lo a isso em algum momento.

Adam suspirou e se encostou na cadeira, olhando para cima, na direção do lustre, como se tivesse sido ele quem fizera a pergunta.

— Eu tinha cinco anos, a Lavinia tinha dez. Nossa mãe teve câncer. Foi tudo muito triste para todos, embora eu não entendesse de verdade. Não me senti triste, só sabia que era triste. Eu não sabia que ela tinha câncer, ou, se sabia, não sabia o que era. Só sabia que ela estava doente. Havia uma sala no andar de baixo da casa onde ela ficava e nós não podíamos entrar. Foi por algumas semanas ou alguns meses, não me lembro bem. Pareceu uma eternidade. Tínhamos que fazer muito silêncio perto da porta. Homens entravam e saíam com suas bolsas de médico, bagunçavam meu cabelo ao passarem. Meu pai raramente entrava. Então, um dia, a porta da sala estava aberta. Eu entrei, tinha uma cama que nunca tinha estado ali antes. A cama estava vazia, mas, exceto por ela, a sala parecia exatamente a mesma de antes. O médico que costumava me dar tapinhas na cabeça disse que minha mãe tinha ido embora. Perguntei a ele para onde, ele disse que para o céu. Assim, soube que ela não iria voltar. Havia sido para lá que meu avô tinha ido um dia e nunca voltou. Pensei que devia ser um lugar divertido para ir e nunca querer voltar. Fomos para o funeral. Todos estavam muito tristes. Fiquei com a minha tia por alguns dias. Depois, fui mandado para o colégio interno.

Adam falou de tudo aquilo desprovido de emoção, totalmente desconectado conforme seu mecanismo de defesa entrou em ação para bloquear a dor opressiva. Imaginei que, para ele, conectar-se, sentir a dor era pesado demais. Ele parecia isolado e desligado e acreditei em cada palavra que disse.

— Seu pai não discutiu o que estava acontecendo com sua mãe?

— Meu pai não gosta de emoções. Depois de lhe dizerem que ele tinha semanas de vida, ele pediu que uma máquina de fax fosse colocada no seu quarto do hospital.

— A sua irmã era comunicativa? Vocês podiam conversar sobre isso juntos para tentarem entender?

— Ela foi mandada para um colégio interno em Kildare e nós nos víamos por alguns dias nas férias. No primeiro verão que voltamos do colégio para casa, ela montou uma barraca na cidade e vendeu os sapatos, as bolsas, os casacos de pele e as joias da minha mãe e o que mais tivesse algum valor e fez uma fortuna. Cada coisinha foi vendida e não podia ser comprada de volta. Quando todos perceberam o que ela tinha feito, algumas semanas depois, ela já havia gastado a maior parte do dinheiro. Era praticamente uma estranha para mim, e ainda mais depois disso. Ela e meu pai são farinha do mesmo saco. É mais inteligente do que eu, é só uma pena ela não ter usado o cérebro para algo melhor. Deveria assumir o lugar do pai, não eu.

— Você fez bons amigos no colégio interno?

Estava esperando por algum tipo de círculo em que o pequeno Adam tivesse amor e amizade, eu queria um final feliz em algum lugar.

— Foi lá que conheci o Sean.

Aquele não era o final feliz pelo qual eu estava esperando, já que aquela pessoa de confiança o havia traído. Não consegui evitar, estendi o braço e coloque minha mão sobre a de Adam. O movimento o fez ficar duro e, assim, logo a retirei.

Ele cruzou os braços.

— Então, que tal deixarmos de lado a conversa fiada e irmos direto ao problema?

— Isto não é conversa fiada. Acho que a morte da sua mãe quando você tinha cinco anos é significativa, ela afeta o seu comportamento passado e o atual, suas emoções, como você lida com as coisas.

Era isso que o livro dizia, e eu pessoalmente sabia que era verdade.

— A menos que sua mãe tenha morrido quando você tinha cinco anos, então acho que é algo que você não pode aprender em um livro. Estou muitíssimo bem, vamos em frente.

— Ela morreu.

— O quê?

— Minha mãe morreu quando eu tinha quatro anos.

Adam olhou para mim surpreso.

— Sinto muito.

— Obrigada.

— Então, como isso a afetou?

— Acho que não sou eu quem quer se matar no seu aniversário de trinta e cinco anos, então vamos em frente — disparei, querendo voltar a falar sobre ele.

Percebi, pela sua expressão surpresa, que eu tinha parecido muito mais brava do que fora minha intenção. Eu me recompus.

— Desculpe. O que quis dizer é que, se não quer conversar, o que você quer de mim, Adam? Como espera que eu o ajude?

Ele se inclinou para a frente, baixou a voz, bateu o dedo na mesa para enfatizar cada argumento.

— Meu aniversário de trinta e cinco anos será no sábado da semana que vem; não quero ter uma festa, mas, por algum motivo, é isso que minha família está preparando para mim... E, por minha família, não quero dizer minha irmã Lavinia, porque a única maneira de ela poder aparecer na Irlanda sem que algemas sejam fechadas nos seus pulsos é pelo Skype. Quero dizer a família da empresa. A festa será no prédio da prefeitura de Dublin, um grande evento, e eu preferiria não estar lá, mas meio que tenho que estar porque o conselho escolheu esse dia para anunciar para todos que vou assumir a empresa enquanto meu pai está vivo. É tipo como receber o selo de aprovação. Isso será daqui a doze dias. Como ele está muito doente, fizeram uma reunião na semana passada para ver se minha festa de aniversário poderia ser adiada. Eu disse a eles que não vai acontecer. Primeiro, não quero o trabalho. Não descobri como resolver isso ainda, mas vou anunciar outra pessoa como novo chefe naquela noite. E, se eu tiver que entrar naquele maldito salão, quero Maria de volta, do meu lado, segurando minha mão, como deve ser.

A voz dele falhou e ele levou um momento para se recompor.

— Pensei a respeito e entendo. Eu mudei. Não estive ao lado dela quando ela precisou de mim. Maria estava preocupada, procurou o Sean e ele se aproveitou dela. Fui para Benidorm com ele quando terminamos nossos exames finais e fui o companheiro de diversão dele por todos os fins de semana desde que eu tinha treze anos... Acredite em mim, sei como ele pode ser com as mulheres. Ela não sabe.

Abri a boca para protestar, mas Adam ergueu um dedo em alerta e continuou:

— Também gostaria de conseguir meu emprego na guarda costeira de volta, e gostaria que todo mundo da empresa do meu pai que trabalhou lá nos últimos cem anos me deixasse em paz porque fui escolhido para ficar no lugar do meu pai em vez deles. Se pudesse escolher, preferiria que qualquer um deles ficasse com o maldito emprego. Neste momento, não parece provável, mas você vai me ajudar com isso. Precisamos desfazer os desejos do meu avô. Lavinia e eu não podemos assumir a empresa, mas ela não deve ficar para o meu primo Nigel. Isso seria o fim dela. Preciso pensar em alguma coisa. Se nenhum desses problemas for arrumado, então vou me afogar em um maldito riacho se precisar, porque não vou viver com nada além do que exatamente isso.

Adam bateu na mesa com a faca da manteiga para enfatizar as duas últimas palavras. Olhou para mim com os olhos arregalados, agitado, ameaçador, desafiando-me a sair andando, a desistir dele.

Era tentador, para dizer o mínimo. Eu me levantei.

A expressão dele refletia satisfação; ele conseguira afastar mais uma pessoa e ficou livre para seguir com seu plano de autodestruição.

— Certo!

Bati as mãos como se estivesse pronta para começar a fazer uma limpeza na área.

— Temos muita coisa a fazer se vamos transformar isso em realidade. Seu apartamento fica longe, presumo, então você pode ficar comigo. Preciso ir para casa e trocar de roupa, preciso ir ao escritório para pegar algumas coisas e preciso ir a uma loja... Vou explicar o porquê depois. Em primeiro lugar, tenho que pegar meu carro. Você vem?

Adam me olhou com surpresa por não abandoná-lo da maneira como ele pensara que eu faria, e, depois, pegou o casaco e me seguiu.

* * * *

Quando estávamos no táxi, meu telefone fez um bipe.

— Esse é o terceiro seguido. Você nunca verifica suas mensagens. Não é muito encorajador para mim quando eu estiver pendurado em uma ponte em algum lugar procurando uma conversa para me animar.

— Não são mensagens, é correio de voz.

— Como você sabe?

Eu sabia porque eram oito da manhã. E havia apenas uma coisa que acontecia assim que davam as oito horas.

— Eu sei.

Ele me analisou.

— Você disse nada de segredos, lembra?

Pensei a respeito e, por culpa, por ter lido o "pedido" dele, que estava no meu bolso, entreguei a ele meu telefone.

Adam discou e ouviu as mensagens. Dez minutos depois, devolveu o telefone para mim.

Olhei para ele esperando uma reação.

— Era o seu marido. Mas acho que você já sabe disso. Ele disse que vai ficar com o peixinho dourado e vai pedir aos seus advogados que preparem documentos para garantir que você nunca mais tenha permissão legal para ter um peixe de novo. Ele acha que pode conseguir evitar que você entre em uma pet shop também. Ele não tem certeza quanto a ganhar animais em quermesses, mas vai estar lá em pessoa para derrotá-la e garantir que você não vença.

— Isso é tudo?

— Na segunda mensagem, ele a chamou de vadia vinte e cinco vezes. Eu não contei. Ele contou. Ele disse que foram vinte e cinco vezes. E disse que você é uma vadia multiplicada por vinte e cinco. Depois, ele disse isso vinte e cinco vezes.

Peguei o telefone da mão de Adam e suspirei. Barry não parecia estar se acalmando nem um pouco. Na verdade, ele parecia estar ficando pior, mais frenético. Agora era o peixinho dourado? Ele odiava aquele peixe. A sobrinha dele o tinha comprado para ele de aniversário e o único motivo de ela ter lhe dado um peixe era porque o irmão de Barry odiava peixes também e, assim, era tecnicamente um presente para ela, para ser guardado na nossa casa e ela olhá-lo e alimentá-lo quando nos visitasse. Barry podia ficar com o maldito peixe.

— Na verdade — Adam roubou o telefone de volta com uma expressão travessa no olhar —, eu quero contar, porque não seria engraçado se ele tiver errado?

Ele ouviu o correio de voz de novo no viva voz e, cada vez que Barry cuspia a palavra com maldade, com veneno, amargura e tristeza pingando de cada letrinha, Adam contava nas mãos com um grande sorriso no rosto. Ele desligou decepcionado.

— Não. Vinte e cinco vadias.

Adam devolveu o telefone para mim e olhou para fora da janela.

Ficamos em silêncio por alguns minutos e meu telefone fez um bipe de novo.

— E eu achei que eu tinha problemas — ele disse.

8

Como pedir desculpas sinceras quando você percebe que machucou alguém

— Então este é ele?

— Sim — sussurrei, sentando-me na cadeira ao lado da cama de Simon Conway.

— Ele não pode ouvi-la, você sabe — Adam falou mais alto. — Não há necessidade de sussurrar.

— Shhiu.

Eu estava irritada com o desrespeito dele, sua óbvia necessidade de provar que não estava sensibilizado com o que via. Bem, eu estava sensibilizada e não tinha medo de admitir; eu me sentia devastada de emoção. Cada vez que olhava para Simon, revivia o momento em que ele atirou em si mesmo. Eu ouvia o som, o estouro que deixou meus ouvidos apitando. Repassei as palavras que dissera a ele que o levaram a baixar a arma e colocá-la no balcão da cozinha. Estava indo bem, a determinação dele perdera força, estávamos interagindo com perfeição. Porém, depois, minha euforia tinha assumido o controle e eu havia perdido toda a noção do que disse a seguir... Se é que disse alguma coisa. Fechei os olhos com força e tentei me lembrar.

— Então, eu deveria sentir alguma coisa neste instante? — Adam interrompeu meus pensamentos, com a voz alta. — Isso é uma mensagem, um jeito de pseudopsicóloga de me dizer quanto tenho sorte de estar aqui e ele estar ali? — Ele me desafiou.

Lancei a ele um olhar cortante.

— Quem é você?

Pulei da minha cadeira com a interrupção repentina de uma mulher no quarto. Tinha trinta e tantos anos e segurava as mãos de duas menininhas loiras que olhavam para ela com grandes olhos azuis espantados. Jessica e Kate; eu me lembrava de Simon me falar sobre elas. Jessica estava triste porque seu coelho de estimação morrera, e Kate fica fingindo que o via quando Jessica não estava olhando para fazê-la se sentir melhor. Ele se perguntara se Kate faria o mesmo com ele quando ele se fosse, e eu lhe dissera que ele não teria que se perguntar isso, não teria que fazer as duas passarem por aquilo se continuasse vivo por elas. A mulher parecia arrasada. A esposa de Simon, Susan. Meu coração começou a palpitar, a culpa do meu envolvimento destruindo meu corpo. Tentei me lembrar do que Angela dissera, do que todos haviam dito: não era culpa minha, eu apenas tinha tentado ajudar. Não era culpa minha.

— Olá.

Tive dificuldade para saber como me apresentar. Podem ter sido segundos de silêncio, mas pareceram ter se estendido para sempre. O rosto de Susan não era convidativo, não era caloroso e não era tranquilizador. Não ajudou em nada com o meu nervosismo e piorou minha sensação de culpa. Senti os olhos de Adam em mim, sua salvadora, agora me atrapalhando na minha lição de autoconfiança e força interior.

Dei um passo para a frente e estendi a mão, engoli em seco, ouvi o tremor na minha voz ao falar:

— Meu nome é Christine Rose. Eu estava com o seu marido na noite em que ele...

Olhei depressa para as duas menininhas que me miravam com olhos arregalados.

— ... na noite do incidente. Eu só gostaria de dizer que...

— Saia — Susan disse em voz baixa.

— Desculpe?

Engoli, minha boca de repente seca. Aquele tinha sido meu pior pesadelo. Eu vivera aquela cena mil vezes de várias maneiras e através dos olhos de muitas pessoas nos meus medos tarde da noite/de manhã cedo, mas não achava que realmente iria se tornar realidade. Achei que meus medos fossem irracionais; a única coisa que os tornara suportáveis era saber que não eram reais.

— Você me ouviu — ela reforçou, puxando as filhas mais para dentro do quarto para que a porta ficasse livre para eu sair.

Fiquei congelada no mesmo lugar, aquilo não estava acontecendo. Foi necessário Adam colocar uma mão no meu ombro e me dar um empurrão gentil para eu enfim recuperar os sentidos. Não conversamos até estarmos os dois no carro e na rua. Adam abriu a boca para falar, mas fui mais rápida.

— Não quero falar sobre isso.

Esforcei-me para não chorar.

— Certo — ele disse com delicadeza e, depois, pareceu que iria falar mais, mas conteve-se e olhou para fora da janela.

Eu queria saber o que era.

Cresci em Clontarf, um subúrbio costeiro de North Dublin. Quando conheci Barry, fiz o favor de me mudar para Sandymount, o lado dele da cidade. Morávamos no apartamento de solteiro de Barry porque ele queria ficar perto da mãe, que não gostava de mim porque eu era da Igreja da Irlanda, embora não me desse ao trabalho de ser praticante; eu não tinha certeza de qual dessas duas coisas a incomodava mais. Depois de seis meses de namoro, Barry me pediu em casamento, provavelmente porque era o que todos os jovens como nós estavam fazendo na época, e eu disse que sim, porque era o que todos os jovens como nós estavam dizendo, e parecia ser a coisa madura e adulta a fazer na nossa idade, e seis meses depois estava casada e morando em um apartamento novo que tínhamos comprado juntos em Sandymount, com a festa já tendo passado e a realidade dali para a frente se estendendo diante de mim. Minha empresa continuou em Clontarf, uma viagem curta de trem a cada manhã. Barry fora incapaz de vender seu apartamento de solteiro e, em vez disso, alugou-o; o aluguel pagava a hipoteca. Isso resolveria muitos dos nossos problemas atuais se Barry se mudasse de volta para o apartamento que ele fizera um escândalo para não abandonar, permitindo assim que eu ficasse na nossa casa, mas, não, ele estava querendo o nosso apartamento. Ele estava querendo o nosso carro também e, assim, eu estava no momento dirigindo o carro de uma amiga; Julie emigrara para Toronto e ainda não conseguira resolver a questão do carro, que estava à venda havia um ano. Em troca do favor de usá-lo, eu também era responsável por cuidar da venda dele, anunciando-o com uma placa de VENDE-SE nos vidros dianteiro e traseiro com meu número de telefone e, como resultado, lidando com telefonemas, perguntas e *test drive*. Estava aprendendo que as pessoas têm a tendência de ligar a qualquer hora pelos exatos mesmos detalhes que os anúncios do carro em revistas já contavam, como se estivessem esperando ouvir uma resposta completamente diferente.

Meu escritório ficava na Clontarf Road, no primeiro andar de uma casa de três andares que tinha sido o lar das três tias solteiras do meu pai, Brenda, Adrienne e Christine, de quem eu e minhas duas irmãs recebemos os nomes. Agora, a casa abrigava a empresa do meu pai e das minhas irmãs, que se chamava Rose e Filhas Advogados, porque meu pai era feminista. Ele teve seu escritório lá por trinta anos, desde que sua última tia decidira se mudar para um apartamento no porão em vez de cuidar de uma casa grande sozinha. Eu tivera medo do dia em que teria que contar a ele que não queria trabalhar na empresa da família, mas ele foi mais que compreensivo. Na verdade, não queria que eu trabalhasse com ele.

— Você é do time que pensa — ele disse. — Nós somos do time que faz. As meninas são como eu, nós fazemos. Você é como a sua mãe, você pensa. Então vá, pense.

Brenda cuidava de direito de propriedade, Adrienne cuidava de direito de família e papai gostava de ir atrás dos acidentes, porque era ali que ele achava que estava o dinheiro. Eles ocuparam o último andar, meu escritório ficava no primeiro, com um contador que estava ali fazia vinte anos e que escondia uma garrafa de vodca na sua mesa e pensava que ninguém sabia. Era óbvio pelo cheiro da sala e do hálito dele, mas, principalmente por causa de Jacinta, a faxineira, que contava ao papai toda a fofoca de cada um dos escritórios que pagavam aluguel. Não era um acordo explícito, contudo eles tinham um entendimento de que, quanto mais informações ela fornecia, mais papai lhe pagava. Com frequência, eu me perguntava o que ela contava a ele sobre mim.

As empresas do térreo tinham mudado tantas vezes nos últimos anos que eu não sabia quem era quem quando passava pelas pessoas nos corredores. Por causa da recessão, empresas estavam saindo com a mesma rapidez com que chegavam. O porão, que tinha sido a casa da minha tia-avó Christine nos seus últimos anos, havia passado de uma empresa de seguro a corretores da bolsa a um estúdio de design gráfico e era, naquele momento, minha casa. De uma Christine para a outra. Meu pai concordara de má vontade em deixar o lugar e a mobília para mim; no dia em que cheguei, eu tinha encontrado uma cama de solteiro no quarto, uma única cadeira na cozinha e uma poltrona na sala de estar. Tive que conseguir o restante sozinha, atacando as casas das minhas irmãs. Brenda achara hilário doar o edredom do Homem-Aranha do seu filho para mim. Pensou que iria me animar, mas só me deixou mais triste com a minha situação. Um edredom eu podia comprar com facilidade e, assim, durante os primeiros dias, tive a intenção de trocá-lo, porém acabava esquecendo até chegar ao ponto em que nem reparava mais nele.

No imóvel ao lado ficava uma biblioteca, a Book Stand, também conhecida como Last Stand, a última a ficar em pé, devido à sua inclinação teimosa de se manter aberta e atual quando todas as pequenas livrarias por quilômetros ao nosso redor tinham sido forçadas a fechar. Ela era administrada pela minha amiga íntima Amelia, e eu suspeitava que encomendar livros para mim era a única coisa que a mantinha no mercado, já que a loja estava quase sempre vazia. O estoque era baixo e a maioria das coisas que você queria tinha que ser encomendada, o que significava que ela não era atrativa para quem queria dar uma olhada nos livros. Amelia morava em cima da loja com a mãe, que precisava de cuidados constantes por causa de um grave derrame. Na maioria das vezes, o sino tocando na loja não era o som de um novo cliente passando pela porta da frente, e sim da mãe dela, no andar de cima, precisando de alguma atenção. Desde criança, quando a mãe ficou doente, Amelia cuidava dela e parecia, para mim, precisar desesperadamente de uma folga, ou de um pouco de carinho. Como a maioria dos cuidadores, Amelia precisava de alguém para protegê-la e cuidar dela em troca. A livraria parecia quase secundária em relação ao que Amelia passava os dias fazendo, que era ficar à disposição completa da mãe, devotando cada pensamento e momento do dia a ela.

— Oi, querida.

Amelia pulou do seu banco, onde estivera lendo para passar o tempo na loja vazia. Ela olhou para Adam por cima do meu ombro, que me seguiu até lá dentro, e suas pupilas dilataram ao vê-lo.

— Achei que você fosse esperar no carro — falei.

— Você se esqueceu de deixar uma janela aberta para mim — ele disse, sem expressão, olhando pela loja.

— Amelia, este é o Adam. Adam, esta é Amelia. O Adam é... um cliente.

— Ah — Amelia falou decepcionada.

Eu sabia o que queria e fui direto para a seção de autoajuda. Adam ficou vagando pela loja, parecendo entorpecido, retraído, olhando, mas sem ver de verdade.

— Ele é lindo — Amelia sussurrou.

— Ele é um cliente — sussurrei de volta.

— Ele é lindo.

Eu ri.

— O Fred não ia gostar de ouvi-la falar isso.

Ela examinou as unhas e ergueu as sobrancelhas.

— Ele me convidou para ir ao Pearl almoçar.

— O Pearl? Isso é muito chique!

Fiquei confusa com aquilo, já que Fred não era do tipo romântico espontâneo. Depois, entendi.

— Ele vai pedi-la em casamento!

Amelia não conseguia mais manter a expressão séria, claramente pensando o mesmo.

— Digo, pode ser que não, provavelmente ele não vai, mas, você sabe...

Fiquei ofegante.

— Ai, meu Deus, estou tão feliz por você!

Nós nos abraçamos animadas.

— Ainda não aconteceu.

Amelia bateu em mim.

— Pare de dar azar.

— Você pode colocar este na conta?

Amelia olhou o livro que escolhi.

— *Finalmente*! Christine, isso é ótimo! — ela falou, com alívio.

Franzi as sobrancelhas.

— Não é para mim. O que você quer dizer?

— Ah. Desculpe. Nada. Não. É... Nada.

As bochechas dela coraram e ela mudou de assunto.

— Barry me ligou ontem à noite.

— Ah?

O medo inundou meu corpo.

— Era bem tarde. Acho que ele tinha bebido um pouco.

Mordisquei as unhas.

Adam se juntou a nós. Ele era como um tubarão, sentindo o cheiro de sangue. Sabia com exatidão quando estar por perto cada vez que a minha vida estava sendo estilhaçada.

— Tenho certeza de que não era verdade, ou talvez fosse, mas... Mas ele não devia ter dito aquilo para mim de qualquer forma. O que quer que vocês dois conversassem realmente deveria ser mantido privado, mesmo que fosse sobre mim, então, não estou culpando você pelo que você falou de mim.

Ela parecia ferida, seu rosto contradizendo tudo o que ela falava.

— Amelia, o que ele disse?

Ela respirou fundo e foi em frente.

— Ele disse que você pensa que sou uma fracassada por morar com a minha mãe, que preciso arrumar uma vida e me mudar. Que preciso colocar minha mãe em um asilo e ir morar com o Fred ou você não vai ficar surpresa se ele me deixar.

— Ai, meu Deus.

Escondi o rosto nas mãos.

— E sinto muito por ele ter dito isso a você.

— Tudo bem. Eu disse a ele que sabia que ele estava machucado, mas que ele era nojento. Espero que não se importe.

— Não, tudo bem, você tem todo o direito de dizer o que quiser.

Meu rosto estava vermelho e eu sabia, revelando minha culpa. Eu não podia negar que Barry e eu tínhamos discutido aquelas coisas, mas como ele teve a ousadia de contar para Amelia? Perguntei-me quantos telefonemas ele dera na noite anterior e quantas verdades ele dissera para as pessoas que eu amava, magoando-as para me magoar.

Amelia esperou que eu dissesse que não era verdade.

— Olhe, é óbvio que eu não falei *assim*.

Ela pareceu ofendida.

— Só me preocupo porque você está sempre cuidando da sua mãe e não de você mesma. Que seria bom você e Fred morarem juntos, terem uma vida *juntos*.

— Só que é assim que vivo desde que eu tinha doze anos, Christine, você sabe disso.

Amelia estava ficando nervosa.

— Não vou mandar minha mãe a um asilo para eu viver loucamente.

— Eu sei, eu sei, mas você não saiu do país... nunca. Nunca tirou férias. Foi tudo o que eu disse... Juro. EU estava preocupada com você.

— Você não precisa se preocupar comigo — ela falou, levantando o queixo. — Fred está bem com o jeito como as coisas são. Ele entende.

Fomos interrompidas pelo som familiar do sino. Amelia pediu licença depressa para ver a mãe. Saí da loja com o livro enfiado na bolsa, escondido do olhar de Adam, sentindo-me pior que nunca.

— Então agora ele está ligando para os seus amigos. Isso é esperto — Adam falou. — Seus dias só ficam melhores.

Levantei o queixo.

— Sim, mas você sabe que a questão é como você lida com as coisas, Adam. Encarar com positividade.

Ele revirou os olhos.

— Tenho um problema com isso. Por exemplo, acho que sua amiga não deveria criar expectativa quanto ao almoço de hoje.

— Você estava escutando.

— Vocês estavam dando gritinhos.

— Ele vai levá-la ao Pearl!

— E?

— Bem, é lá que as pessoas fazem pedidos de casamento.

— Também é onde as pessoas almoçam. Ela não deveria ficar animada antes de acontecer. Pode não acontecer.

Suspirei, sentindo a energia dele me esgotar.

— Sabe, é isso que temos que consertar. Você tem pensamentos negativos. Fica pensando em todas as coisas ruins que *podem* acontecer o tempo todo. No fim das contas, você começa a fazê-las acontecer. Você conhece as leis da atração?

Pensei no meu encontro com a esposa de Simon, em como eu havia repassado aquela cena várias vezes na minha cabeça até ela acabar acontecendo.

— Se você achar que a vida é uma droga, a vida vai ser uma droga.

— De novo, não acho que seja a terminologia oficial dos terapeutas.

— Então vá ver um terapeuta de verdade.

— Não.

Entramos e subimos as escadas até o primeiro andar.

Parei na porta do meu escritório e tive dificuldade para encaixar a chave. Tentei outra, depois outra, depois outra das dez chaves que eu tinha no chaveiro.

— O que você é, guarda de prisão?

Eu o ignorei e tentei a chave seguinte.

— Droga. Fizeram de novo. Venha.

Subi a escada com passos pesados.

Minhas irmãs e meu pai estavam sentados em volta da mesa de reuniões no escritório deles quando entramos. Papai estava perfeitamente arrumado com um terno risca de giz, camisa, gravata e lenço rosa. Os sapatos dele eram pretos e estavam muito bem engraxados, não havia um fio de cabelo fora do lugar, as unhas dele estavam feitas e polidas, de forma que havia um brilho nelas. Ele era baixo e parecia mais um alfaiate que um advogado.

— Eu sabia que era porque ela tinha conhecido outro cara — Brenda falou, estalando os dedos assim que viu Adam. — Caramba, o Barry vai morrer quando o vir. Como a cabecinha careca dele vai competir com isso? — Ela se referiu ao punhado de cachos loiros de Adam.

— Olá, família — falei. — Este é o Adam... Ele é um *cliente*. Adam, este é o meu pai, Michael, e as duas bruxas são Brenda e Adrienne.

— Que receberam os nomes das bruxas que antes moravam aqui — Adrienne contou a Adam e, depois, olhou para mim e acrescentou: — A terceira é a Christine... Então você é, na verdade, uma de nós, não importa quanto tente fugir.

— Elas tinham cabelos roxos e fumavam muito — Brenda disse, ainda analisando Adam com atenção.

— Nunca se casaram — papai entrou na conversa.

— Lésbicas — Adrienne falou.

— Não eram — Brenda discordou. — A Adrienne era uma vadia. Foi pedida em casamento cinco vezes.

— Pelo mesmo cara? — perguntei.

— Não. Homens diferentes — papai respondeu. — Acho que o terceiro homem acabou matando alguém. Mas — ele franziu as sobrancelhas — posso estar confundindo com outra pessoa.

— Vadia — Brenda confirmou.

— Ela não dormiu com eles — papai disse. — Os pedidos de casamento eram diferentes naqueles dias.

— Lésbica — Adrienne insistiu.

Esperei que eles terminassem. Eles jogavam "vadia ou lésbica" o tempo todo com pessoas diferentes.

— Você acha que todo mundo é lésbica porque você é — papai disse para Adrienne.

— Eu sou bissexual, pai.

— Você teve cinco namoradas e um namorado. O homem foi um experimento. Você é lésbica. Quanto antes perceber isso, mais cedo vai conseguir ter um relacionamento sério e ter uma família normal — ele afirmou.

— Então, como você conheceu a Christine? — Brenda perguntou a Adam. — Sente-se.

Ela puxou uma cadeira.

Adam olhou para mim. Encolhi os ombros, cansada e, depois, ele se sentou.

Ele fez uma avaliação rápida da minha família e, em seguida, disse:

— Ela me impediu de pular da ponte Ha'penny na noite passada.

— Ela sempre foi uma estraga-prazeres — Adrienne me acusou.

— Ele não estava pulando por diversão — expliquei.

Todos olharam para ele.

Adam ficou um pouco inquieto, sem ter certeza do que fazer com os olhares à luz daquela revelação. Tenho certeza de que ele estava se perguntando se não fora o momento certo, se sequer devia ter mencionado aquilo para começo de conversa. Mas eles eram bons com aquilo, minha família: atrair a pessoa e fazer com que ela sentisse que as coisas importantes não eram nem um pouco importantes. Eles decidiam o que era.

Adrienne enrugou o rosto.

— Mas a Ha´penny? Nem é tão alta.

— Do que você está falando? — Brenda perguntou a ela.

— Nem é uma queda. O que são, dois metros e meio acima da água?

— Ele não estava tentando se matar com a queda, Adrienne — Brenda disse. — Imagino que ele estivesse tentando se afogar. Estava?

Todos olharam para Adam.

Ele não sabia como responder, sua surpresa era muito grande. Eu estava acostumada com uma variedade de reações quando levava as pessoas para casa. Alguns amigos não conseguiam lidar com minha família; outros mergulhavam de cabeça e se juntavam a ela; outros, como Adam, ficavam contentes em observar o ritmo normal da conversa e achar graça sem se sentir ofendidos, já que ficava claro que aquela não era a intenção.

— Eu disse que imagino que você estivesse tentando se afogar? — Brenda falou um pouco mais alto.

— Ele não tem água nos ouvidos, Brenda — Adrienne interrompeu. — Ela o salvou, lembra?

Elas riram um pouco. Adam olhou para mim surpreso.

Formei a palavra *desculpa* com os lábios e ele fez que não com a cabeça, com uma expressão confusa, como se não houvesse por que eu pedir desculpas.

— E muito bem, Christine — papai falou, fazendo um sinal de positivo com o polegar para mim. — Que bom para você.

— Obrigada.

— Isso provavelmente faz com que você se sinta melhor em relação ao último, não faz?

Adam olhou para mim com uma expressão de preocupação protetora.

— Mas o Liffey não é tão fundo, é? — Adrienne perguntou.

— Adrienne, uma pessoa poderia se afogar de cara em uma poça se ficasse presa ou se tivesse quebrado as costas ou o quer que fosse — Brenda explicou.

Adrienne olhou para Adam.

— Suas costas estavam quebradas?

— Não.

Ela apertou os olhos.

— Você sabe nadar?

— Sim.

— Então não entendo. Seria como a Brenda comer sorvete o dia todo para ficar magra.

Ela se virou para Brenda quando um pensamento lhe ocorreu.

— O que, na verdade, você tenta mesmo.

— Andrew, gostaria de ver meu anúncio? — papai perguntou.

— O nome dele é Adam e, não, ele não gostaria — falei.

— Tenho certeza de que ele pode falar por si mesmo.

Papai olhou para mim.

— Sim, é claro, por que não?

Papai deixou a mesa e foi para o seu escritório.

— O pai é um perseguidor de ambulâncias — Brenda explicou.

— Ele cuida do direito de danos pessoais — esclareci. — Ganha mais dinheiro do que as duas juntas.

— E gasta com pedicure — Brenda disse.

— E depilação íntima e nas costas — Adrienne falou, e as duas caíram na gargalhada.

— Eu ouvi, e só fiz isso uma vez — papai gritou, voltando do escritório com um videocassete na mão. — Eu estava na Índia, no calor extremo, e fez uma baita diferença — explicou com calma e estremecemos com a imagem. — Você se machucou na ponte, Andrew?

— É Adam, e não — ele respondeu com educação.

— Nenhum prego enferrujado, pescoço dolorido, esse tipo de coisa?

— Não.

Papai pareceu decepcionado.

— Não importa. Agora, onde podemos assistir a esta coisa?

— A nossa TV não roda fita de vídeo. Isso é pré-histórico.

Mais uma vez, ele ficou decepcionado.

— Você sabe, este anúncio foi à frente do seu tempo. Eu o filmei há vinte anos. A Irlanda não estava pronta para ele. Mas agora você vê esses caras na TV o tempo todo. Em especial nos Estados Unidos. Se você cortar, por acidente, o dedo maior do pé com o cortador de unha, podem conseguir dinheiro para você.

Adam balançou a cabeça de um lado para o outro, admirado.

— Você tem videocassete? Deveria ir até sua casa para pegá-lo e trazê-lo para cá.

— Ele mora em Tipperary — expliquei.

— Por que você está aqui?

— Pai, você não está ouvindo?

— Ele tentou pular da ponte Ha'penny — Adrienne esclareceu.

— Mas há ótimas pontes em Tipperary. Há uma ponte antiga em Carrick-on-Suit, a ponte Madam's, em Fethard, essa é bonita, e há um viaduto de vão triplo por cima do rio Suir...

— Certo, obrigada — interrompi.

— Então, Adam...

Brenda apoiou o queixo na mão e o encarou, pronta para fofocar.

— A Christine contou para você que ela abandonou o marido?

— Sim.

— O que você acha disso?

— Acho que foi insensível da parte dela. Não parece que ele fez algo de errado — Adam falou, como se eu não estivesse parada bem ao lado dele.

— Ele não fez. Concordo com você — Brenda comentou.

— Mas ele era desinteressante — papai disse.

— Ser entediante não é uma ofensa passível de divórcio — Adrienne falou. — Se fosse o caso, a Brenda nunca teria ficado tanto tempo com o Bryan.

— Verdade — Brenda admitiu.

— O Bryan não é entediante — papai defendeu o genro. — Ele só não conquistou tudo o que devia. Ele é preguiçoso. É diferente.

— Também é verdade — Brenda falou.

— Temos que ir — avisei. — Não quero saber quem trocou a minha fechadura, só quero a chave da nova.

Brenda e Adrienne olharam para papai. Ele começou a rir.

— Desculpe, não pude evitar. Ela encara a coisa tão mal, é *engraçado*. Vou pegar a chave.

Ele ficou em pé e voltou para o escritório com a fita de vídeo na mão.

— Então, a Gemma não veio procurar uma chave? — perguntei.

Ela costumava chegar antes de mim, de Peter e de Paul pela manhã e eu não estava pronta para encarar outro dia sem ela, não depois do caos no escritório na semana anterior.

— Ficamos sabendo que você a demitiu deixando cair o livro *Como demitir alguém* no dedo do pé dela. Não foi muito legal, Christine.

Adam olhou para mim, descontentamento estampado em seu rosto.

— Foi um acidente. Ela contou isso para você?

— Ela esteve aqui na sexta-feira procurando emprego.

— Diga que vocês não deram um!

— Talvez.

— Não podem, ela é minha.

— Você não a quer, mas não quer que ninguém mais fique com ela. Você é uma patroa cruel. Com certeza vou contratá-la — Adrienne respondeu, um sorriso divertido nos lábios.

Eles adoravam me testar. Os três eram tão parecidos. O humor deles era e sempre tinha sido único e particular. Eu entendia, mas nunca achara divertido. Isso tornava tudo ainda mais hilário do ponto de vista deles, o que reforçava seu comportamento. Era como se eles tivessem um clube secreto e fizessem tudo o que podiam para não mantê-lo em segredo, na esperança de que eu fizesse parte dele. Mas era impossível para mim. Eu era muito diferente. Ovelha negra era apelido; eu era uma espécie completamente diferente.

— Gemma se adiantou à demissão. Eu só estava pensando a respeito. Talvez eu tenha que fazer alguns cortes. O apartamento está me custando muito caro.

Olhei feio para papai enquanto ele balançava a chave e eu a tirava dele.

— Nunca, em todos os meus anos de vida, dei algo de mão beijada. Vocês todas têm que pagar pelas suas coisas — ele disse.

— Existe algo chamado ajuda.

Perdi um pouco a calma.

— Bem, então, volte para o seu marido — ele falou. — Há coisas piores que um casamento chato. Olhe a Brenda. Aquelas crianças são a melhor propaganda para cola superforte que eu já vi.

— Fique comigo — Brenda ofereceu. — Sempre é útil para nós termos sangue novo.

— Não. Eu não quero.

— Por que não?

— Você me irritaria. E o Bryan simplesmente, sabe, *fica em cima da gente* — admiti.

Adrienne e papai começaram a rir. Adam parecia achar graça, embora não fizesse ideia de quem Bryan era.

— É verdade, ele fica em cima mesmo. — Adrienne deu uma risadinha. — Nunca tinha reparado nisso antes.

— Ele sempre fica assim...

Papai olhou por cima do ombro de Adrienne e fez uma careta, e os dois riram. Adam riu também.

— Isso é verdade — Brenda concordou de novo.

— Tudo o que estou dizendo é que eu gostaria que o proprietário pegasse um pouco mais leve comigo — comentei.

— Tenho que pagar a hipoteca — papai afirmou, abandonando sua pose, espiando Adrienne e sentando-se de novo.

— Esta casa está paga por cem vezes, e não tinha ninguém naquele apartamento antes de mim fazia muito tempo. O lugar fede a umidade, o vaso não dá descarga direito e não tem móveis que valha a pena mencionar, então, você não está perdendo um inquilino por eu estar ali.

— Com licença. Eu o mobiliei para você.

— Colocar uma colher de chá em uma gaveta não é mobiliar um apartamento — exagerei.

— Mendigos não podem escolher.

— Não sou mendiga, sou sua filha.

— E também não pode escolher isso.

— Isso não significa nada, pai.

Ele me lançou um olhar que significava alguma coisa e eu teria que descobrir o que era.

— Então, o que vocês dois estão fazendo? — Brenda perguntou a Adam. — Ela vai conseguir um novo emprego para você e mandá-lo seguir seu próprio caminho?

Adam parecia achar tudo aquilo um pouco divertido; seus olhos tinham um certo brilho.

— Ela tem que me convencer a gostar da minha vida até meu aniversário de trinta e cinco anos.

Todos eles ficaram em silêncio. Eles não precisaram perguntar o que iria acontecer se ele não gostasse da própria vida até aquele prazo; estava implícito.

— Quando será isso? — Adrienne perguntou.

— Em duas semanas — informei.

— Doze dias — Adam me corrigiu.

— Você vai dar uma festa? — Brenda quis saber.

— Sim.

Adam parecia confuso com a direção da conversa.

— Posso ir? — Adrienne questionou.

— Você devia comprar um daqueles bolos que parecem com um bolo, mas, na verdade, são queijos. Grandes queijos circulares, em camadas. Eles são muito inteligentes — papai falou.

— Pai, você é obcecado por bolo de queijo.

— Acho que são inteligentes.

— Você parece triste — Brenda falou, olhando para Adam.

— É porque ele está triste — Adrienne disse.

— Não sei se a Christine é a pessoa certa para você — Brenda comentou. — A JJ Recruitment é ótima.

— Eu conheço um terapeuta excelente — Adrienne ofereceu. — Coisa que a Christine não é — enfatizou.

— Se é quem estou pensando, eu não o recomendaria — papai disse a ela.

— Espere aí, vocês estão questionando minhas habilidades? — perguntei. — O recrutamento é mais que apenas encontrar emprego para alguém. Eu ajudo pessoas o tempo todo. Descubro o que elas estão procurando e, depois, eu as pego de um lugar na vida delas e levo para outro.

Tentei me vender para Adam sem olhar para ele.

— Com um taxista — Brenda comparou.

— Não... É mais que isso.

Tentei não deixar a frustração aparecer porque sabia que eles só estavam me agitando.

— Ninguém está questionando as suas habilidades — Brenda disse.

— Ela quer dizer que você também está triste — Adrienne explicou.

— Bem, talvez um possa fazer o outro ficar feliz — papai supôs, levantando-se. — Reunião encerrada, vamos ao trabalho. Boa sorte, Martin, e dê uma olhada naqueles bolos de queijo. Muito inteligentes.

Ele virou-se para Adam, deu um sorriso branco como pérola e voltou para o seu escritório. Houve o barulho repentino de uma frequência de rádio da polícia.

— Ele é o melhor candidato que você já trouxe para casa — Brenda falou em voz baixa enquanto Adam saía do escritório antes de mim, fazendo que não com a cabeça como se não tivesse certeza do que testemunhara.

— Brenda, na noite do domingo ele tentou se matar — sibilei.

— Ainda assim. Pelo menos ele tinha vida dentro dele para matar. O Barry mal tinha pulso, mesmo no seu melhor dia.

Segui Adam escada abaixo.

— Ah, a propósito — Brenda gritou do alto —, o Barry me ligou ontem tarde da noite para me dizer que você FAZ XIXI NO BANHO!

Adam e eu paramos no primeiro degrau. Ele lentamente se virou para olhar para mim. Fechei os olhos e respirei fundo. Depois, desci a escada passando por ele.

— Também não quero falar sobre isso — eu disse, alto.

Eu o ouvi dar uma risadinha. Aquele som adorável que eu ouvira tão pouco.

Quando entramos no meu escritório, Gemma havia deixado uma mensagem na minha mesa. Ela pegara um dos meus próprios livros da estante: *Como pedir desculpas sinceras quando você percebe que machucou alguém*. Entendi como se Gemma estivesse me aconselhando a ler e não pedindo desculpas.

À medida que a manhã transcorreu, houve uma avalanche de telefonemas, mensagens de texto e correios de voz de amigos e conhecidos que haviam falado com Barry ou recebido comunicados dele na noite anterior. Percebi então que, talvez, eu devesse começar a ler. Parecia que eu poderia ter algumas desculpas a pedir.

9

Como aproveitar sua vida de trinta maneiras simples

A primeira coisa que eu precisava fazer antes de me sentar com Adam era cancelar todos os meus compromissos pelas duas semanas seguintes. Sem Gemma para me ajudar com a logística, eu teria que delegar meu trabalho e minhas reuniões para os meus dois colegas, Peter e Paul, que já não estavam falando comigo desde a dispensa injusta da secretária. Sentei-me à mesa de Gemma e comecei. Cancelar com Oscar foi o que mais demorou, pois liguei assim que ele tinha deixado o terceiro ônibus passar sem entrar. Tive que falar com ele durante toda a experiência de entrar no ônibus, sentar-se e fazer as técnicas de respiração e, depois, contar-lhe uma história para distraí-lo e, então, tive que lhe dar o número do meu celular porque ele estava muito perturbado por eu ficar fora do escritório pelos quinze dias seguintes. Quando terminei, pude me despedir de um homem felicíssimo que sentia que poderia conquistar o mundo depois de aguentar três pontos de ônibus. A tarefa seguinte dele era andar até sua casa, o que ele faria com confiança. Assim que desliguei, Adam gritou para mim do meu escritório.

— *Quarenta e duas dicas para ter pensamentos positivos quando tudo está dando errado...*

Outro título de livro da minha coleção.

— *Trinta e cinco maneiras de pensar positivo...*

Ele bufou, zombando.

— Esses números são intrigantes. Por que tão específicos? Por que quarenta e *dois* e não quarenta? Por que você não pode arredondar seus pensamentos positivos para o número mais próximo?

Adam continuou olhando a estante.

— *Cinco maneiras de demonstrar amor*, *Cinco maneiras de conservar sua energia*. *Dez maneiras de conservar energia*.

Ele riu.

— Certo, acho que entendi como você faz. Você arquiva esses livros em ordem numérica, certo? E diz para si mesma: "Hoje estou com vontade de um *longo* caminho para conservar minha energia", ou "Hoje estou me sentindo muito cansada, então vou pegar o atalho para conservar energia"?. Com certeza sempre escolheria *cinco* jeitos de conservar sua energia, afinal porque fazer *dez* coisas quando você tem a opção de cinco para atingir um mesmo objetivo? Você acha que a pessoa que escreveu os cinco jeitos tem muito mais ou menos energia do que a pessoa que escreveu os dez jeitos? Porque ela tem mais métodos, mas escreveu um livro mais fino, o que deve ter sido menos exaustivo. Elas deviam se conhecer; talvez este cara pudesse escrever um livro chamado *Como aconselhar pessoas a escrever livros de "como"*. Seis maneiras, doze maneiras, trinta e nove maneiras, sessenta e seis maneiras... Sim, temos um vencedor!

Adam levantou um livro no ar.

— *Sessenta e seis maneiras de resolver seus problemas financeiros*. Sessenta e seis? Só conheço uma: *vá trabalhar!* — ele disse para o livro, e continuou a dar uma olhada.

— Algumas pessoas não podem trabalhar.

— É claro. Estresse é o novo problema nas costas.

— Você não está no trabalho. Na verdade, estou curiosa para saber exatamente onde eles acham que você está.

Ele me ignorou.

— É como uma cura automedicada? Você diz: "Preciso de seis maneiras de perder peso" ou "Nesta semana preciso de vinte e uma maneiras". Esta semana estou tipo "nove maneiras de subir as escadas".

— Isso não é um livro.

— Não, mas poderia ser. Você deveria escrever. Eu gostaria de saber nove maneiras de subir um lance de escadas. A maneira mais óbvia claramente nunca é a que essas pessoas têm em mente.

É claro que minha ambição era escrever um livro, mas não iria compartilhar essa informação com Adam, não se ele tinha essa opinião sobre autoajuda. Eu sentia que estava prestes a acontecer, no entanto. Na semana anterior mesmo pensei em tirar *Como escrever um livro de sucesso* da pilha de caixas ainda fechadas que continham minha vida no apartamento do porão. Barry não tinha apoiado meu sonho; não que isso devesse ter me impedido de fazer o que queria. Admito sem problemas que, no passado, eu usara a falta de apoio dele como desculpa, porque estava com medo de fazer aquilo, mas as coisas estavam diferentes agora, e eu prometera a mim mesma que tentaria.

Havia muitos temas passando pela minha cabeça, e o título provisório era *Como encontrar o emprego dos seus sonhos*. Até o momento, eu havia encontrado treze variantes do mesmo título impressas e lera quatro delas, contudo eu ainda sentia que tinha mais a acrescentar. Os livros que eu lera pareciam focar em esquemas para ficar rico depressa, mas eu sempre sentia que o objetivo final deveria ser a felicidade pessoal. Brenda me disse que felicidade pessoal não era vendável, que eu deveria encaixar sexo no escritório no meio disso, ou pelo menos dedicar um capítulo a isso; mais uma vez, a opinião de um membro da família sobre as minhas ambições pessoais provou ser infinitamente inútil.

Adam, enquanto isso, ainda estava reclamando da coleção de livros de autoajuda.

— Há um cofre secreto com um monte de livros para mim? Talvez *Cem maneiras de não se matar*?

Com a sensação de que ele era hilário, Adam se largou em uma poltrona, que por um acaso era a minha. Como ele havia levado muito tempo para chegar ali, não fiz objeção. Sentei-me na poltrona onde meus clientes costumavam sentar-se. Não estava acostumada com aquele ângulo da sala e logo me senti perturbada.

— Sabe, você não está tão errado — falei, começando a sessão. — Não vou lhe dar cem maneiras de não se matar, mas vamos bolar um plano de contenção de crise.

— Um o quê?

Tirei um livro da prateleira atrás de mim: *Como lidar com pensamentos suicidas*. Eu o abri depressa na página certa. Tinha lido aquele livro do começo ao fim nas noites de insônia que se seguiram à experiência com Simon Conway.

— É basicamente uma lista de instruções que você precisa seguir se tiver um pensamento suicida... Algo que você admitiu ter bastante. Uma vez que já tentou concretizá-lo, pode ser que queira de novo.

— Disse para você que eu *vou* querer fazer de novo se nada mudar.

— E, até o seu aniversário, você é meu — falei, severa. — Temos que lidar com isso. Pelos próximos doze dias, farei o meu melhor para manter minha parte do acordo. Você vai ter que manter a sua. Fique vivo. Essa é a sua tarefa. Siga os passos e você vai continuar vivo. Pode até começar a se sentir mais perto de se encontrar de novo. É assim que posso ajudá-lo a conseguir a Maria de volta.

— Tudo bem.

— Certo. Vamos passar para o plano daqui a pouco, vamos levar um tempo para escrevê-lo. Primeiro, gostaria de conversar. Preciso ter um entendimento real de onde você está na sua vida, como você está se sentindo.

Deixei um silêncio. Adam olhou para a esquerda, depois, para a direita, procurando a câmera escondida.

— Estou me sentindo... suicida.

Eu sabia que ele estava sendo sarcástico, mas não ri.

— Só para você saber, suicida não é um sentimento. É um estado de espírito. Tristeza é um sentimento, solidão é um sentimento, raiva é um sentimento. Frustração é um sentimento. Ciúme é um sentimento. Suicida não é um sentimento. Você pode ter *pensamentos* suicidas, mas um pensamento é apenas isso: um *pensamento*. Nossos pensamentos mudam o tempo todo, porque nós os colocamos ali. Assim que você entender a diferença entre pensamentos suicidas e os seus sentimentos, vai começar a entender suas emoções. Você pode separar seus pensamentos suicidas dos seus sentimentos. Você não vai pensar "hoje eu quero me matar". Você vai pensar "hoje eu estou bravo porque a minha irmã fugiu do país e me deixou para administrar a empresa". Então vai lidar com a sua raiva. "Hoje eu me sinto oprimido com a responsabilidade do meu trabalho"... Então vai lidar com se sentir oprimido. Posso ajudar você a aprender a como chegar ao fundo dos seus pensamentos suicidas, a como desafiar esses pensamentos e a recuperar o controle. Então, Adam, como você está se sentindo?

Ele pareceu desconfortável. Remexeu-se na cadeira e olhou pela sala. Por fim, seu olhar foi descansar em algum lugar fora da janela e ele relaxou um pouco. Depois de pensar a respeito por alguns minutos, falou:

— Estou me sentindo... furioso.

— Bom. Por quê?

— Porque a minha namorada está transando com o meu melhor amigo.

Não era bem o que eu estava procurando, mas fiz um aceno com a cabeça para Adam continuar.

— Estou me sentindo... um idiota completo, por não saber o que estava acontecendo.

Ele se inclinou para a frente, os cotovelos nas coxas, entendendo que realmente iria fazer aquilo. Esfregou o rosto e sentou-se ereto de novo.

— Mas sinto que entendo por que ela fez isso. As coisas que você disse hoje de manhã, sobre eu estar ausente... Ela está certa. Tirei o olho da jogada, eu me distraí com todas essas outras coisas, elas assumiram o controle. Não tenho estado em um bom momento. Mas posso dizer a ela que mudei e, com sorte, ela vai voltar atrás.

— Quando vai dizer a ela que você mudou?

— Não sei. Hoje?

— Então você mudou de um dia para o outro. Todos os sentimentos de estar oprimido pelo trabalho, de ser abandonado pela sua irmã, toda aquela amargura e a raiva de ter que deixar o emprego e a vida que você ama para cumprir um dever de família, toda aquela decepção com a sua vida, com quem você é como pessoa, todo aquele conflito pelo fato de seu pai ter uma doença terminal, a sensação de que você *não quer mais viver*... Todos esses sentimentos simplesmente desapareceram?

Adam encarou o chão, o maxilar ficando tenso conforme ele processava aquilo.

— Não, mas vou mudar. Você vai me ajudar. Você prometeu.

— Minha ajuda começa aqui, nesta sala. A situação não vai mudar a menos que *você* mude a si mesmo. Então, fale comigo.

Conversamos durante duas horas. Quando Adam parecia suficientemente esgotado, e minha cabeça estava começando a latejar com todas as responsabilidades que ele colocara sobre os meus ombros, decidi fazer um intervalo. Eu sabia os problemas, agora era a hora de ser objetiva, de mostrar a ele a alegria na vida. Essa era a parte com a qual eu estava nervosa. Não era boa com aquilo, eu não tinha certeza do que fazer ou aonde levá-lo. Em especial porque não estava exatamente me sentindo animada naquele momento.

— E agora? — perguntou.

Adam parecia cansado.

— Hum, espere um pouco.

Saí do escritório; nessa hora, Peter e Paul já tinham chegado, mas ainda estavam se recusando a reconhecer minha presença. Eu não me importava porque tinha outras coisas na cabeça. Peguei o livro novo que eu comprara de Amelia, *Trinta maneiras simples de aproveitar a vida*, o livro que Amelia tinha pensado que eu estava comprando para mim, e lembrei-me da observação dela: *finalmente!* Eu era mesmo tão chata assim? Tinha tentado guardar meus problemas para mim mesma, não tinha discutido minha tristeza com ninguém. Achei que estivesse disfarçando bem.

Passei depressa pelas primeiras páginas.

1. Aproveite sua refeição, não coma apenas. Saboreie-a e dê valor aos vários componentes.

Comida... Sério? Mas o que mais eu iria fazer com ele? Enfiei o livro de volta na minha bolsa.

— Venha, vamos lá.

— Aonde vamos?

— Comer — falei animada.

Não tinha certeza se Gemma voltaria, mas, na chance improvável de voltar, como explicação coloquei um exemplar de *Como dividir seus problemas financeiros com as pessoas que dependem de você* na mesa dela e esperei que ela entendesse.

O lugar para o item 1 da nossa lista foi o restaurante Bay em Clontarf, com vista para a baía de Dublin.

— Então comer é divertido? — Adam perguntou, seu queixo apoiado na mão como se a cabeça fosse pesada demais para o seu pescoço. — Pensei que fosse algo necessário para a vida.

Enquanto eu passava os olhos sem entusiasmo pelo menu, observei a cafeteria lotada. O lugar estava transbordando de gente, a conversa estava alta, os pratos traziam grandes pilhas de comida colorida e vibrante e os aromas que flutuavam pelo lugar deviam estar fazendo todos salivarem, embora estivessem fazendo meu estômago dar um nó.

— Sim, é claro — menti.

Tudo o que eu queria de verdade era comer uma salada verde e acabar com aquilo, mas precisava dar um bom exemplo para Adam.

— Quero perna de carneiro refogada com raízes, *homus* de harissa e quinoa com ervas, por favor.

Forcei um sorriso para a garçonete enquanto, por dentro, temia a tarefa de comer toda aquela comida.

— Vou querer só um café preto, obrigado — Adam falou, fechando o cardápio.

— Não, não!

Balancei o dedo para ele. Abri o cardápio e o devolvi a Adam.

— Comida. Diversão. Coma.

Adam parecia perdido conforme seus olhos cansados passavam depressa pelo cardápio.

— O que você sugere? — ele perguntou para a garçonete.

— Gosto muito do filé de salmão assado e marinado sobre *ratatouille* de legumes mediterrâneos e purê cremoso.

Adam pareceu prestes a vomitar.

— Ele adoraria isso, obrigada.

— Sem entrada? — a moça perguntou.

— Sem — falamos em uníssono.

— Então, quando você perdeu o apetite? — questionei.

— Não sei, alguns meses atrás. Quando você perdeu o seu?

— Não perdi.

Ele levantou a sobrancelha.

— Álcool e café não são uma boa ideia para quem está deprimido — falei, tentando recuperar o controle e manter o foco nele.

— E o que você comeu no café da manhã hoje?

Pensei no café preto no hotel.

— Sim, mas não estou deprimida.

Adam bufou.

— *Você* está deprimido. Você tentou se matar. Eu só estou... um pouco triste.

— Um pouco triste.

Ele me analisou.

— Isso é dizer o mínimo. O Bisonho nem chega aos seus pés.

Eu ri, apesar de não querer.

— Tudo o que quis dizer foi que deveríamos ver a sua dieta, isso vai ajudar. Tem muito a ver com depressão. Está claro que está em boa forma, digo, você deve se exercitar muito.

Senti meu rosto ficar corado.

— Nunca vejo você comer, não sei de onde tira sua energia.

— Você quer que eu responda de cinco maneiras ou de dez maneiras?

— Apenas uma, por favor.

— É de quando eu estou fazendo striptease, sabe? Quando estou no palco dançando com os rapazes.

Eu ri.

— Acho que você confundiu striptease e desfile de modelos completamente.

— Bem, não sei o que acontece na sua cabeça — Adam falou, sorrindo.

A garçonete colocou dois pratos enormes de comida na nossa frente. Nós dois olhamos para eles com medo.

— Está tudo bem? — a garçonete perguntou, reparando na nossa reação. — Acertei os pedidos?

— Sim, é claro, está com uma aparência... deliciosa. Obrigada.

Peguei o garfo e a faca sem ter certeza por onde começar.

— Então, quando foi a última vez em que você saiu para comer, Christine, já que acha que isto é tão divertido? — Adam perguntou, examinando seu prato e, como eu, sem saber por onde começar.

— Faz muito tempo, mas só porque estávamos economizando para o casamento. Hum, isto está gostoso. O seu está gostoso?

Não coma apenas. Saboreie a comida.

— Não sei o que é isso... É gengibre? É bom mesmo e acho que estou sentindo gosto de limão. De qualquer forma, após o casamento, saímos em lua de mel e, depois, não tínhamos dinheiro, por isso ficamos em casa na maior parte do ano ou pedíamos comida de vez em quando, o que não tinha problema porque todos os nossos amigos estavam na mesma.

— Divertido — Adam falou, sarcástico. — Por quanto tempo você ficou casada?

— Coma. Isso é bom? O purê é cremoso?

— Sim, o purê é cremoso. — Ele entrou no jogo. — E as cenouras são cenourentas.

— Nove meses — eu o ignorei.

— Você o abandonou depois de nove meses? Já fiquei com namoradas que eu odiava por mais tempo que isso. Você não deve ter se esforçado muito.

— Eu me esforcei muito.

Baixei o olhar e brinquei com a minha comida.

— Coma. O seu carneiro está carneiroso? — ele perguntou. — Então, quando você soube que não estava dando certo?

Ele pegou um garfo cheio de salmão, mastigou devagar e engoliu como se fosse um comprimido gigante.

Pensei a respeito. Entregar a verdade ou a resposta que eu dera para todas as outras pessoas?

— Sem segredos — Adam acrescentou.

— Eu vinha tendo pontadas de dúvida havia um tempo, mas soube que não daria certo, com certeza, quando estava entrando na igreja no dia do meu casamento.

Aquela era a verdade.

Ele parou de comer e olhou para mim surpreso.

— Continue comendo — falei. — Estava chorando muito enquanto andava em direção ao Barry. Todo mundo ainda fala sobre isso, acharam que foi um momento tão doce. Mas minhas irmãs sabiam. Não eram lágrimas de alegria.

— Então por que você se casou?

— Entrei em pânico. Queria parar aquilo, mas não tive coragem. E não queria magoá-lo. Não conseguia ver saída, estava encurralada, mas era uma armadilha na qual eu mesma tinha me colocado. Eu me forcei a ir em frente.

— Você se casou porque não queria magoar o Barry?

— E é por isso que eu não poderia continuar casada com ele só porque não queria magoá-lo.

Ele pensou sobre aquilo e, depois, fez que sim com a cabeça.

— É um argumento justo.

— Se eu tivesse parado e pensado a respeito na época, realmente pensado a respeito, teria visto outra saída. Uma saída melhor.

— Como em uma ponte.

— Exatamente assim.

Fiquei empurrando a comida pelo meu prato.

— Eu o amava, sabe, mas tenho uma teoria sobre o amor. Acho que, não importa quão bons sejam, alguns amores não estão destinados a durar para sempre.

Ele ficou quieto. Nós dois comemos algumas garfadas de comida. Por fim, ele deixou o talher cair no prato.

— Eu me rendo — ele falou, mãos no ar. — Não posso comer mais. Posso por favor parar agora?

— É claro.

Baixei minha faca e meu garfo também, aliviada.

— Nossa, estou satisfeita — resmunguei, as mãos na minha barriga inchada, abandonando meu teatro por acidente. — Imagine, as pessoas fazem isto três vezes por dia.

Olhamos um para o outro e rimos.

— O que vem a seguir? — Ele se inclinou para a frente, os olhos brilhando.

— Ahn...

Olhei para minha bolsa e fingi procurar um lenço de papel. Em segredo, abri o livro.

2. Vá dar uma volta no parque. Não ande apenas, absorva seu entorno, observe a beleza da vida à sua volta.

— Vamos dar uma volta — falei, como se tivesse tido um tempo para pensar.

Nós dois estávamos prontos para andar e queimar a comida que tínhamos nos forçado a comer e, assim, apesar do frio extremo, fomos até o parque St Anne's, o segundo maior parque municipal de Dublin. Encolhidos de frio, fomos pelo jardim murado, os estábulos vermelhos que abrigavam mercados de comida durante os fins de semana, o templo de Hércules perto do lago dos patos, pelo qual empurrei Adam para passar depressa caso ele se sentisse compelido a pular nele. O jardim de rosas naquela época do ano era uma decepção e o lugar errado a se escolher para sentar em um banco e fazer um intervalo. Olhamos para os galhos encurtados e nus sem cor nenhuma enquanto o vento gelado açoitava nosso rosto, e o banco frio penetrava em nosso casaco e calça direto até nosso traseiro. Usei cada oportunidade e desculpa que podia para investigar a mente dele.

— Você compra flores para a Maria com frequência?

— Sim, mas não no Dia dos Namorados. Estou totalmente proibido de comprá-las no Dia dos Namorados. Clichê demais.

— Então, o que ela ganha?

— No ano passado, foi uma toranja. No ano anterior, um sapo.

— Espere aí, vamos voltar à toranja depois. Um sapo?

— Você sabe, para ela poder beijar e conseguir seu príncipe encantado.

— Eca. Isso é patético.

— Você está tentando aumentar minha confiança ou me destruir?

— Desculpe. Tenho certeza de que ela adorou o sapo.

— Ela adorou. Nós dois adorávamos o Hulk. Até ele escapar pela janela da varanda.

Depois, ele sorriu como se tivesse pensado em algo engraçado.

— O que foi?

— Não, é idiota... pessoal.

O sorriso secreto me intrigou; era uma expressão que revelava um lado dele que eu não vira antes; um lado mais suave, o Adam romântico.

— Vamos, você tem que me contar. Sem segredos, lembra?

— Não é nada. Nada de mais. Tínhamos uma piada sobre eu comprar para ela um tipo de flor, só isso.

— Que tipo de flor?

— Um lírio-d'água. Ela gostava da pintura, a do Monet?

Ele deixou assim.

— Tem que ter mais alguma coisa nessa história do que isso.

— Bem, decidi dar uma para ela. Não podia comprar flores para ela no Dia dos Namorados, mas pensei que essa seria uma exceção. Eu estava no parque, vi as flores e pensei nela. E, assim, entrei no lago para pegar uma.

— Vestido?

— Sim — Adam riu. — Era mais fundo do que eu pensava. Entrei com água até a cintura, mas tinha que continuar em frente. Os guardas do parque praticamente me caçaram até eu sair.

— Acho que você não devia roubar lírios-d'água.

— Bem, a questão é essa... Não roubei. Cometi um erro. Peguei para ela a folha.

Ele começou a rir.

— Estava me perguntando por que ela achava que eram tão especiais.

Comecei a rir.

— Seu panaca. Que tipo de pessoa acha que um lírio-d'água é a folha.

— É um erro fácil de cometer, se quiser minha opinião. Ela gostou, no entanto. Usou-a no apartamento. Colocou uma foto nossa nela, com velas.

— Isso foi bonito.

Eu sorri.

— Então, vocês dois são românticos?

— Se você chama isso de romântico...

Ele encolheu os ombros, dispensando a questão.

— Nós nos divertíamos. Nós nos divertimos — ele se corrigiu.

Estranhamente, senti-me triste. Barry e eu não tínhamos histórias como aquela. Esforcei-me para me lembrar de uma; não que eu fosse compartilhá-la, mas a queria para mim, para me lembrar da diversão. Não pude pensar em nada. Aquele tipo de gesto nunca passara pela cabeça de Barry, nem na minha, mas eu estava tendo uma ideia do relacionamento de Adam e Maria. Era espontâneo, divertido, único, *eles*.

Nós nos perdemos pelos caminhos, eu fazendo o meu melhor para apontar as coisas, para fazer Adam sentir e ver toda a vida ao nosso redor. Eu não sabia o nome de nada e, assim, parava e lia as placas, pedindo para Adam ler os nomes em latim, o que nos fazia rir quando ele errava muito.

— Parecem nomes de dinossauros — falei.

— Parecem doenças — ele disse, enfiando as mãos nos bolsos. — Desculpe, doutor, tenho um pouco de *Prununs avium*.

— O que é isso? — perguntei.

Adam verificou a placa.

— A cerejeira, pelo jeito. Imagine ter um nome assim.

— Na verdade, qual é o sobrenome da sua família?

Os olhos dele perderam um pouco da luz recém-reconquistada e eu sabia que tinha tocado em uma ferida.

— Basil — ele disse.

— Ah. Como o chocolate.

Tentei mantê-lo de bom humor.

— E a erva, manjericão.

— Sim, mas o *chocolate*, "With Basil, You Dazzle" — falei, brega, citando a frase da propaganda, que nunca funcionava direito se você pronunciasse da maneira como os americanos faziam.

Assim, a frase engraçada *With Beizil, You Deiz-zol*. Era uma adorada marca de confeitaria irlandesa que existia havia quase duzentos anos, a mera menção a Basil logo faz todas as crianças e os adultos do país sorrirem. Mas não Adam. Ao ver a expressão no rosto dele, acrescentei:

— Desculpe, você provavelmente tem ouvido isso a vida toda.

— Ouvi. Qual é o caminho para sair daqui? — ele perguntou, de repente cansado da minha companhia.

Meu telefone tocou.

— Amelia — eu li.

— Ah, sim, o pedido de casamento não aconteceu — ele disse, a voz sem emoção.

Adam saiu andando para me dar privacidade.

— Amelia — atendi, minha voz cheia de expectativa.

Ouvi um choro soluçado no telefone.

— Amelia, o que aconteceu?

— Você estava certa — ela chorou.

— O quê? Como eu estava certa? — Minha voz estava alta.

Adam parou de procurar uma forma de sair e me encarou. Ele sabia pelo meu rosto o que acontecera e eu sabia exatamente o que estava passando pela cabeça dele: lá se vai o pensamento positivo.

Corri por todo o caminho pelo calçadão de Clontarf com o vento golpeando minhas bochechas. Tive que me concentrar em onde pisava, disparando, pulando e desviando de placas de gelo como se estivesse em uma corrida de obstáculos até voltar à livraria. Em algum lugar atrás de mim, Adam estava voltando devagar com a chave do meu apartamento na mão. Tentei não me preocupar com ele perto do mar sozinho; eu lhe dera instruções severas, repassei depressa o plano de contenção de crise e, depois, comecei a correr. Precisava chegar até a minha amiga.

Amelia estava sentada em uma poltrona no canto da livraria, os olhos vermelhos vivos. Do outro lado da loja, uma mulher usando uma roupa de Drácula com rosto branco e sangue pingando da boca estava sentada na cadeira de contar histórias lendo para um grupo aterrorizado de crianças de três a cinco anos.

— Eles desceram as escadas até o porão. Chamas nas paredes iluminavam o caminho. Depois, diante deles, ali estavam... Três caixões — ela falou de um jeito assustador.

Uma das crianças deixou escapar um choro e correu para a mãe. A mãe juntou suas coisas, lançou um olhar bravo para a mulher Drácula e saiu da livraria.

— Amelia, você tem certeza de que essa história é apropriada?

Amelia, que parecia muito entorpecida e com a vista embaçada pelas lágrimas para ver além do final do seu nariz, pareceu confusa com a pergunta.

— Elaine? Sim, ela é tranquila, acabei de contratá-la. Venha, vamos conversar.

Saímos da livraria e subimos a escada até o apartamento que Amelia dividia com a mãe, Magda.

— Não quero que minha mãe saiba — ela disse em voz baixa, fechando a porta da cozinha. — Ela estava certa de que ele me pediria em casamento. Não sei como contar a ela.

Amelia começou a chorar de novo.

— O que aconteceu?

— Ele disse que conseguiu um emprego em Berlim e quer muito se mudar para lá, porque é uma grande oportunidade para ele. Ele me convidou para ir junto, mas sabe que não posso. Não posso deixar minha mãe, muito menos ter a nossa própria casa. E não posso mesmo sair do país. E quanto à loja?

Não achei que fosse um bom momento para lembrá-la de que a loja vinha perdendo dinheiro nos últimos dez anos, sem conseguir competir com as grandes cadeias de livrarias que vendiam café, isso sem falar nas lojas on-line e nos leitores de livros eletrônicos. Eu tinha que fazer de tudo para impedir que Amelia cuspisse nas pessoas sempre que as via lendo em um tablet. Ela fizera o seu melhor, criando horas de leitura para crianças, eventos com autores e clubes do livro noturnos, mas era uma batalha perdida. Tudo para manter a memória do pai viva. A livraria tinha sido o orgulho e a alegria dele, não dela. Era o pai que ela amava, não o negócio. Eu havia tentado comentar aquilo em várias ocasiões, mas Amelia não ouvia.

— Você poderia levar sua mãe para Berlim?

Amelia fez que não com a cabeça.

— Minha mãe odeia viajar. Você sabe como ela é, não vai sair do país. Não tem como ela poder viver lá!

Ela olhou para mim, horrorizada por eu ter sugerido aquilo. Eu conseguia entender a frustração de Fred. Amelia nunca pensaria na possibilidade, nem por um segundo.

— Vamos lá. Não significa que acabou. Relacionamentos a distância dão certo. Vocês fizeram isso quando ele ficou seis meses em Berlim, lembra? Foi difícil, mas é possível.

— Então, essa é a questão...

Ela enxugou os olhos.

— Ele conheceu uma pessoa quando estava lá. Não contei para você na época, mas resolvemos isso. Acreditei nele quando disse que tudo estava acabado com ela, mas... Christine, ele sabe que eu nunca sairia daqui. Ele sabe que eu nunca faria isso. O restaurante, o champanhe, era tudo uma charada ridícula para me forçar a ser a pessoa a terminar o relacionamento. Ele sabia que eu diria não, mas, pelo menos, dessa maneira, ele não é o vilão. Se ele ainda não retomou o contato com ela, está planejando fazer isso, sei que está.

— Você não sabe isso.

— Você já não soube uma coisa, mas, ao mesmo tempo, soube?

As palavras dela me atingiram com força; eu sabia exatamente do que ela estava falando. Eu tinha usado a mesma expressão quando pensei nos meus próprios sentimentos sobre o meu casamento.

— Ah, meu Deus — Amelia disse, exausta.

A cabeça dela caiu sobre seus braços, apoiados na mesa.

— Que dia!

— Nem me diga — sussurrei.

— Que horas são?

Amelia levantou o olhar para o relógio na parede.

— Isso não é comum. Minha mãe já teria me chamado para dar o jantar dela a esta hora. É melhor eu ir vê-la.

Ela esfregou os olhos.

— Parece que estive chorando?

Os olhos dela estavam bem vermelhos, combinando com seu cabelo ruivo rebelde.

— Você está bem — menti.

A mãe dela não saberia de qualquer forma.

Assim que ela saiu da cozinha, verifiquei se havia mensagens de Adam no meu telefone. Eu dera a ele as chaves do meu apartamento e esperava que ele estivesse bem, contudo não havia nada lá para oferecer distração, nem televisão nem livros. Aquilo não era bom. Digitei o número dele depressa.

— Christine! Ligue para uma ambulância! — Amelia berrou do aposento ao lado.

Pelo tom dela, eu sabia que não deveria fazer perguntas. Apaguei o número de Adam e liguei para a emergência.

Amelia havia encontrado Magda no chão, ao lado da sua cama. Assim que a equipe da ambulância chegou lá, anunciaram que ela estava morta. Tinha sofrido um derrame grave. Amelia era filha única sem dependentes e sem ninguém a quem pedir ajuda e, assim, fiquei com ela durante toda aquela provação, emprestando-lhe um ombro para chorar e ajudando-a com os preparativos.

Eram dez da noite quando enfim tive uma chance de olhar meu telefone. Tinha perdido seis chamadas e um correio de voz. Era da delegacia de Clontarf, pedindo que eu ligasse para eles a respeito de Adam Basil.

10

Como fazer uma omelete sem quebrar os ovos

— Estou aqui para ver Adam Basil — falei, entrando correndo na delegacia de Clontarf.

Durante o deslocamento todo até ali, minha mente já lotada tinha sido ainda mais sobrecarregada com suposições e pensamentos horríveis e assustadores sobre o que Adam poderia ter feito consigo mesmo. Nem conseguia me lembrar do caminho.

O policial me olhou de volta através da janelinha.

— Posso ver um documento?

Eu entreguei.

— Está tudo bem? Ele está ferido?

— Se ele estivesse ferido, estaria no hospital.

— É claro.

Eu não havia pensado naquilo e relaxei. Depois, fiquei tensa de novo:

— Ele está encrencado?

— Ele está se acalmando — o policial respondeu, saindo do escritório e desaparecendo de vista.

Esperei por dez minutos e, por fim, a porta da área de espera foi aberta e Adam entrou. Ele parecia desorientado. Eu sabia pela expressão no rosto dele que teria que avançar com cuidado. Os olhos dele estavam sombrios. A camisa estava amassada como se ele tivesse dormido com ela, embora eu soubesse que ele não dormira porque seus olhos estavam exaustos e bravos. Se aquele era o Adam depois de se acalmar, eu tinha medo de pensar em como ele estivera algumas horas antes.

— Você sabe que não é legal me prender por tanto tempo — ele reclamou com o policial. — Conheço os meus direitos.

— Não quero vê-lo aqui de novo, está ouvindo? — O policial apontou um dedo ameaçador para ele.

— Você está bem? — perguntei em voz baixa.

Ele olhou feio para mim e, depois, passou depressa e saiu pela porta.

— Nós o encontramos em um banco de parque, olhando as crianças no parquinho. Os pais ficaram nervosos, desconfiados, nos chamaram. Fui fazer algumas perguntas para ele e ele perdeu a cabeça.

— E então você o prendeu?

— Falando com um policial daquele jeito, ele tem sorte por eu não ter feito uma acusação. Ele precisa falar com alguém, esse cara. Você deveria se cuidar — avisou.

Segui Adam até o lado de fora, esperando que ele tivesse desaparecido. Mas ele estava lá, esperando ao lado do carro.

— Desculpe por eu ficar fora a tarde toda. A Amelia estava chateada por ter terminado com o namorado.

Ele não pareceu muito comovido com o azar dela e não o culpei depois do que ele passara naquela tarde.

— Eu estava quase ligando para você para dizer que estava a caminho quando ela subiu para ver a mãe e descobriu que ela tinha tido um derrame grave. Chamamos uma ambulância, mas era tarde demais, ela estava morta. Eu não podia simplesmente abandonar Amelia depois disso.

De repente, eu estava cansada. Muito, muito cansada.

O maxilar de Adam ficou menos tenso.

— Sinto muito por saber disso.

Percorremos de carro a curta distância até o apartamento em silêncio e, quando entramos, ele olhou pelos aposentos vazios, paredes nuas, meu edredom do Homem-Aranha.

— Desculpe, isto é tudo o que tenho aqui — falei envergonhada. — É alugado. Todas as minhas coisas estão sendo mantidas como reféns.

Adam largou a mala no chão.

— É fantástico.

— Adam, o plano de contenção de crise existe para ajudar você. Sei que pode parecer inútil, mas, se você seguir os passos, tenho certeza de que vai achá-lo útil no futuro.

— Útil? — ele gritou, deixando-me com medo.

Ele tirou um pedaço de papel amassado do bolso e começou a rasgá-lo com fúria. Eu me afastei dele alguns passos, de repente percebendo que ali estava um estranho completo com problemas de doença mental que eu deixara entrar na minha casa. Quão estúpida eu tinha sido? Ele não reparou que eu me afastava.

— Essa coisa foi o que me criou problemas. *Ligue para alguém da sua lista de emergência sempre que tiver um pensamento suicida*, ele diz. Então, eu tive um. A primeira na minha lista de emergência é você. Eu liguei para você. Você não atendeu. A segunda devia ser minha namorada, e o terceiro, meu melhor amigo, mas eles não estão na maldita lista. Minha mãe morreu e meu pai está morrendo. Eles não estão na lista. Se isso não der certo, *faça algo que o deixa feliz sempre que tiver um pensamento suicida*.

Ele apertou o resto do bilhete na mão.

— Como eu já tinha comido minha comida e dado meu passeio, que outra coisa eu poderia fazer hoje? Então, eu me lembrei do parquinho e ouvi crianças rindo e pensei "isso é feliz pra cacete, talvez elas me deixem feliz pra cacete". Assim, eu me sentei ali por uma hora, não me sentindo muito feliz pra cacete e, então, um policial aparece e me pergunta se eu sou pedófilo! É claro que vou ficar bravo se ele acha que sou um doente, encarando crianças. Então, você pode pegar a merda do seu plano de crise e enfiar na sua bunda! — Adam gritou, jogando os pedaços de papel rasgado no ar. — O namorado da sua amiga a deixou, a mãe dela morreu e você não está muito melhor. Obrigado por me mostrar a beleza da vida.

— Certo...

Vacilei, tentando não ter medo daquele homem que eu não conhecia enquanto, ao mesmo tempo, me esforçava para me convencer de que eu o conhecia, lembrando-me de que eu tivera um vislumbre de Adam sendo gentil, mostrando seu lado romântico, sendo engraçado. Diante daquele lado sombrio e daquela raiva, era difícil acreditar que outro Adam existia. Olhei para a porta, tentando não deixá-lo me ver. Eu podia correr. Eu podia chamar os guardas, poderia dizer a eles o que acontecera na ponte, poderia contar a eles que Adam queria se matar, poderia acabar com tudo aquilo naquele momento, porque eu tinha falhado. Eu tinha feito uma confusão.

Respirei fundo na tentativa de desacelerar meu coração. Os gritos dele estavam me deixando tão em pânico que eu não conseguia pensar direito. Enfim, houve silêncio. Ele estava parado ali, olhando para mim. Eu tinha que dizer alguma coisa. Alguma coisa compreensiva. Algo que não fosse disparar outra explosão de ira. Eu não aguentaria se ele se machucasse. Não ali, não comigo, nunca.

Engoli em seco e fiquei surpresa com quão estável minha voz estava.

— Entendo que você esteja bravo.

— É claro que estou bravo.

Contudo ele não parecia tão bravo quanto antes. Parecia ter se acalmado um pouco por eu reconhecer aquilo. Isso fez com que eu me sentisse mais calma; talvez conseguisse fazer aquilo no final das contas. Pelo menos eu poderia tentar por mais um tempo. Não queria desistir dele.

— Tenho um remédio para isso.

Eu o contornei depressa e fui para a cozinha. Peguei seis ovos na geladeira e escrevi neles com canetinha preta, reparando em como minha mão tremia. Escrevi os nomes "Basil", "Sean", "Maria", "pai", "Lavinia" e "Christine" nos ovos e, depois, abri a porta da cozinha que levava ao longo jardim dos fundos.

— Venha — eu o chamei.

Ele me encarou com olhos sombrios.

— Venha — falei com mais firmeza, tentando não ser intimidada, tentando manter as coisas em movimento. Eu estava no controle ali, precisava que ele me ouvisse. Com relutância, ele me seguiu.

— Tenho seis ovos aqui, com palavras representando coisas que estão deixando você com raiva agora. Jogue-os. Jogue-os onde você quiser. Com a força que quiser. Esmague-os. Livre-se da sua raiva.

Entreguei a caixa a Adam e indiquei a porta aberta.

— Estou cansado das suas *tarefas* — ele falou entredentes.

— Certo.

Coloquei a caixa sobre o balcão e saí da cozinha, indo para o meu quarto. Embora eu quisesse muito trancar a porta, não gostava da mensagem que isso mandaria para ele. Em vez disso, sentei-me sobre meu edredom do Homem-Aranha e olhei fixamente para a parede amarelada, para a sombra em forma de grade que a lua estava jogando pela minha vidraça, e tentei pensar no que fazer a seguir. Tinha uma tarefa enorme diante de mim e nenhuma ideia de como proceder. De alguma forma, eu precisava fazer com que ele fosse ver um terapeuta. Pensei em maneiras de fazê-lo ir. Talvez fingir que estávamos indo a algum outro lugar e chegar a um consultório? Mas, se eu fizesse isso, o enganasse ou tentasse ludibriá-lo de qualquer forma, perderia sua confiança para sempre. E, então, ele não teria nem a mim para ajudá-lo, por mais inútil que eu fosse.

Pela primeira vez desde que concordara com aquele desafio, estava começando a achar que talvez não conseguisse cumpri-lo. Pensar em Adam se matando me deixou fisicamente mal e corri para o banheiro e tranquei a porta. Enquanto ficava agachada ali, eu o ouvi gemer como se estivesse sentindo dor, como se tivesse levado um soco. Assustada, me recompus, joguei água no rosto e saí depressa. Parei à porta da cozinha. A luz atrás de mim se derramava para o jardim preto, que tinha sido negligenciado desde que minha tia-avó boa em jardinagem falecera. Agora, não havia nada além de um pedaço retangular de grama, que não tinha cuidados adequados havia pelo menos uma década, e cuidado nenhum naqueles meses de inverno. Lembrava-me de como minha tia-avó costumava nos dar morangos para comer tirados direto dos galhos, flores comestíveis, alho selvagem e menta, comendo mais para mostrar que comíamos do que pelo sabor. Eu conseguia vê-la colhendo groselhas para sua geleia, seu chapéu de palha de aba larga protegendo o rosto do sol, sua pele enrugada pendurada no pescoço e no peito, dobrando-se e balançando enquanto minha tia trabalhava, e, o tempo todo, sua voz rouca ofegante do enfisema explicava o que ela estava fazendo. O jardim estava muito diferente daquilo agora e, ainda assim, a memória estava ali no canto da minha mente, o brilho da minha juventude em um dia ensolarado quando me senti aquecida e segura, em contraste com aquela noite escura e fria com medo e pânico presos em meu coração.

Lá fora no jardim, Adam estava olhando para a bandeja de ovos na sua mão, escolhendo com atenção. Ele pegou um e jogou-o com um lance poderoso para o fim do jardim. Deixou sair um grito e o ovo quebrou contra a parede dos fundos. Parecendo mais motivado, ele voltou à caixa de ovos e pegou outro. Jogou-o, berrando enquanto o soltava no ar, observando-o se esmagar contra a parede de trás. Ele repetiu o processo mais três vezes. Quando tinha acabado, voltou bravo para a casa e bateu a porta do banheiro atrás de si. Eu me enfiei no quarto para lhe dar espaço. O chuveiro foi ligado. Ouvi soluços nervosos sendo perdidos embaixo da água que caía.

Saí e fui até a caixa. Havia sobrado um ovo. Abaixei-me, peguei-o e lágrimas se formaram nos meus olhos. O nome no ovo restante era "Christine".

Eu estava na cama, apoiada em vários travesseiros, tensa e alerta, incapaz de relaxar enquanto Adam estivesse naquele humor, quando ele apareceu na entrada do meu quarto. Por instinto, puxei as cobertas em volta de mim, temendo pela minha segurança. Ao ver minha reação, ele se retraiu, ferido com o medo que eu sentia dele.

— Sinto muito — falou com delicadeza. — Prometo que não vou me comportar daquele jeito de novo. Sei que você está tentando ajudar.

Vi que aquele era um Adam diferente do que tinha se enfurecido comigo mais cedo e relaxei.

— Vou me esforçar mais — afirmei.

— Ignore o que eu disse. Você está indo bem. Obrigado.

Eu sorri.

Ele devolveu o sorriso.

— Boa noite, Christine.

— Boa noite, Adam.

11

Como desaparecer por completo e nunca ser encontrado

Às quatro da manhã, tive uma epifania. Adam estivera certo na noite anterior: eu precisava melhorar meu desempenho. Ele não dissera, mas tinha insinuado. Eu podia ver quanto ele estava vulnerável. Eu tinha que melhorar. Bem acordada, minha mente ligada demais para dormir, eu me levantei e vesti um conjunto de agasalho esportivo e, depois, atravessei a sala de estar no máximo de silêncio possível. A sala estava escura, mas Adam estava sentado, seu rosto perturbado iluminado pelo brilho do seu laptop.

— Pensei que você estivesse dormindo.

— Estou assistindo a *Curtindo a vida adoidado*.

Era uma das coisas que eu listara no seu plano de contenção de crise como distração para quando ele se sentisse pior.

— Você está bem?

Tentei analisar o rosto dele, mas a tela do computador não iluminava o bastante para revelar seus pensamentos mais íntimos.

— Aonde você está indo?

Ele ignorou minha pergunta.

— Até o meu escritório. Vou voltar em alguns minutos... Tudo bem?

Ele fez que sim com a cabeça.

Quando voltei, o computador estava virado no chão, o fio do carregador enrolado em volta do pescoço de Adam e ele estava pendurado na borda do sofá, os olhos fechados e a língua para fora da boca.

— Muito engraçado.

Continuei andando, carregando papéis, canetas, marca textos e um quadro branco, que montei no meu quarto.

Adam alegou que não queria ajuda emocional, insistindo que suas necessidades eram materiais, tangíveis e físicas. Ele queria recuperar seu emprego na guarda costeira irlandesa, queria recuperar a namorada, queria se *livrar* da família. Eu tinha presumido que conseguiria lidar com aquilo ajudando-o emocionalmente, mas tinha muito pouco tempo. Talvez o que eu precisava fazer era tratar das necessidades físicas dele como faria com as emocionais. Emocionalmente, Adam tinha suas ferramentas, tinha seu plano de contenção de crise. O que estava faltando era um conjunto de ferramentas para lidar com as necessidades físicas, e eu as daria a ele.

Curioso demais para aguentar mais tempo, Adam apareceu à porta.

— O que você está fazendo?

Eu estava fazendo planos, mapeando as coisas em um frenesi. Desenhando tabelas, painéis semânticos, destaques, balões, todo tipo de coisa estava voando em grandes quadros brancos.

— Quanto café você tomou?

— Demais. Mas não há por que perder tempo. Nenhum de nós dorme de qualquer forma, então por que não começar agora? Temos doze dias ainda — falei, com urgência em minha voz. — São duzentas e oitenta e oito horas. A maioria das pessoas dorme oito horas por noite... Não a gente, mas as pessoas dormem. Isso nos dá dezesseis horas por dia para fazermos o que temos que fazer, o que nos deixa com apenas cento e noventa e duas horas. Não é tanto tempo. E são quatro da manhã, então, oficialmente, temos onze dias.

Risquei os números e comecei a calculá-los febrilmente de novo. Tínhamos trabalho a fazer em Dublin e, em breve, teríamos que ir a Tipperary para lidar com o restante dos problemas de Adam.

— Acho que você está tendo um colapso nervoso — Adam falou, achando graça, os braços cruzados enquanto me observava.

— Não, estou tendo uma epifania. Você quer os meus serviços por inteiro, só entre nós dois? É o que vai conseguir.

Abri o guarda-roupa e tirei uma lanterna, verifiquei se as pilhas estavam funcionando. Enchi uma bolsa com toalhas e uma troca de roupa.

— Sugiro que você vista algo quente e leve uma troca de roupa porque vamos sair.

— Sair? Está um frio congelante e são quatro da manhã. Aonde vamos?

— Nós, meu amigo, vamos reconquistar a Maria.

Ele quase sorriu.

— E como vamos fazer isso?

Eu o empurrei na entrada e passei, e ele não teve escolha a não ser vestir o casaco e me seguir.

O parque St Anne's fica aberto o tempo todo, embora não seja o lugar mais seguro para se estar às quatro e meia da manhã. Tinha sido cenário de ataques no passado e era possível que um ou dois corpos tivessem aparecido ali ao longo dos anos. Não era muito bem iluminado depois do anoitecer, o que era um detalhe que eu esquecera dos meus dias de bebedeira na adolescência.

— Você é louca — Adam afirmou, seguindo enquanto eu iluminava o caminho com uma lanterna. — Não acha que é um pouco perigoso ficar vagando por aqui?

— Com certeza. Mas você é grande, vai me proteger — falei, os dentes batendo com o frio.

Quanto mais adentrávamos o parque, mais o efeito da cafeína passava. As latas de cerveja e os grafites frescos exibidos a cada manhã eram o bastante para me dizer que não ficaríamos sozinhos no parque, mas, com a contagem regressiva focada na mente, não havia um segundo a perder. Não queria a morte de Adam na minha consciência ou nunca dormiria de novo.

Mesmo com a lanterna, eu só conseguia enxergar alguns metros à frente de mim e o sol não viria nos resgatar por algumas horas ainda. Mas o que eu tinha de vantagem era o fato de conhecer o parque.

Cresci naquele lugar e conhecia os duzentos hectares como a palma da minha mão. Mas isso era durante o dia; fazia pelo menos quinze anos desde que eu cambaleara pelo parque tarde da noite, quando saía para beber com os amigos da adolescência.

De repente, parei, apontando a lanterna para a esquerda e para a direita. Depois, girei, tentando reconhecer os arredores.

— Christine — Adam disse, em tom de alerta.

Eu o ignorei, tentando imaginar o lugar durante o dia. Dei alguns passos para a direita. Depois, parei, virei na outra direção.

— Não me diga que estamos perdidos.

Não falei nada.

Adam tremeu ao meu lado. Havia vozes vindo das árvores à nossa esquerda. Depois, garrafas bateram umas nas outras.

— Por aqui — dei um gritinho, afastando-me da gangue nas árvores.

Adam estava resmungando em voz baixa.

— Ah, por que você se importa? Quer morrer de qualquer forma — resmunguei.

— Sim, mas como eu escolher — Adam protestou. — Ser morto por bêbados vagabundos não é o que eu estava planejando.

— Mendigos não podem escolher. — Eu me vi citando meu pai.

Por sorte, chegamos à lagoa e, por sorte, os postes estavam acesos, para evitar que tipos como os da gangue na árvore caíssem nela.

— Viu? — falei satisfeita comigo mesma.

— Eu chamaria isso de sorte. Uma sorte estranha e deturpada.

— Bem, não fique parado aí. Pegue a folha de lírio-d'água.

Bati os pés e esfreguei as mãos enluvadas. Senti o olhar dele em mim.

— Desculpe?

— Por que mais você acha que eu disse para trazer uma troca de roupa?

— Está fazendo menos quatro graus! Estou surpreso pela água não ter congelado. Vou morrer de hipotermia.

— Se você não fosse tão chato para escolher a hora da sua morte, estaria tornando tudo muito mais fácil. Bem, se é assim que tem que ser...

Tirei meu casaco e o frio correu direto para os meus ossos.

— Você não vai entrar ali.

— Um de nós tem que entrar e está claro que você não está disposto.

Eu me preparei, olhei ao redor da lagoa para encontrar a folha certa.

— Mas, Christine, pense nas pessoas que a amam — Adam falou, fingindo seriedade. — Elas não iriam querer que você fizesse isso.

Eu me desliguei dele aos poucos; não iria sair do parque sem a folha de lírio-d'água. Da borda da lagoa, varri o lago procurando a folha mais bonita. Algumas estavam rasgadas, pareciam sujas, e eu queria a mais verde, a mais circular que pudesse encontrar, uma que Maria pudesse usar de novo para guardar as coisas que ela valorizava e amava e, com sorte, o porta-retrato de Adam se encontraria ali de novo. Talvez ele fosse jogar as moedas soltas lá dentro quando chegasse em casa do trabalho antes de ir para a cama com Maria, ou deixaria o relógio nela enquanto tomava banho, às vezes pensando na mulher louca que o ajudou a pescá-la, naquela noite congelante bem no passado, quando ele estava tendo problemas.

Enfim, localizei aquela que eu queria; bem, inconvenientemente, não era a folha mais próxima, mas eu poderia nadar até ela depressa e voltar. Acabaria em alguns segundos. Dez segundos no máximo. E *era* uma situação de vida ou morte, o que acabou com minha indecisão no mesmo instante. Eu não tinha certeza da profundidade da água; assim, procurei nas árvores um galho ou graveto solto e, depois, coloquei-o na água para testar.

— Você vai mesmo fazer isso?

O graveto parou no meio do caminho. Não era nada profundo. Apenas alguns centímetros. Eu podia fazer aquilo e não teria que nadar, estava a apenas alguns passos de distância. A lagoa estava escura, verde e espumosa, mas eu conseguiria. Enrolei a minha calça de abrigo para cima, muito acima dos joelhos.

— Ai, meu Deus! — Adam riu, percebendo que eu iria mesmo em frente com aquilo. — Olhe, tem uma bem na borda, eu poderia alcançar aquela.

Olhei para ela. Adam poderia estender a mão e pegá-la sem problema.

— Você acha que Maria iria olhar para isso e pensar "uau, ele me ama mesmo"? É nojenta, tem algo peludo crescendo nela. Ah, e olhe, tem uma bituca de cigarro. Não acho que essa seja a mensagem que você quer passar. Não, queremos aquela.

Apontei para a mais distante.

— A intocada por mãos humanas.

— Você vai congelar.

— E, depois, vou me secar. Vou superar isso. Assim que eu sair, corremos para o carro.

Entrei na água. Ela subiu muito mais do que eu esperara, muito além dos meus joelhos, ensopando a parte de baixo do meu agasalho. Senti-a subir até minha cintura. O graveto tinha mentido, ou tinha se alojado em uma pedra. Fiquei ofegante. Ouvi Adam rir, mas estava concentrada demais para repreendê-lo. Agora que eu entrara, não havia o que fazer a não ser continuar em frente. O chão parecia macio e molenga abaixo de mim; eu temia ao pensar no que havia ali. Junco e folhas mortas colaram em mim enquanto eu me esforçava pela água escura. Perguntei-me que doenças eu poderia pegar ali, mas continuei avançando. Assim que eu estava à distância de um braço da folha, estendi a mão para ela e puxei-a de volta comigo. Cinco passos gigantes pelo chão mole e eu estava na borda. Adam ofereceu o braço e me puxou para cima. Meu agasalho grudou no meu corpo e minhas roupas derramavam água fedida da lagoa. Caminhei, os sapatos fazendo barulho, até minha bolsa, tirei uma toalha, tirei as calças e as meias e rapidamente me sequei. Adam desviou o olhar, ainda rindo para si mesmo, e tirei a calcinha. Coloquei uma calça esportiva nova, o tempo todo apertando os dentes contra o frio congelante. Com mãos trêmulas, coloquei meias novas e tênis e troquei meu agasalho por uma blusa bem quente. Ele segurou meu casaco aberto para mim e coloquei os braços dentro dele e me abracei. Adam enfiou seu gorro de lã na minha cabeça e envolveu meu corpo em seus braços em um esforço para me aquecer. A última vez em que tínhamos estado naquela posição fora quando estávamos na ponte e meus braços tinham estado em volta de Adam. Agora, os braços dele estavam bem em volta de mim. Seu queixo se apoiou no topo da minha cabeça e ele esfregou meus ombros tentando me manter quente. Meu coração bateu forte por estar tão perto dele. Eu não tinha certeza se era de novo o sentimento que eu tivera na ponte ou se era apenas ele, a proximidade dele, seu corpo apertado contra o meu, seu aroma dominando meus sentidos.

— Você está bem? — Adam perguntou, perto da minha orelha.

Eu estava quase com medo de me virar e olhar para ele. Não ousei falar para o caso de minha voz revelar quanto eu estava mexida. Então, fiz que sim com a cabeça e, ao fazer isso, esfreguei-me ainda mais nele. Não tinha certeza se eu tinha imaginado, mas senti seus braços se fecharem mais apertados em volta de mim.

Ouvimos vozes se aproximando: graves, masculinas, não muito amigáveis. O momento acabou de forma tão repentina quanto começou. Ele me soltou depressa, pegou minha bolsa e a folha que estava no chão.

— Vamos — Adam disse, e corremos de volta pelo caminho por onde viemos.

Quando já estávamos no carro, Adam ligou o aquecedor no máximo em um esforço para me esquentar. Ele estava preocupado, parece que meus lábios haviam ficado azuis e eu não conseguia parar de tremer.

— Isso foi uma ideia muito ruim, Christine — ele falou, seu rosto todo sombrio, enrugado e preocupado.

— Estou bem — insisti, mantendo as mãos em frente à saída de ar. — Só preciso de um minuto.

— Vamos voltar para o apartamento — Adam sugeriu. — Você pode tomar um banho quente e um café para se aquecer.

— Conheço um posto vinte e quatro horas que faz um café ruim — consegui dizer por entre os dentes batendo. — Nós ainda não acabamos.

— Não posso dar isto a ela agora — ele falou, olhando para a folha molhada no banco de trás. — Ela ainda vai estar na cama.

— Não é para lá que vamos.

Com um café quente dentro de mim e outro esperando no porta--copos, enfim comecei a descongelar.

— Por que estamos indo para Howth?

— Você vai ver.

Outra recomendação de *Como aproveitar a vida de trinta maneiras simples*, depois de comer e passear, tinha sido observar o pôr ou o nascer do sol. Eu estava esperando que o nascimento da luz ajudasse a iluminar Adam. E, se funcionasse para mim também, eu não reclamaria. Dirigi pela estrada da costa até o pico Howth e éramos o único carro no estacionamento. Eram seis e meia da manhã e o céu estava limpo, o cenário perfeito para o nascer do sol sobre a baía de Dublin.

Empurramos nossos bancos para trás, pegamos nossos cafés, ligamos o rádio baixinho e observamos o céu. A distância, um tom rosado estava começando a subir do mar.

— E... ação — Adam disse.

Adam abriu um saco marrom e o estendeu para mim. Senti cheiro de açúcar, meu estômago deu um nó e fiz que não com a cabeça.

Ele colocou a mão lá dentro e se serviu de um rolinho de canela.

— Olha como a canela é canelosa e como as raspas de limão são cítricas — explicou. — Estou saboreando minha comida e prestando atenção nela.

A voz dele ficou robótica.

— Estou participando de uma das grandes alegrias da vida.

— Pelo menos você está aprendendo como se faz isso.

Ele mordeu o doce e mastigou e, depois, cuspiu de volta no saco de papel, jogou o resto dele lá e amassou o saco.

— Como as pessoas comem essa porcaria?

Encolhi os ombros.

— Conte mais alguma coisa engraçada que você fez para a Maria ou que você fez com ela.

— Por quê?

— Porque preciso saber.

Foi fácil, para mim, dizer aquilo, mas, para falar a verdade, eu não conseguia parar de pensar nas coisas que ele fizera por ela, nos presentes incomuns que comprara para ela. Estava ansiosa por ouvir mais.

— Ahn.

Ele pensou a respeito.

— Ela era fã de *Onde está Wally*. Conhece esses livros? Então, quando quis convidá-la para sair pela primeira vez, eu me vesti como ele e ficava aparecendo em algum lugar, em qualquer lugar onde ela estivesse. Eu não olhava para ela. Ela estava fazendo compras e eu cruzava a loja sem falar nada. Eu a segui por um dia inteiro, apenas aparecendo.

Olhei para ele e minhas sobrancelhas se levantaram o mais alto que podiam ir. Depois, explodi em uma risada.

Adam abriu um sorriso largo.

— Ela achou a mesma coisa, ainda bem, e aceitou sair comigo.

Depois, o sorriso dele sumiu depressa.

— Você vai tê-la de volta, Adam.

— É. Espero que sim.

Ficamos em silêncio enquanto observávamos o céu.

— Se essa folha de lírio-d'água não a trouxer de volta, não sei o que poderá fazer isso — ele disse, sério.

Explodi em risadas. Quando parei, o céu já estava claro.

— Certo — falei, colocando a chave no contato. — Sente-se melhor?

— Totalmente — ele respondeu sarcástico. — Não tenho mais a ânsia de me matar.

— Foi o que pensei.

Liguei o motor e fomos para casa.

Eu estava sentada na única cadeira que meu pai colocara na cozinha, limpando a folha do lírio-d'água primeiro com lenços umedecidos de bebê e, depois, polindo-a para brilhar com lustra-móveis. Era uma folha bem impressionante; tinha uma borda perfeita ao longo da parte de fora e eu até testara a chaleira e as xícaras de chá nela para ver a força. Eu a polira até ficar perfeita e refleti que a leve dor de cabeça e a gripe que eu sentia chegar valiam a pena. Eu estava admirando meu trabalho quando, às oito da manhã, meu telefone começou a emitir bipes. Entrei em conflito comigo mesma sobre se ouviria o correio de voz. Sabia que era Barry, que eram mais insultos e ódio, e sabia que não deveria ouvir, mas, de alguma forma, não pude evitar. Senti que pelo menos deveria a ele ouvir, que ignorar o sofrimento dele seria mais uma rejeição.

Adam se juntou a mim na cozinha.

— É ele?

Fiz que sim com a cabeça.

— Por que ele liga na mesma hora todo dia?

— Porque é quando ele está acordado e vestido. Às oito da manhã, ele está à mesa da cozinha tomando uma xícara de chá, comendo uma torrada e tendo uma crise, verificando o telefone e pensando em maneiras de me fazer ficar triste como ele.

Senti Adam me observando, mas não olhei para ele, só continuei polindo a folha, sem deixar de perceber que a situação era ridícula. Ele estava tendo uma crise e eu estava polindo uma folha que tinha roubado de um parque público. Nenhum de nós saíra bem do fim do relacionamento.

— Você vai ouvir os recados?

Suspirei e, enfim, olhei para Adam.

— É provável.

— Para se lembrar do porquê de tê-lo deixado?

— Não.

Decidi ser honesta.

— Porque é a minha punição.

Ele franziu as sobrancelhas.

— Porque cada coisa horrível que ele me diz me machuca bem fundo e, se essa é a minha punição por tê-lo deixado, isso faz com que eu sinta que estou fazendo por merecer a minha liberdade. Então, mais uma vez, sou uma pessoa totalmente egoísta que está usando a dor de outra para se sentir bem consigo mesma.

Adam olhou para mim, os olhos arregalados.

— Nossa! Você não deixa de analisar nada. Posso ouvir?

Apoiei a folha de lírio-d'água e fiz que sim com a cabeça. Eu o observei se sentar no balcão e ouvir a mensagem de Barry, seu rosto mudando o tempo todo — sobrancelhas subindo e descendo, testa franzindo, boca se abrindo em uma surpresa agradável — para mostrar como ele achava os insultos de Barry divertidos e, depois, ele desligou, ansioso para informar o que escutara.

— Você vai adorar esta — Adam riu, os olhos brilhando.

O telefone soltou um bipe na mão dele.

— Espere, ele deixou outra! Esse cara é surreal — ele riu, gostando do entretenimento trazido por xeretar minha vida privada.

— Sujeito bacana esse Barry! — provocou.

Ligou para o meu correio de voz de novo e ouviu. O sorriso congelou e o brilho desapareceu dos olhos dele.

Meu coração bateu forte.

Trinta segundos depois, ele pulou do balcão — não era uma queda muito grande já que suas pernas eram bem longas — e me entregou o telefone. Ele não me olhou nos olhos e, depois, começou a sair constrangido da cozinha.

— O que ele disse?

— Ah, nada de interessante.

— Adam! Você estava bem ansioso para me contar sobre a primeira mensagem.

— Ah, isso, é, certo, foi uma coisa idiota sobre sua amiga. Uma menina chamada Julie que ele diz que é uma prostituta... Não, espere, uma vadia. Ele costumava vê-la sair com caras diferentes o tempo todo. Ele a viu na rua Leson uma noite e ela estava com um cara que ele sabe que é casado.

Adam encolheu os ombros.

— Ele tinha algumas coisas a dizer sobre a escolha de vestimentas dela.

— E isso foi engraçado para você?

— Bem, a maneira como ele falou foi bem excepcional.

Adam abriu um pequeno sorriso. Depois, um sorriso triste.

Neguei com a cabeça. Julie era uma das minhas amigas mais próximas da faculdade, a mesma Julie que tinha se mudado para Toronto e deixado o carro comigo para vender. As tentativas de Barry de me ferir continuavam.

— E qual era a outra mensagem?

Ele continuou a se afastar.

— Adam!

— Nada, na verdade. Não fez sentido. Era mais um longo discurso de raivosos... Raiva.

Ele me encarou, em silêncio, e, depois, deixou a cozinha.

A maneira como olhou para mim, cheio de compaixão, pena... curiosidade? Não consegui definir bem, mas me incomodou. Liguei para o meu correio de voz.

— Você não tem novas mensagens.

— Adam, você apagou minhas mensagens!

Eu o segui até a sala de estar.

— Apaguei? Desculpe.

Ele se concentrou no seu computador.

— Você fez de propósito.

— Fiz?

— O que ele disse? Conte para mim.

— Eu contei, sua amiga Julie é uma vadia. A propósito, acho que eu deveria conhecê-la, ela parece interessante — ele brincou, tentando aliviar o clima.

— Conte a segunda mensagem — exigi.

— Não consigo lembrar.

— Adam, as malditas mensagens são minhas, agora me conte! — gritei, parando em frente a ele.

Meus gritos não surtiram efeito. Pensei que poderiam provocá-lo, mas aconteceu o oposto, ele ficou mais suave, foi compassivo, o que me fez ficar mais brava.

— Você não quer saber. Certo? — ele disse.

Da maneira como ele estava me examinando, fiquei assustada de pensar qual informação pessoal Barry havia revelado. Estava óbvio que eu não iria tirar nenhuma informação de Adam, não naquele momento de qualquer forma e, assim, saí da sala. Eu queria sair, brava, ir para longe dele, fora do apartamento, ficar sozinha para gritar ou chorar ou reclamar de frustração por conta de como minha vida tinha ficado tão descontrolada, mas não podia. Eu me sentia presa a ele, como uma mãe se sentia em relação ao filho, incapaz de deixá-lo mesmo se eu quisesse naquela hora. Ele era minha responsabilidade, o tempo todo, constantemente, noite e dia. Eu precisava supervisioná-lo mesmo se, bem naquele momento, graças ao que quer que Barry tivesse dito, ele parecesse achar que era dever dele me proteger.

Não levei muito tempo para perceber que o humor de Adam era imprevisível. Em um momento ele entrava na conversa, às vezes a começava, outras vezes só a tolerava e, depois, de repente, ele se ia. Por completo. Retraía-se para a sua mente, com um olhar tão perdido, às vezes tão bravo, que eu temia imaginar o que ele estava pensando. Isso podia acontecer no meio da conversa, no meio da frase, até no meio de uma frase dele, e podia durar horas. Ele se fechava por inteiro. Foi isso que aconteceu depois de eu gritar com ele por ter apagado minhas mensagens de voz. Eu o vi se acomodar para mais uma hora de coma no sofá, odiando a vida, odiando a si mesmo, odiando todo mundo e tudo à sua volta e, assim, intervim para consertar aquilo.

— Certo, vamos.

Joguei o casaco nele.

— Não vou a lugar nenhum.

— Sim, você vai. Quer desaparecer?

Adam olhou para mim confuso.

— Você quer desaparecer — eu disse para ele. — Você quer ficar perdido. Ótimo. Vamos nos perder.

* * * * *

Alicia, de três anos, estava sentada nos degraus da frente da varanda de sua casa com uma cadeirinha para carro ao seu lado. Alicia era a filha mais nova de Brenda e, como parte dos meus deveres de tia, de que eu gostava muito — com Alicia, na maior parte, já que eu não conseguia me ligar bem aos meninos, que sempre queriam me amarrar e cantar sobre me assar no espeto toda vez que eu entrava pela porta —, eu a levava para passear algumas vezes por semana. Nossos passeios tinham começado quatro meses antes, provavelmente por volta da mesma época em que comecei a pensar em abandonar meu casamento. Antes, eu levava Alicia a um centro de brincadeiras onde podia soltá-la da coleira em uma sala feita toda de esponja e observá-la quicar de parede em parede e cair de degraus em tubos de bolas de plástico e, depois, tentar esconder minha expressão horrorizada quando ela verificava se eu estava olhando. Certa vez, a caminho do centro, Alicia anunciou no semáforo onde geralmente viraríamos à direita que, em vez daquilo, ela queria que eu virasse à esquerda. Como eu não tinha pressa para vê-la ser apertada ao rastejar entre dois cilindros almofadados e rotatórios em nome da diversão, e contemplativa depois da minha fantasia na noite anterior com outro homem, eu tinha virado à esquerda e, depois, perguntado a Alicia aonde ela queria ir. Por uma hora, ficamos rodando de carro, fazendo as curvas segundo as ordens de Alicia. Fazíamos isso toda semana, sempre indo parar em lugares diferentes. Aquilo permitia que eu pensasse, passasse o tempo, e dava a Alicia a novidade de ter autoridade sobre um adulto.

Um dos conselhos do manual *Maneiras simples de aproveitar a vida* era *passar um tempo com crianças*. Explicava que pesquisas haviam mostrado que a felicidade causada por crianças era imensa, embora eu tivesse lido outros estudos que não listavam a atividade como mais eficaz do que comprar comida. Suponho que dependa de você gostar ou não de crianças. Eu estava esperando que aquela fosse uma outra forma de fazer Adam abrir os olhos para a beleza da vida. E ele não seria preso por observar essa criança.

— Oi, Alicia.

Eu a abracei.

— Oi, totô.

— Por que você está aqui sozinha?

— A Lee está fazendo um totô.

Lee, a babá, acenou da janela com Jayden, de seis meses, nos braços. Entendi como um sinal de que podia levar Alicia.

Abri a porta do passageiro, incomodando Adam, que estava quase em coma.

— Você pode se sentar no banco de trás ao lado da Alicia. Este é o Adam, ele vai se perder com a gente.

Eu queria que ele pudesse conversar com ela; no banco da frente, seria fácil ignorá-la.

— Ele é o seu verdadeiro amor, totô?

— Não, totô, ele não é.

Alicia riu.

Peguei a cadeirinha, coloquei-a no carro e, depois, ajudei Alicia a entrar. Adam entrou ao lado dela, ainda alheio e olhando para fora da janela. Ele parou um pouco de sonhar acordado para olhar a menina fofa de três anos sendo presa ao lado dele. Os dois se encararam; nenhum deles disse nada.

— Como foi o Montessori hoje? — perguntei.

— Bom, totô.

— Você vai falar totô em todas as frases?

— Sim, uí-uí.

Adam pareceu confuso, mas achou graça.

— Você tem crianças na sua família? — perguntei a ele.

— Sim, da Lavinia. Mas eles são idiotinhas pretensiosos. Perder a casa provavelmente foi a melhor coisa que poderia acontecer a eles.

— Bacana — elogiei, sarcástica.

— Desculpe.

Adam retraiu o corpo.

Observei os dois pelo retrovisor.

— Então, quantos anos você tem? — Adam perguntou a Alicia.

Alicia levantou quatro dedos.

— Você tem quatro anos.

— Ela tem três — falei.

— E evidentemente é mentirosa — Adam a acusou.

— Olhe o meu nariz, uooo!

Alicia fingiu que seu nariz estava crescendo.

— Aonde estamos indo? — Adam quis saber.

— Para a esquerda — Alicia disse.

— Ela tem três anos e sabe o caminho?

Eu sorri e fiz sinal para a esquerda. Quando cheguei ao fim da rua, olhei para Alicia pelo espelho.

— Para a direita — Alicia mandou.

Virei para a direita.

— É sério, você sabe o caminho?

Adam virou-se para Alicia.

— Sim — Alicia respondeu.

— Como? Você tem três anos.

— Eu sei todos os caminhos. Para todos os lugares. Em todo o mundo. Quer ir para a rua Totô?

Ela jogou a cabeça para trás e riu.

Demos várias voltas, para a esquerda, para a direita, em frente, tudo de acordo com as instruções de Alicia. Dez minutos se passaram.

— Certo, posso perguntar para onde exatamente estamos indo? — Adam falou.

— Para a esquerda — Alicia repetiu.

— Sei que vamos para a esquerda; para a esquerda até onde? — ele perguntou para mim.

— Este é o jeito de se perder — eu disse.

— Então, só ficamos dando voltas e voltas, recebendo orientações de uma criança? — questionou.

— Exatamente. Depois, tentamos achar o caminho para casa.

— Por quanto tempo?

— Algumas horas.

— E vocês fazem isso com frequência?

— Em geral, aos domingos. Este é um passeio especial extra. É melhor quando as ruas não estão cheias. É uma coisa interessante de fazer. A única regra é que as rodovias estão proibidas. Uma vez, fomos parar nas montanhas de Dublin, outra vez, na praia Malahide. Quando chegamos a um lugar de que gostamos, saímos e damos uma olhada. Descobrimos coisas novas toda semana. Às vezes, não saímos de Clontarf e acabamos andando em círculos, mas ela nunca repara, na verdade.

— Para a direita — Adam falou alto.

— Esse é o mar, totô — Alicia riu.

— Exato — Adam disse, querendo sair.

Ele ficou quieto por quinze minutos enquanto desapareceu em um mau humor.

— Quero ter a minha vez — falou, de repente. — Posso falar as direções?

— Não — Alicia disparou.

— Alicia — avisei.

— Posso dar as direções, por favor, totô? — Adam pediu.

Alicia riu.

— Tudo bem.

— Certo.

Adam se concentrou.

— Vire à esquerda no semáforo.

Eu o analisei pelo espelho.

— Você não pode nos levar para ver a Maria.

— Não vou — ele falou, bravo.

Viramos à esquerda e seguimos por alguns minutos. Acabamos chegando a uma parede, completamente sem saída.

— Juro que isso nunca aconteceu antes — falei, dando marcha à ré.

— Típico.

Adam cruzou os braços, bravo.

— Tente de novo, totô — Alicia disse, sentindo pena dele.

— Tem uma pequena estrada por ali — Adam avisou.

— É uma estrada de terra e não fazemos ideia para onde ela vai nos levar.

— Vai levar a algum lugar.

Virei à esquerda. Meu telefone tocou e eu o coloquei no viva voz.

— Christine, sou eu.

— Oscar, oi.

— Estou no ponto de ônibus.

— Que bom! Como está se sentindo?

— Não muito bem. Não posso acreditar que você vai tirar duas semanas de folga.

— Desculpe. Mas sempre estou disponível pelo telefone.

— Eu gostaria muito que você estivesse aqui pessoalmente.

A voz dele estava trêmula.

— Talvez você pudesse me encontrar, talvez você pudesse entrar no ônibus comigo?

— Não posso fazer isso, Oscar. Sinto muito, mas não posso fazer isso.

— Eu sei, eu sei, você diz que não é profissional — ele falou, triste.

Eu ia longe para ajudar meus clientes, mas colocava um limite para entrar fisicamente em um ônibus com Oscar. Olhei para Adam no espelho para ver se ele escutara e ele deu um sorriso malicioso por causa do que eu ensinava versus nossa situação atual.

— Você consegue, Oscar — insisti. — Respire profundamente, permita que seu corpo relaxe.

Eu estava tão distraída falando com Oscar que dirigi sem prestar atenção pela estradinha de interior, cercada dos dois lados por campos verdes. Era uma estrada por onde eu nunca passara antes. Às vezes, quando chegávamos a um cruzamento, ouvia Adam ou Alicia gritar uma direção. Por fim, Oscar percorreu quatro paradas do ônibus e estava se sentindo exultante; ele desligou o telefone, dançando pelo caminho todo de volta para casa. O telefone de Adam, que estava na parte da frente do carro ao lado do meu, começou a tocar. Eu podia ver que era Maria na tela. Atendi sem Adam reparar e, desta vez, não me dei ao trabalho de colocar no viva voz.

— Ah, oi — Maria disse quando ouviu a minha voz. — É você de novo.

— Olá — respondi, sem querer falar o nome dela caso Adam pegasse o telefone.

— Você agora anota as mensagens dele? — Maria perguntou, tentando brincar, mas incapaz de esconder o tom cáustico da voz.

Dei uma risadinha, fingindo não notar.

— Parece mesmo. Como posso ajudar?

— Como você pode *ajudar*? Bem, quero falar com o Adam — ela foi curta, clara, as palavras rápidas.

— Sinto muito, ele não pode vir até o telefone agora — falei com um tom amigável, sem dar a ela nenhum motivo para ser grossa comigo. — Posso pegar um recado para ele?

— Bem, ele recebeu meu último recado de ontem pela manhã?

— É claro que sim. Falei para ele imediatamente.

— Então, por que ele não ligou para mim?

Estávamos chegando a uma encruzilhada.

— Para a esquerda — Adam disse de repente, interrompendo seu bate-papo com Alicia.

— Para a direita — Alicia falou.

— Vá para a esquerda — Adam gritou.

Alicia estava rindo e os dois estavam dando berrinhos. Adam começou a tampar a boca de Alicia e ela estava gritando. Depois, ele deu um grito porque ela lambeu sua mão. Estava caótico e eu mal conseguia ouvir a Maria.

— Você não tem como culpá-lo por não ligar de volta para você depois do que ele descobriu.

Falei com delicadeza, sem culpa, sem julgamento, uma simples afirmação que colocou Maria no seu lugar.

— Certo. Sim. É ele que eu estou ouvindo?

— Sim.

— Para a esquerda! — Adam berrou, tampando a boca de Alicia de novo para ela não poder gritar as direções.

Alicia urrou com uma risada de doer a barriga.

— Não me lamba de novo — ele avisou de brincadeira e, depois, tirou a mão depressa, como se estivesse com dor. — Ah! Ela me mordeu!

Alicia latiu, depois ficou ofegando.

— Vou dizer a ele que você ligou. Ele está no meio de uma coisa, como você pode ouvir.

— Ah, tudo bem...

— Na verdade, onde ele pode encontrá-la hoje? — perguntei. — Você vai estar em casa ou no trabalho?

— Vou ficar no trabalho até tarde. Mas não importa, ele pode me achar no celular. Ele ainda está... Sabe, bravo comigo? É uma pergunta idiota, é claro que ele está. *Eu* estaria. Não que ele já tenha... sabe...

Mal pude ouvir o restante do que Maria disse uma vez que os dois lunáticos atrás de mim caíam em mais risada.

— Quem era? — Adam perguntou quando desliguei o telefone.

— A Maria.

— A Maria? Por que ela ligou no seu telefone?

Ele sentou-se inclinado para a frente.

— Era o seu telefone. Sem segredos, lembra?

— Por que diabos você não me disse?

— Porque aí você teria parado de rir e, até onde sei, você estava se divertindo muito.

Adam pensou a respeito.

— Mas eu queria que ela soubesse que sinto falta dela.

— Confie em mim, Adam, ela preferiria ouvir você rir a ouvir chorar. Você triste vai fazer com que ela pense que estava certa em ficar com o Sean.

— Certo.

Ele ficou quieto por um tempo e pensei que o perdera. Verifiquei Alicia para ver se ela estava bem. Ela estava fazendo seus dedos passearem pela janela.

— Ei, foi uma ideia interessante — Adam disse, o que foi o mais próximo de um comentário positivo que eu já ouvira dele.

— Que bom — falei, feliz, e, depois, tive que pisar imediatamente no freio ao nos aproximarmos de alguns carros à frente.

Havia apenas espaço para um carro na estrada, mas, à frente, dois carros tinham conseguido se apertar um ao lado do outro. Um estava virado para nós, o outro indo na direção oposta. As portas deles estavam quase se tocando. As janelas estavam escurecidas. Quando percebi que não devia estar encarando, a porta se abriu e um cara de aparência assustadora usando uma jaqueta de couro preta saiu. Ele era alto e bem largo e não parecia nada feliz em nos ver. Nem os outros três homens apertados ombro com ombro no banco de trás, que se viraram para nos olhar fixamente. Os homens de um carro olharam os homens do carro ao lado. Os homens balançaram a cabeça e encolheram os ombros muito nervosos.

— Ahn, Adam — falei, apreensiva.

Adam não me ouviu, ele estava ocupado falando sobre totô com Alicia.

— Adam! — falei com mais urgência, e ele levantou o olhar.

Ele ergueu os olhos bem a tempo de ver o homem alto e grande andando na nossa direção com um taco de *hurling* na mão.

— Dê marcha a ré — Adam falou, com pressa. — Christine, dê a ré... agora.

— Não! Para a esquerda! — Alicia gritou, rindo, pensando que ainda estávamos jogando.

— Christine!

— Estou tentando!

A embreagem estava rangendo com fúria, e eu estava em pânico demais para engatar a marcha certa.

— Christine! — Adam gritou.

O homem grande deu um passo mais para perto do carro, examinou o vidro, memorizou o número do meu celular exibido na placa de VENDE-SE na frente do carro. Depois, ele me olhou nos olhos e jogou o taco para trás. Coloquei o pé no acelerador e voltamos de ré com violência, tão rápido que Adam foi jogado de volta ao seu assento com força total. Isso não impediu o homem grande de correr atrás do carro, balançando o taco. Fiquei de olho no que estava acontecendo atrás de mim, saindo-me até bem em dar marcha a ré em uma linha reta, que depois começou a se dobrar em ângulos enormes que eu não notara enquanto estava ao telefone.

— Merda, tem mais deles! — Adam falou.

Olhei de volta pelo vidro da frente e vi mais três homens saírem do carro.

— Fique de olho na estrada! — gritou.

— Ah, mer... — comecei a falar o palavrão e, depois, lembrei-me de Alicia. — Totô — falei. — Totô, totô, totô, totô — fiquei repetindo.

Alicia urrou de rir e fez também.

— Totô! Totô! Totô!

— Vá o mais rápido que puder — Adam falou.

— Não consigo, tem curvas — respondi, batendo o carro contra outro arbusto.

— Eu sei, apenas se concentre. E vá mais rápido.

— Eles estão nos seguindo?

Adam não respondeu.

— Eles estão nos seguindo?

Não pude evitar, tinha que descobrir. Olhei para a frente e vi as janelas escurecidas vindo na nossa direção.

— Ai, meu Deus.

— Porque estamos indo ao contrário? — Alicia perguntou, enfim parando com a risada e sentindo o pânico no carro.

Finalmente, tive a oportunidade de dar marcha a ré em uma entrada de garagem, o que fiz bem rápido e com destreza, e depois disparei, virando em uma série de esquerdas e direitas enquanto Alicia me falava as direções, sem reparar que elas não estavam sendo seguidas. Quando chegamos a uma grande propriedade residencial onde havia vida nas ruas de novo, diminuí a velocidade, mas continuei a virar de maneira aleatória para a direita e para a esquerda.

— Certo, acho que você pode parar agora — Adam disse enquanto eu dirigia em volta de uma rotatória pela terceira vez. — Eles não estão atrás de nós.

— Opa, opa, opa, estou tonta — Alicia cantou.

— E eu vou vomitar — Adam avisou.

Dei sinal e saí da rotatória. Deixei Alicia na casa dela, onde fiz o melhor que pude para explicar para Brenda por que a filha estava gritando "dê marcha a ré!", correndo de costas com toda a velocidade pela casa e batendo em tudo.

— Então, Adam, acha que os métodos da minha irmã o estão ajudando a aproveitar a vida?

Brenda sentou-se à mesa e puxou uma cadeira para ele do seu jeito digno de ser copiado, que nunca dava às pessoas uma oportunidade de recusar.

— Até agora, nós comemos, passeamos no parque e demos uma volta de carro com uma criança.

— Entendo. Como estava a comida?

— Na verdade, me deixou mal do estômago.

— Interessante. E como foi no parque?

— Fui preso.

— Você não foi preso. Só foi colocado em uma cela para se acalmar — reclamei com ele, chateada por minhas habilidades terapêuticas estarem sendo questionadas.

— E o passeio terminou com vocês interrompendo uma venda de drogas — Brenda finalizou por nós.

Ficamos em silêncio. Então, Brenda inclinou a cabeça para trás e riu antes de mudar de assunto.

— Diga-me, Adam, essa sua festa, é chique?

— *Black tie*.

— Excelente. Vi o vestido perfeito na Pace. Talvez até compre os sapatos para combinar. Certo. — Ela se levantou. — Preciso preparar o jantar do Jayden. É melhor vocês darem no pé ou vou acabar fazendo purê das suas bundas.

Adam olhou para mim com aquela expressão divertida que levava luz para os seus olhos. Dessa vez, não me importei de ser por causa da minha família louca e das minhas maneiras desastrosas de aproveitar a vida; só estava feliz de vê-lo vivo.

Foi apenas quando tínhamos dirigido até o apartamento para pegar a folha de lírio-d'água e voltado para o carro após pouquíssimos minutos dentro de casa que descobrimos o para-brisa do automóvel completamente quebrado.

12

Como resolver um problema do mesmo jeito que Maria

Maria trabalhava em Grand Canal Dock, em um arranha-céu moderno que parecia um tabuleiro quadriculado do lado de fora. Eu cuidaria da entrega da folha de lírio-d'água; Adam tinha certeza de que Maria iria pessoalmente até a recepção para assinar o recebimento desde que lhe dissessem que era dele. Ele tinha instruções rígidas para permanecer do lado de fora, mas em um lugar de onde poderia observar a reação dela. Como o prédio parecia ser todo feito de vidro e aço, ele tinha muitos pontos de vantagem possíveis; a parte complicada era garantir que Maria não o visse. Eu queria que o momento em que Maria e Adam se reunissem viesse quando ele estivesse pronto. Ele não estava nem perto de estar pronto ainda.

Eu me sentia estranha por encontrar Maria. *A* Maria. A mulher de quem eu sabia detalhes bem íntimos e com quem eu falara pelo telefone duas vezes, e que era o motivo ou um dos motivos de Adam, o belíssimo Adam, ter ficado com sua vida por um fio. Conforme eu cruzava o chão de mármore com meus saltos fazendo barulho, o que fez com que a longa fila de recepcionistas levantasse o olhar para me observar, percebi que eu tinha mágoa de Maria. E como ela tinha escolhido um momento ruim. Eu não podia deixar de culpá-la por ter tanto poder sobre um homem que ela supostamente amara uma vez enquanto parecia não saber os efeitos da sua rejeição sobre ele. Quando pensei no que Adam estava passando naquele instante para recuperá-la e nela parada ali, sem fazer ideia, meu sangue fervia. Mais uma vez, Maria tinha mesmo escolhido um momento ruim, e era inadequado, para mim, ser tão protetora em relação a ele quando meu papel era ser imparcial, mas eu não conseguia sentir nada perto de neutralidade naquele momento.

Racionalmente, eu sabia que não era culpa de Maria. Se ela fosse uma amiga que me confidenciasse o comportamento de Adam, é provável que eu a tivesse apoiado a deixá-lo depois de ter falhado tudo o que ela tinha tentado para salvar o relacionamento. Mas a mulher me irritava apesar disso. Eu sabia que devia, na verdade, dizer a Adam para seguir em frente, não para tentar reconquistá-la. Maria já estava com outra pessoa, o amigo dele; ela seguira em frente. Uma outra rejeição iria destruí-lo ainda mais? Sim. Iria matá-lo. Eu já sabia disso. Precisava que o relacionamento deles desse certo pela vida de Adam. O que me levava de volta ao ressentimento em relação a Maria.

— Tenho uma entrega para Maria Harty na Red Lips Production — falei para a recepcionista.

— Devo dizer que vem de quem?

— Adam Basil.

Eu conseguia ver Adam do lado de fora, o gorro de lã baixo, o casaco grosso fechado até o queixo, o rosto quase impossível de ver e a pele que estava exposta ficando vermelha por causa do frio. Eu teria que garantir que me posicionaria de uma maneira que Adam pudesse ver a reação de Maria. Só esperava que ela não jogasse a folha de lírio-d'água no chão e pisasse nela. Acho que eu não o alcançaria a tempo se ele quisesse mergulhar da beirada do canal.

As portas do elevador se abriram e uma boneca saiu usando jeans *skinny* preto, *bike boots*, uma camiseta com uma mulher nua em uma pose sugestiva, cabelo pretíssimo que era cheio e brilhante e emoldurava seu rosto de boneca, uma franja pesada, grandes olhos azuis, um nariz perfeito e lábios vermelhos, vermelhos. Não teria imaginado que ela era a Maria. Eu a tinha imaginado do tipo corporativo, esperando que uma mulher de terno aparecesse, contudo, assim que a vi, eu soube. Foram os lábios vermelhos que a entregaram e, de repente, o nome da empresa fez sentido. Eu sabia que era ela e, ainda assim, não podia chamá-la enquanto a observava cruzar o lobby até a recepção. Imaginei que ela e Adam formavam um casal impressionante, virando cabeças por onde quer que passassem e, naquele momento, tive ainda mais ressentimento de Maria. A boa e velha inveja feminina. Fiquei irritada comigo mesma; nunca tinha sido pega por aquele tipo de coisa antes. Não era o meu tipo. No entanto, eu sempre tinha sido feliz, acomodada na minha vida e, agora, não; assim, qualquer coisa, qualquer pessoa segura mandava minha confiança já instável para o chão como um pino de boliche.

A recepcionista apontou para mim e Maria me analisou. Nos dias em que falavam comigo, Peter e Paul me cumprimentavam como "sexta-feira casual" pela manhã, porque calça jeans eram minha vestimenta-padrão. E não jeans comuns. Eu os tinha em quase todas as cores do arco-íris, assim como era a paleta do restante das minhas roupas. Meu guarda-roupa era um grande caleidoscópio com a finalidade de alegrar meu dia mesmo quando tudo o mais no mundo não estava de acordo. Eu tinha passado de um guarda-roupa neutro de pretos e beges para aquela explosão de cores por volta dos vinte e cinco anos. Eu sempre usava pelo menos um item colorido depois de ter lido o livro *Como enriquecer nossa alma por meio das cores que vestimos*, que me ensinou que nossa pele e nossa alma pegavam energia das cores que usávamos e que usar cores escuras nos drenava. Nosso corpo ansiava por cores da mesma maneira que precisava de sol e, mesmo assim, ali estava Maria, toda de preto e ultradescolada, como se tivesse flutuado para fora de uma loja da All Saints, e ali estava eu, como um pacote de Skittles, meus cabelos longos, ondulados e cor de areia debaixo de um gorro de lã listrado que eu parecia ter roubado do cenário de *Zingzillas*. Meu cabelo "praieiro" cor de areia era rigorosamente cuidado e tratado a cada semana, despenteado e desarrumado para parecer que não se importava, como se não tivesse um único problema no mundo, mas, acredite, ele se importava, só fingia que não. Meu cabelo dava risadinhas e flertava, era soprado pela brisa, enquanto o de Maria... Aquele comprimento médio da moda com a franja certinha ria na cara do perigo, ele *exigia* rebelião.

Assim que Maria reparou na folha de lírio-d'água em meus braços, que não era difícil de ver, ela sorriu. O alívio me inundou e eu estava com medo de me virar e ver a reação de Adam para o caso de alertar Maria para a localização dele. Ela bateu as mãos sobre a boca e começou a rir, tentando não chamar muita atenção para si mesma, embora eu imaginasse que a história de Maria Harty ter recebido uma folha de lírio-d'água logo se espalharia pelo escritório.

— Ai, meu Deus!

Ela enxugou os olhos marejados. Eram lágrimas de alegria, mas também da memória repentina de uma pessoa de outro tempo. Ela estendeu a mão para pegar a folha.

— Esta é provavelmente a entrega mais estranha que você já recebeu.

Maria sorriu para mim.

— Minha nossa. Não acredito que ele fez isso. Pensei que tinha esquecido. Foi há tanto tempo.

Ela segurou a folha nos braços. De repente constrangida, disse:

— Sinto muito, você não precisa que as pessoas fiquem contando suas histórias. Tenho certeza de que você tem algum outro lugar para fazer entregas. Onde assino?

— Maria, eu sou a Christine, nós conversamos pelo telefone.

— Christine...

A testa dela se enrugou e, depois, veio o entendimento.

— Ah, Christine. Esse é o seu nome? Você tem atendido o telefone do Adam?

— Sou eu.

— Ah.

Maria me olhou de cima a baixo, medindo-me em segundos.

— Não achei que você fosse jovem. Digo, você parece muito mais velha ao telefone.

— Ah.

Eu me senti toda quente por dentro, amando a reação, mas sabendo que não devia.

Houve um silêncio constrangedor.

— Ele realmente pegou isto para mim?

— Com certeza. Mergulhou em temperaturas abaixo de zero. Ficou ensopado. Lábios azuis e tal — falei, ainda sentindo minha gripe chegar.

Maria fez que não com a cabeça.

— Ele é louco.

— Por você.

— É isso que ele está me dizendo? Ele ainda me ama?

Fiz que sim.

— Ama mesmo.

E, por algum motivo, minha garganta ficou apertada. Um momento inoportuno talvez. Limpei a garganta.

— Pensei que fosse incluir flores, mas ele insistiu nisso. Não sei se significa alguma coisa para você.

Maria baixou o olhar para a folha de lírio-d'água e foi só aí que reparou nas pequenas bocas enroladas em papel-alumínio vermelho. Adam as acrescentara no último minuto antes de eu entrar no prédio e, de repente, tudo estava fazendo sentido para mim. Eu agora as reconhecia como os pequeninos chocolates que estavam espalhados na cama do Hotel Gresham.

— Minha nossa — Maria sussurrou, notando-os pela primeira vez.

Ela tentou pegá-los, mas não conseguia segurar a folha de lírio-d'água enorme com uma mão.

Eu a segurei para que ela pudesse examinar as pequenas bocas.

— Não acredito que ainda sobraram alguns. Sabe o que são?

Fiz que não com a cabeça.

— Ele os fez para mim no ano em que nos conhecemos. Lábios vermelhos são, bem, tipo a minha marca registrada.

Ela começou a abrir o papel-alumínio e, quando viu o chocolate dentro, riu.

— São de verdade!

— O Adam sabe fazer chocolate?

Eu ri, desconfiada. Se Maria queria acreditar naquilo, eu não deveria colocar dúvidas na cabeça dela, mas não pude deixar de questionar.

— Bem, não pessoalmente, é óbvio, mas a empresa.

Ela continuou analisando os doces.

— Eram um protótipo, nem deveriam ter visto a luz do dia. Pensei que tivéssemos comido todos.

— A empresa... — falei, tentando entender tudo.

— Ele os criou para mim e, depois, conseguiu que o pessoal da Basil os fizesse. Colocou pralinê, avelã e amêndoas neles porque disse que sou doidinha como um esquilinho.

Ela riu, mas a risada ficou presa na sua garganta e seus olhos ficaram marejados.

— Merda, desculpe.

Maria virou as costas para a recepção e abanou os olhos para que parassem de inchar.

A essa altura, eu já estava um pouco em choque, porém tentei parecer tranquila. Poderia ter perguntado a Maria sobre Adam, descoberto mais a respeito dele, mas, por algum motivo, não queria que ela descobrisse que eu não sabia; minha insegurança desde que a vira me impedia de fazer meu trabalho direito.

— Não precisa se desculpar. Não é fácil lembrar os bons tempos. Mas ele queria lembrá-la.

Ela fez que sim com a cabeça.

— Diga a ele que eu lembro.

— Ele ainda existe, sabe? — falei, com sinceridade. — Ele é tão engraçado e espontâneo quanto você lembra. Talvez não exatamente igual a quando vocês se conheceram. Talvez isso seja impossível para qualquer pessoa. Mas ele me faz rir o tempo todo.

Maria me analisou com atenção.

— Faz?

Senti minhas bochechas ficarem quentes. Era o gorro de lã, devia ser, passar do frio extremo para o calor abafado do prédio de escritórios e a gripe que eu sabia que estava chegando depois de eu ter estado na lagoa congelante. Eu não iria tirá-lo, no entanto, não com ela e seu cabelo alinhadíssimo. Quem sabia o que estava à espreita debaixo do meu gorro?

— Você está mesmo cuidando dele, não está?

— Bem, sim.

Eu não conseguia olhá-la nos olhos mais e, assim, entreguei a folha de lírio-d'água.

— Você deveria voltar para o trabalho agora.

— Espero que ele saiba quanto tem sorte de ter você.

Maria insistiu um pouco mais.

Não pude impedir meus olhos de ficarem um pouco marejados.

— Só estou fazendo meu trabalho.

Virei para ela um sorriso luminoso e despreocupado e me esforcei para que minha resposta não parecesse a réplica cafona de um super-herói.

— E qual é esse trabalho?

— De amiga — falei, afastando-me alguns passos. — Sou uma amiga, isso é tudo.

Virei-me e fui embora, sentindo meu rosto ferver. Fiquei agradecida pela brisa gelada que atingiu minhas bochechas assim que pisei do lado de fora. Continuei andando, sentindo os olhos de Maria em mim. Fiquei feliz de virar a esquina assim que pude, para escapar das superfícies transparentes e ter tijolos sólidos entre nós. Parei de andar no mesmo instante e coloquei as costas contra a parede, meus olhos fechados enquanto eu revivia a conversa em estado de pânico. O que tinha dado em mim? Por que eu tinha reagido daquela maneira? Maria agiu como se soubesse algo sobre meus sentimentos que eu não sabia, ela fez com que eu me achasse culpada e patética por sentir momentaneamente algo que não senti, que não era *possível* eu sentir. Minha meta ali era conseguir juntar os dois, não começar a gostar de Adam. Impossível. Ridículo.

— Oi.

Ouvi uma voz animada perto da minha orelha e dei um pulo, assustada.

— Nossa, Adam.

— O que foi? Por que você está chorando?

— Não, não estou chorando — falei brava. — Acho que estou ficando gripada.

Esfreguei os olhos.

— Bem, não estou surpreso, nadando em lagoas no meio da noite. Então, o que ela disse?

Adam estava quase com o nariz colado no meu de tão animado, tão ansioso para ouvir as palavras.

— Você viu a reação dela.

— Sim!

Ele deu um soco no ar.

— Foi perfeita. Simplesmente perfeita. E ela estava chorando? Pareceu que ela estava chorando. Sabe, a Maria nunca chora, isso não é pouca coisa. Vocês conversaram por um tempão... O que ela disse?

Ele estava dando pulinhos, saltitando, procurando em meu rosto qualquer sinalzinho para saber com exatidão como fora.

Passei com frieza por cima das minhas emoções e contei a ele a história, menos os meus próprios pensamentos atormentados.

— Ela perguntou se você estava tentando dizer que ainda a ama. Maria disse que alguém que pula na água abaixo de zero para pegar uma folha de lírio-d'água deve mesmo amar a outra pessoa. E eu disse que sim, que você a ama.

— Mas eu não fiz isso.

Adam me encarou com aqueles olhos azuis que costumavam fazer meu coração disparar, mas, naquele momento, fizeram com que ele doesse.

— Você fez isso por mim.

Nós nos olhamos fixamente e, depois, desviei.

— Essa não é a questão. A questão é que ela entendeu a questão.

Comecei a andar, eu precisava, eu tinha que sair dali.

— Christine? Aonde você está indo?

— Ahn... A qualquer lugar. Estou com frio, tenho que me manter em movimento.

— Certo, boa ideia. Ela gostou dos chocolates?

— Ela *amou* os chocolates, foram eles que a fizeram chorar. Ei, você fez *chocolates* para ela? Você é o Adam Basil de "With Basil, You Dazzle"?

Ele revirou os olhos, mas ficou claro que estava exultante com o resultado.

— O que ela disse?

— Ela quase fez amor com eles, ficou muito feliz de vê-los de novo. Você fez chocolates para uma mulher? Caramba, Adam, você era bom.

— Era?

— Você sabe o que quero dizer. Você está chegando lá de novo.

— Eles tinham pralinês, avelãs e amêndoas porque ela é doidinha como um esquilinho — ele disse orgulhoso.

— Eu sei, ela me contou.

— Contou? O que ela disse?

A ansiedade dele era adorável e, assim, repassei a conversa toda, deixando de fora a parte em que Maria me questionou sobre meu papel na vida de Adam. Eu ainda não entendera aquilo.

— Então, você é Adam Basil da Basil's Chocolate.

Fiz que não com a cabeça, ainda sem acreditar.

— Você devia ter me contado ontem. Você negou.

— Eu não neguei. Pelo que me lembro, eu disse "sim, e como manjericão".

— Ah. Bem, quando isto tudo acabar, você vai ter que fazer o meu próprio chocolate como símbolo de agradecimento.

— Fácil. Sabor de café preto.

Revirei os olhos.

— Não muito original.

— Na forma de uma xícara de café *espresso*.

Ele se esforçou para me impressionar.

— Espero que você tenha uma boa equipe criativa na Basil's.

— Por quê? Você não comeria de qualquer forma — ele riu.

Ficamos em silêncio enquanto andávamos. Tive que desligar meu cérebro, estava com dor de cabeça e doía pensar e, assim, permiti que ele me guiasse. Peguei a mão dele quando nos aproximamos da ponte Samuel Beckett; foi instintivo, não queria que Adam pulasse de repente, embora soubesse que estava exultante depois da reação de Maria. Ele não fez objeção. Ficamos de mãos dadas enquanto caminhávamos pela ponte e, quando saímos dela, ele não soltou.

— Onde a empresa, a Basil's, acha que você está? — perguntei.

— Visitando meu pai. Eles me disseram para tirar todo o tempo de que eu precisasse. Queria saber se vão aceitar pelo resto da minha vida.

— Tenho certeza de que eles ficariam felizes em ouvir isso em vez da outra alternativa.

Adam olhou para mim, severo.

— Eles não podem saber.

— Que você tentou morrer se suicidando?

Ele largou minha mão.

— Eu disse para você não usar essas palavras.

— Adam, se eles soubessem que você está tão infeliz que quis acabar com a sua vida, tenho certeza de que isso seria uma ótima forma de sair do cargo.

— Isso não é uma opção e você sabe — ele disse. — Não foi por isso que fiz aquilo.

Ele ficou em um longo silêncio.

— Você deveria ir ver seu pai.

— Hoje não. Hoje é um bom dia — ele falou, animadíssimo de novo com o resultado com Maria. — Aonde vamos agora?

— Estou um pouco cansada, Adam. Acho que vou para casa descansar.

Ele pareceu decepcionado e, depois, preocupado.

— Você está bem?

— Estou.

Fiz que sim com a cabeça, tentando parecer alegre.

— Só preciso de um cochilo e ficarei bem.

— Combinei que Pat nos pegaria.

— Quem é Pat?

— O motorista do meu pai.

— O motorista do seu pai? — repeti.

— Bem, meu pai está no hospital, não vai precisar de Pat, e seu carro está parado. Então, chamei o Pat. Ele está entediado de ficar esperando, de qualquer forma.

Momentos depois, Pat chegou em um Rolls-Royce novíssimo de duzentos e cinquenta mil euros. Eu sabia pouco de carros, mas, embora Barry não demonstrasse paixão verdadeira por nada na vida, ele entendia de automóveis e apontou os bons carros que os "imbecis" sempre pareciam estar dirigindo. Na opinião de Barry, Rolls-Royce era o escolhido pelos maiores imbecis. Cumprimentei Pat, o motorista, e entrei no carro. Estava deliciosamente quente depois do frio congelante do lado de fora. Adam ainda não fechara a porta; ele estava me encarando, uma expressão pensativa no rosto.

— O que foi? — perguntei.

— Pétala de rosa — ele disse, simplesmente.

— Amo pétala de rosa.

— E o chocolate seria no formato de uma pétala.

— Você é bom — reconheci. — Mais motivos para mantê-lo vivo.

— Quer dizer que há mais de um motivo? — Adam brincou e fechou a porta.

Sim, pensei comigo mesma enquanto o observava dar a volta no carro.

13

Como reconhecer e valorizar as pessoas que estão na sua vida hoje

Sentei-me na fileira atrás de Amelia no funeral da mãe dela. A não ser por um tio velho, irmão do pai de Amelia, que estava fora do asilo naquele dia, ela estava sozinha no banco da família na frente. Fred, que dois dias antes a convidara para se mudar para Berlim, não se dera ao trabalho de pedir uma segunda vez. Na verdade, eu detectara um pânico dentro dele quando conversamos. A proposta original dele tinha sido feita com a certeza de que Amelia diria não por causa da mãe; agora, Magda falecera e não havia nada para prender Amelia à livraria e a Dublin, portanto o terror de Fred era palpável. Eu tinha certeza de que Amelia estava certa quanto a ele ter outra mulher o esperando em Berlim. Cruzei meu olhar com o dele, algumas fileiras atrás, e lancei a expressão mais sórdida que consegui, tudo em nome de uma amiga. Ele abaixou o olhar e, quando eu estava satisfeita por ele estar aborrecido o suficiente, virei-me para a frente, sentindo-me uma hipócrita nojenta e me arrependendo no mesmo instante. Não tinha havido nenhum homem secreto esperando por mim, isso era óbvio, mas eu tinha abandonado Barry, terminado nosso relacionamento por nenhum motivo real... Bem, nenhum motivo que as outras pessoas pudessem ver. Era quase como se a minha infelicidade não fosse o suficiente. Se ele não me traiu, não me bateu e não foi cruel comigo, ninguém parecia conseguir entender que eu não amá-lo e estar infeliz eram motivos suficientes. Não era perfeito, contudo tentei o melhor que pude, como a maioria das pessoas, para não cometer erros. Um casamento inteiro ser um erro era uma das coisas mais dolorosas, sem falar constrangedoras, que poderiam ter acontecido na minha vida. A ideia de Barry poder estar na igreja fez meus olhos pararem.

Embora Fred tivesse magoado Amelia, como eu poderia culpá-lo quando ele tinha feito a mesma coisa que eu previra nas minhas discussões privadas com Barry? Amelia tinha ficado presa à rotina monótona de cuidar da mãe e se dedicar à loja que o pai tinha amado, uma rotina nobre, é claro, mas na qual ela tinha entrado por vontade própria. Havia um limite na imobilidade de Amelia que Fred, ou qualquer outra pessoa de sua vida, podia aguentar.

A cabeça de Amelia estava baixa, seus cabelos ruivos encaracolados escondendo o rosto. Quando ela se virou para mim, seus olhos verdes cansados estavam contornados de vermelho, a ponta de seu nariz estava vermelha, machucada pelos lenços de papel, a dor em seu rosto, clara. Sorri em apoio e, depois, notei que a igreja toda estava quieta e que o padre estava olhando para mim.

— Ah.

Percebi que estavam esperando por mim. Fiquei em pé e fui até o altar.

Adam gostasse ou não, eu havia insistido para que ele fosse ao funeral e se sentasse comigo e com a minha família. Apesar do seu alto-astral depois de eu me encontrar com Maria, não podia arriscar deixá-lo sozinho. Estávamos dando grandes saltos para a frente, um pouco com Maria, um pouco com ele mesmo, mas, para cada salto, havia alguns passos para trás. Eu o impedira de ler os jornais e assistir aos noticiários. Adam precisava se concentrar no que era positivo; as notícias, não. Havia maneiras de se manter em contato com a realidade sem se permitir ser bombardeado por informações da forma como queriam as pessoas de fora. No dia anterior, tínhamos passado a maior parte do tempo montando um quebra-cabeça enquanto eu explorava o cérebro de Adam do modo menos invasivo que podia e, depois, jogamos Monopoly, o que significa que tive que parar com as perguntas e me concentrar para evitar que Adam pisasse em mim. Não funcionou, e eu havia ido para a cama de mau humor. Eu sabia que aquelas atividades não iriam salvá-lo, mas me ajudavam a descobrir mais sobre ele, já que faziam ser mais fácil ele conversar comigo. Também acho que davam a Adam um momento para pensar nos seus problemas, processá-los enquanto se concentrava em outra coisa ao mesmo tempo, em vez de trazê-los para o centro do palco. Naquela manhã, ouvira o choro soluçado abafado dele enquanto ele estava no banho e fiz planos para solucionar o resto dos seus problemas. Eu acreditava que a maioria das coisas era possível se você tivesse força de vontade, mas também era realista: "a maioria" implica não todas as coisas. Não podia me dar ao luxo de examinar as probabilidades naquele caso; só poderia haver um resultado.

Fiquei parada no altar e coloquei meu texto sobre a estante de leitura. Amelia havia pedido que eu lesse e deixara que eu escolhesse um trecho que achasse adequado. Seria necessário força de vontade para eu dizer aquelas palavras; elas tinham um significado muito especial para mim e eu nunca as lera em voz alta antes, apenas para mim mesma e raramente com os olhos secos, mas não conseguia pensar em um momento mais adequado para dizê-las. Sorri para Amelia e, depois, olhei por cima do ombro dela, primeiro para a minha família, depois para Adam. Tomei um fôlego longo e trêmulo e direcionei minhas palavras para ele.

— Onde estaríamos sem amanhãs? O que teríamos em vez disso seriam hojes. E, se esse fosse o caso, com você, eu esperaria que hoje fosse o dia mais longo. Eu encheria o hoje de você, fazendo tudo o que sempre amei. Eu riria, falaria, ouviria e aprenderia, eu amaria, amaria, amaria. Faria todos os dias serem hoje e passaria todos com você, e nunca me preocuparia com o amanhã, quando não estaria com você. E, quando aquele temido amanhã chegar para nós, por favor, saiba que eu não quis deixá-lo, ou ser deixada para trás, que cada momento que passei com você foram os melhores momentos da minha vida.

* * * * *

— Você escreveu aquilo? — Adam me perguntou quando nos sentamos no velório, após o funeral, com canecas de chá e leite e um prato de sanduíches de presunto na nossa frente. Nenhum de nós comeu.

— Não.

Ficamos em um longo silêncio e esperei que ele me perguntasse quem escreveu e preparei o que iria dizer, mas ele me surpreendeu ao não perguntar.

— Preciso ir ver meu pai — Adam disse de repente.

Era o suficiente para mim.

O pai de Adam estava internado no hospital particular St Vincent's. Ele havia entrado para um rápido procedimento para sua doença no fígado um mês antes e ainda estava ali. Acontece que o Sr. Basil era a pessoa mais rude que alguém poderia conhecer, mas, apesar do fato de que sem ele a vida na enfermaria fosse ser mais fácil para todos os envolvidos, ainda estavam usando o melhor da medicina moderna para tentar mantê-lo vivo. O quarto dele não era um em que alguém escolheria entrar, graças ao medo dos abusos, verbais para qualquer um, físicos para as enfermeiras jovens, ou, como ele as chamava, "no ponto". Para as que passaram do ponto, ele recorria a outros tipos de maus-tratos físicos, até jogar urina em uma que interrompeu sua ligação telefônica. Ele só permitia que um número limitado de mulheres da equipe de enfermeiras cuidasse dele, e elas tinham deixado que ele pensasse que tinha mesmo voz no assunto. Ele queria ser cercado de mulheres porque acreditava que elas eram melhores em fazer o trabalho por causa de sua habilidade de ser multitarefas, sua frieza nata e sua mente sem bobagens, mas principalmente porque, como eram vistas como o sexo inferior, sentiam a necessidade e o desejo de se provarem mais do que os homens. Os olhos dos homens ficavam perdidos por aí; ele precisava de pessoas que conseguiam se concentrar em uma coisa por vez, e essa coisa era ele. Ele queria e precisava melhorar. Tinha uma empresa internacional multimilionária para administrar e, até ser curado, ele a administraria do pequeno quarto que fora transformado no centro nervoso da Basil's Confectionery.

Conforme seguíamos a mulher que levava o jantar, que empurrou a porta para entrar, tive um vislumbre de um homem idoso e vi uma cabeça de cachos grisalhos finos e uma longa barba grisalha fina, que se estendia apenas do queixo, não das bochechas, e terminava em uma ponta estreita como se fosse uma seta apontando para baixo, para as profundezas do inferno. Não havia nada tranquilizante naquele quarto para onde ele fora mandado para se curar. Em vez disso, havia três laptops, uma máquina de fax, um iPad, mais Blackberries e iPhones do que o suficiente para a figura que estava desintegrando-se na cama e duas mulheres de terno que se apertavam ao lado dela. Não era um quarto que dava a ideia da possibilidade de uma despedida deste mundo; era um quarto que estava vivo, ocupado, pronto para criar; chutando e gritando e se revoltando contra a luz da morte. Era um quarto cujo ocupante não tinha desistido do mundo e iria cair lutando se fosse necessário.

— Ouvi dizer que estão distribuindo potes de Bartholomew no avião — ele brigou com a mulher mais velha. — Um potinho de sorvete para cada um, mesmo na classe econômica.

— Sim, eles fizeram um acordo com a Aer Lingus. Por um ano, acho.

— Por que eles não têm produtos da Basil's no avião? É ridículo a Bartholomew ter chegado lá e nós não! Quem é responsável por esse erro? É você, Mary? Honestamente, quantas vezes tenho que dizer a você para ficar de olho no lance? Você fica tão ocupada com aqueles malditos cavalos que estou começando a ficar preocupado que você tenha perdido sua habilidade de agir direito.

— É claro que falei com a Aer Lingus, Sr. Basil, em muitas ocasiões, e tenho feito isso há anos, mas eles pensam que a Bartholomew é uma marca mais luxuosa, enquanto nós somos uma marca familiar. Os nossos produtos estão disponíveis...

— Nossos não, *meus* — ele interrompeu.

Ela continuou com calma, como se ele não tivesse falado:

— ... para compras a bordo, e posso lhe dizer nosso lugar exato...

Ela folheou alguns papéis.

— Fora! — ele de repente gritou o mais alto que pôde, e todos deram um pulo, exceto a tranquila e calma Mary, que, mais uma vez, se comportou como se não o tivesse escutado. — Nós estamos em reunião, você devia ter ligado primeiro.

Como ele nos vira entrar estava além da minha compreensão, já que estávamos presos atrás de um carrinho e eu mal conseguia vê-lo.

— Vamos — Adam disse, e virou-se.

— Espere.

Estendi a mão e agarrei o braço dele. Bloqueei a porta e prendi-o no quarto.

— Vamos fazer isto hoje — sussurrei.

A moça do jantar colocou a bandeja na mesa em frente ao Sr. Basil.

— O que é isso? Parece merda.

A mulher com a rede no cabelo olhou para ele, entediada, parecendo acostumada com os insultos.

— É escondidinho de carne, Sr. Basil.

Ela falou com um sotaque forte de Dublin e, depois, mudou o tom para um mais sarcástico e superior:

— Acompanhado de uma salada de alface e tomate-cereja e uma fatia de pão com manteiga. De sobremesa, você tem geleia e sorvete, seguido do seu enema... Então, por favor, ligue para a enfermeira Sue para isso.

Ela deu um sorriso doce por um nanossegundo e, depois, sua carranca original voltou.

— Isso parece mais merda de carne, e essa salada de acompanhamento parece grama. Eu pareço um cavalo para você, Mags?

A moça do jantar não estava usando um broche com seu nome. Apesar dos insultos, ela pode ter se sentido levemente elogiada pelo fato de ele saber seu nome. A menos que o nome dela fosse Jennifer.

— Não, Sr. Basil, o senhor certamente não se parece com um cavalo. Parece um homem idoso magro e bravo que precisa jantar. Agora, coma.

— O jantar de ontem parecia comida e tinha gosto de merda. Talvez esta merda tenha mesmo gosto de comida.

— E, então, com sorte, o enema de hoje vai ajudá-lo a soltar uma merda — ela disse, pegando a bandeja deixada mais cedo e tirando-a do quarto, a cabeça erguida.

Pensei ter visto o Sr. Basil sorrir, mas o brilho de possibilidade desapareceu tão depressa quanto viera. A voz dele estava rouca, fraca, contudo autoritária. Se ele era durão assim no leito de morte, eu só podia imaginar como ele tinha sido no escritório. E como pai. Olhei para Adam; a expressão dele era indecifrável. Aquela visita era importante, era quando eu teria que apelar para os instintos paternos do Sr. Basil para ver como forçar Adam a assumir a empresa estava prejudicando a saúde do filho. Era o número no qual eu colocara todas as minhas apostas. Já estava preocupada que elas tivessem decidido se entregar ao entrarmos no quarto.

— Na verdade, volte aqui — o velho homem chamou.

Mags parou.

— Não você, eles dois.

Mags deu uma batidinha compreensiva na minha mão ao passar e disse, em um tom gentil:

— Ele é um grande bosta.

Adam e eu nos aproximamos da cama. Nenhuma palavra de amor foi trocada entre pai e filho, nem um cumprimento.

— O que você tem que fazer hoje? — o Sr. Basil perguntou, agressivo.

Adam pareceu confuso.

— Eu a ouvi dizer “nós vamos fazer isso hoje”.

Ele imitou meu sussurro anterior.

— Não pareça tão surpreso, não tem nada de errado com a minha audição. Foi meu fígado que me colocou aqui, e nem é isso que está me matando. É o câncer... E acho que a merda da comida vai me matar antes dele!

Ele empurrou o prato.

— Não entendo por que simplesmente não me deixam sair daqui para morrer. Eu tenho coisas a fazer — ele elevou a voz de novo quando uma médica entrou para analisar seu registro médico. Havia dois estudantes de medicina com ela.

— Parece que o senhor já está fazendo bastante coisa — a médica disse. — O número de visitantes permitidos por quarto é dois.

Ela olhou feio para todos nós como se fôssemos responsáveis por fazer o câncer crescer em um ritmo tão rápido.

— Pensei ter dito para o senhor descansar, Sr. Basil.

— E eu achei que tinha mandado você se foder — ele disse.

Houve um silêncio longo e desconfortável e, de repente, senti vontade de rir.

— Você espera o dia todo pela merda de um médico, daí três deles vêm ao mesmo tempo — ele falou. — A que devo o prazer da sua companhia? São aos milhares que estou pagando todo dia para vocês me ignorarem?

— Sr. Basil, devo lembrá-lo de conter sua língua. Se está se sentindo mais irritadiço que o normal, talvez possamos dar uma olhada na sua medicação.

O Sr. Basil balançou uma mão pálida para dispensá-la, quase se rendendo.

— Alguns minutos para todos vocês e, depois, devo insistir que o Sr. Basil deve ficar sozinho — ela disse com firmeza. — Poderemos conversar então.

Ela se virou e saiu com seus homens alegres dando passinhos rápidos atrás dela.

— Talvez eu a veja de novo na semana que vem, quando ela vai visitar meu leito e mais uma vez me dizer coisa nenhuma. Quem é você? — ele quis saber, olhando feio para mim.

Todos viraram a cabeça na minha direção.

— Sou Christine Rose.

Estendi a mão.

O Sr. Basil olhou para ela, levantou sua mão, de onde um tubo saía, e dirigiu-se a Adam enquanto me cumprimentava sem vontade:

— A Maria sabe sobre ela? Nunca o tomei por um enganador, você sempre parece tão mariquinha. Mandado por mulheres. Rose... Que tipo de nome é esse?

Ele se virou para mim de novo.

— Achamos que originalmente era Rosenburg.

O Sr. Basil me mediu de cima a baixo e, depois, seus olhos voltaram para Adam.

— Eu gosto da Maria. Não gosto de muitas pessoas, mas gosto dela. E da Mags, a moça do jantar. A Maria é inteligente. Assim que ela entrar nos eixos, vai longe. Não gosto muito daquela empresa de merda... Red Lips. Parece pornô.

Não consegui evitar: eu ri, alto.

O Sr. Basil pareceu surpreso e, depois, continuou, observando-me enquanto falava.

— Quando ela tiver juízo e parar de fazer desenhos...

— Animações... — interrompi, sentindo que devia aquilo a Maria, depois de ter gostado um pouco demais da aniquilação dela.

— Não me importa nem um pouco o que é... Então ela vai se sair bem. Ela vai ser útil quando você estiver no comando, porque Deus sabe que você não conseguiria organizar uma bebedeira em uma cervejaria.

— Então por que o senhor quer que ele assuma a empresa? — perguntei, e todas as cabeças viraram na minha direção novamente.

Todos, em especial o Sr. Basil, pareceram surpresos, não que ele sonhasse em deixar transparecer. A autoridade dele nunca tinha permissão para escorregar por um momento, nenhuma outra pessoa teria autorização de assumir a liderança.

— Era para isso ser um segredo? — murmurei para Adam.

Ele fez que não com a cabeça, olhando para mim com uma expressão de cautela.

— O que foi então?

Olhei ao redor sem ter certeza do que eu fizera. A mulher chamada Mary deu um passo para trás, longe da cama, a mulher mais jovem de roupa cinza a copiou.

— Vamos deixá-lo cuidar disso, Sr. Basil. Estaremos do lado de fora se precisar de nós.

Ele a ignorou. Mary pareceu oscilar entre sair e ficar.

— Diga, você conhece o meu filho?

— Somos amigos — Adam interveio.

— Ah, ele sabe falar! — o pai dele disse. — Diga, Adam, você não volta ao escritório desde domingo. Parece que estava em Dublin para me ver, mas eu teria notado se você tivesse vindo aqui, e você não veio. Se vai passar seu tempo dormindo com qualquer uma, então faça isso no...

— Ele não estava dormindo com qualquer uma...

— ... seu tempo livre. Não gosto de ser interrompido, obrigado, senhorita Rose.

— Tem um assunto que eu gostaria de discutir com o senhor em particular — falei. — Adam, você também pode sair, se quiser.

O Sr. Basil olhou para as duas mulheres ao lado da sua cama. Elas pareciam ansiosas para sair do quarto e, por isso, ele iria forçá-las a ficar.

— Confio em Mary mais que em mim mesmo. Ela está conosco desde o dia em que assumi a empresa, há quarenta anos, e conhece meu filho desde que ele usava fralda, que foi uma fase que durou mais do que qualquer um esperava. Qualquer coisa que você tenha a dizer pode ser dita na frente da Mary. Da outra menina eu não tenho certeza, mas Mary a tem em alta conta, então estou lhe dando uma chance. Agora, chega de bobagem e me diga o que você veio fazer.

A mulher mais nova ao lado de Mary abaixou a cabeça, constrangida. Puxei uma cadeira e me sentei. *Como dar notícias delicadas para um idoso que está morrendo*. Aquele homem em particular não parecia merecer nenhuma sensibilidade, já que não tinha nenhuma para com as pessoas. Bem, se Adam não iria falar com ele diretamente, eu iria. Iria resolver aquilo de uma vez por todas. Vim de um mundo de honestidade e clareza, não sou dramática e com certeza não aponto os problemas que tenho com as pessoas a menos que seja vital e a menos que vá melhorar o relacionamento, e estava considerando a situação de Adam como vital. Se o comportamento de uma pessoa tem um efeito negativo na sua vida, você tem que se comunicar com ela, compartilhar o problema, discuti-lo, chegar a uma conclusão. A comunicação é a chave nessas situações e, claramente, ela não existia entre aquele pai e aquele filho. Senti que Adam estava com medo demais para enfrentar seu impositivo pai, portanto eu teria que fazer isso por ele.

Falei com firmeza e olhei para o velho diretamente nos olhos.

— Sei que você vai morrer muito em breve e quer que Adam assuma a empresa, para que o controle não seja revertido para o seu sobrinho. Estamos aqui para conversar sobre isso.

Adam suspirou e fechou os olhos.

— Cale a boca — o Sr. Basil brigou com ele, embora ele não tivesse falado. — Mary, Patricia, saiam, por favor.

Ele nem as observou saírem, manteve os olhos em mim.

Dei a Adam um sorriso tranquilizador, mas ele estava indecifrável; o maxilar, rígido.

O Sr. Basil olhou para mim como se eu fosse a última pessoa com quem ele queria conversar.

— Srta. Rose, você tem informações erradas. Eu não *quero* que o Adam assuma a empresa. A Lavinia é a próxima na fila e a intenção sempre foi que ela a herdasse. Ela é muito mais apta para o trabalho que ele, acredite em mim, mas ela está em Boston.

— Sim, fiquei sabendo que ela roubou milhões dos amigos e da família — falei, colocando-o no seu lugar. — A questão é a seguinte: Adam não quer o emprego.

Deixei um longo silêncio. Ele esperou por mais, contudo nada veio. Era tudo, eu tinha acabado. Ele não merecia satisfações nem explicações educadas.

— Acha que eu não sabia disso?

O Sr. Basil olhou de mim para Adam.

— Era para isso ser uma revelação?

Franzi as sobrancelhas. Aquilo não estava saindo do jeito que eu planejara.

O Sr. Basil começou a rir, mas a risada dele não tinha alegria.

— A falta de interesse dele em qualquer coisa que eu faça deixou isso completamente óbvio. Ele fica perdendo tempo com helicópteros desde que aprendeu a falar e passou os últimos dez anos brincando com a guarda costeira. Não me importa se ele não quer o emprego, não me importa se isso o deixa profundamente infeliz. Não muda o que deve acontecer. Um Basil tem que estar no comando da empresa. Um Basil sempre esteve e sempre estará no comando dessa empresa. E não pode ser Nigel Basil... não deve ser. Só por cima do meu cadáver.

Ele pareceu não notar a ironia.

— Meu avô, meu pai e eu lutamos duro para manter essa empresa nas nossas mãos nos bons e maus tempos desde que foi fundada, e nenhuma vadiazinha mandona com boca grande demais e entendimento de menos vai mudar isso.

Meu queixo caiu. Ouvi outra das minhas apostas se desintegrar.

— Pai, já chega — Adam disse com firmeza. — Não fale com ela assim. Ela não está tentando mudar nada, só está dizendo para você o que pensa que você não sabe. Ela quer ajudar.

— E por que você está comunicando a mensagem em nome do meu filho?

Ele olhou para Adam.

— Filho, é hora de você ganhar colhões. Não deixe outras pessoas fazerem o seu trabalho sujo.

E, então, o tom dele ficou maldoso. Não maldoso engraçado, como estivera até então, mas maldoso amargo, puro ácido emanando dos seus olhos e da sua boca, que estava torcida em um sorriso de escárnio.

— Ele lhe disse que não recebe um centavo, nada de herança que seja, até ter cumprido dez anos na empresa? Esteja eu morto ou vivo, ele não ganha nada. Acho que isso pode persuadi-lo.

Adam estava encarando a parede, o rosto impassível.

— Não, não disse — respondi, agora totalmente incomodada com aquele homem cruel. — Só que realmente não acho que dinheiro seja um problema para Adam, Sr. Basil. Se sua empresa importa mais para o senhor do que o bem-estar do seu filho, não deveria pelo menos pensar no que é melhor para ela? Sei que é um negócio de família e tem sido assim há três gerações, o senhor colocou toda a sua vida nela, sangue, suor e lágrimas... Agora precisa achar alguém que continue fazendo isso na sua ausência. A empresa não vai florescer nas mãos do Adam porque ele não é movido pelo mesmo desejo que você. Se você se importa mesmo com seu legado, encontre alguém que vai amá-lo e cuidar dele como você fez.

Ele olhou para mim, a expressão de desprezo, os olhos frios e, depois, virou para Adam. Esperei ouvir ofensas, mas fiquei surpresa com o tom calmo.

— A Maria vai ajudá-lo, Adam. Quando houver decisões a tomar que você não saiba o que fazer, peça a opinião dela. Quando comecei, acha que passou um dia em que não pedi a opinião da sua mãe? E você terá a Mary... Ela é meu homem de confiança. Você acha que vai ter que fazer tudo sozinho? Não vai.

Ele parou, de repente exausto.

— Você não pode deixar o Nigel entrar, sabe que não pode.

— Talvez a Maria esteja muito ocupada dormindo com o Sean para ajudá-lo, não é mesmo?

Assustados, todos nos viramos para a porta. Um homem bonito e jovem estava olhando para nós, a semelhança familiar óbvia em seu queixo forte e seus olhos azuis. Mas seu cabelo era escuro em vez de claro... Assim como sua alma. Para mim, ele emanava energia ruim.

Achando graça, ele levantou uma sobrancelha para nós, colocou as mãos nos bolsos e veio andando com casualidade.

— Nigel — Adam disse.

— Olá, Adam. Olá, tio Dick.

Eu queria ter podido sentir pena do Sr. Basil naquele momento. O que poderia ser pior do que ver alguém que você odeia quando se está doente na cama, usando pijama estampado, sem poder se defender? E o nome dele era Dick. Mas era impossível trazer a pena à tona.

— Que diabos você está fazendo aqui? — Adam perguntou, sem se importar em ser educado e parecendo que queria bater em Nigel.

— Vim visitar o meu tio, mas acabou sendo um momento propício. Você e eu temos que terminar nossa reunião da semana passada. Você parecia estar com muita pressa.

— Vocês dois tiveram uma reunião?

O Sr. Basil parecia ter levado uma facada no coração.

— Adam veio falar comigo sobre eu assumir a Basil's. Ele gostou muito da ideia dos nomes *Bartholomew Basil* juntos... Um grande tributo para o nosso avô, não acha?

Ele deu um sorriso malicioso.

— Você é um mentiroso!

A fúria de Adam era evidente. Ele tropeçou nos meus pés para chegar até o primo, que agarrou pela nuca e empurrou para o outro lado do quarto até ele bater com força contra a parede. Enrolou os braços em volta da garganta de Nigel e segurou-os ali enquanto o primo lutava.

— Adam — alertei, tentando conter meu pânico.

— Você é um mentiroso maldito — Adam falou em meio aos dentes apertados.

As veias de Nigel estavam saltando da sua testa enquanto ele tentava puxar as mãos de Adam para longe da sua garganta, mas Adam era mais forte. Em vez disso, Nigel direcionou seu esforço para enfiar os dedos nas narinas de Adam, forçando a cabeça dele para trás.

— Adam!

Pulei e fiquei em pé. Tentei pará-los, mas estava com medo de me aproximar demais enquanto eles resolviam aquele problema na luta. Olhei de volta para o Sr. Basil. O rosto dele estava furioso, mas ele era, no final das contas, um homem idoso impotente, doente na cama... E sabia disso. A respiração dele começou a ficar muito pesada.

— Sr. Basil, o senhor está bem? — perguntei.

Corri de volta para o lado dele e apertei o botão para chamar a enfermeira.

Os olhos dele estavam marejados.

— Ele não faria isso — falei com firmeza. — Adam não faria isso.

Ele procurou no meu rosto sinais de que estava sendo enganado.

— É claro que não faria — afirmei, começando a entrar em pânico e apertando o botão sem parar.

Quando os seguranças entraram no quarto, Adam e Nigel estavam lutando no chão. Eles logo puxaram Adam de cima de Nigel e, enquanto o seguravam pelos ombros, com os braços presos para trás, Nigel girou o braço e deu dois socos fortes no primo, primeiro no queixo, depois no estômago.

Adam se curvou.

— Acho que seus dias de modelo já eram — brinquei, sem convicção, enquanto dava batidinhas no lábio cortado de Adam, já de volta ao apartamento.

Ele sorriu e o sangue começou a sair de novo pelo corte esticado.

— Ah, não sorria — falei, dando batidinhas de novo.

— Sem problemas — ele suspirou.

Levantou-se de repente, empurrando-me para longe, a agressão de volta ao seu corpo.

— Vou tomar um banho.

Abri a boca para gritar um pedido de desculpas. Tinha tentado fazer a coisa certa e havia dado horrivelmente errado. Nosso almoço no restaurante o havia deixado com dor de barriga, a caminhada no parque o tinha levado a ser preso em uma cela da polícia, o passeio sem destino de carro tinha levado a uma perseguição e minha missão de dizer a verdade ao pai dele o fizera levar um soco no rosto.

Desculpe.

Porém, eu não disse nada. Não importava. Eu tinha dito no carro no caminho para casa até a exaustão; tinha tentado transformar o episódio todo em uma experiência positiva, sobre encarar a verdade e lidar com as consequências, mas era difícil ser convincente. Eu havia avaliado mal a situação. Pensei que ele tivera muito medo de dizer ao pai, mas o medo era porque ele sabia que o pai estava ciente de que ele não queria nada daquilo, mas não fazia diferença. Fora ingenuidade minha pensar que eu poderia encontrar uma maneira óbvia de sair de um problema do qual Adam havia passado anos tentando se livrar. Foi apenas depois de explorar todas as outras rotas de fuga que ele tomara a decisão desesperada na ponte Ha'penny. Eu devia ter sabido, e o fato de não ter passado pela minha cabeça fez com que me sentisse estranha e constrangida. Ele não queria mais ouvir minhas palavras. Elas não estavam consertando nada. Minhas desculpas não mudavam coisa nenhuma.

Às quatro da manhã, chutei o edredom da cama em uma crise de frustração e oficialmente desisti de tentar dormir.

— Você está acordado? — chamei no escuro.

— Não — Adam respondeu.

Sorri.

— Deixei uma folha para você na mesa de centro. Pegue.

Eu o ouvi se deslocar pela sala para pegar a página que eu preparara na noite anterior.

— Que diabos é isso?

— Leia uma.

— "As melhores e mais belas coisas do mundo não podem ser vistas nem tocadas, devem ser sentidas com o coração." Helen Keller.

Ele ficou em silêncio. Depois, bufou.

— "É durante nossos momentos mais sombrios que devemos nos concentrar para ver a luz." Aristóteles Onassis.

Falei alto, de memória, deitando-me de novo na cama.

Adam parou e eu me perguntei se iria rasgar a folha, ou fazer graça com a minha tentativa de melhorar seu humor.

— "Acredite que você consegue e já terá percorrido metade do caminho." Theodore Roosevelt — falei alto de novo, incentivando-o a ler outra.

— Não mije contra o vento — Adam falou.

Franzi as sobrancelhas.

— Isso não está na folha.

— Não compre um telescópio, apenas chegue mais perto do que você quer ver.

Sorri.

— Nunca coma neve amarela. Não fume. Use sutiã. Nunca faça contato visual enquanto come um picolé.

Eu estava rindo na cama. Por fim, ficou em silêncio.

— Certo, entendi a mensagem, você acha que são uma droga. Mas não se sente melhor?

— Você se sente?

Eu ri.

— Sim, na verdade me sinto.

— Eu também — ele acabou respondendo, a voz suave e baixa.

Imaginei que ele estava sorrindo, pelo menos esperava que estivesse; eu podia ouvir na sua voz.

— Boa noite, Adam.

— Boa noite, Christine.

Dormi um pouco naquela noite, mas, na maior parte dela, não pude deixar de pensar: faltam oito dias.

14

Como aproveitar as vantagens dos dois lados

O detetive Maguire sentou-se do outro lado da mesa na sala de interrogatório da delegacia da rua Pearse. Os olhos dele estavam muito vermelhos, com bolsas enrugadas embaixo, como se ele tivesse tido uma noite louca de diversão. Mais uma vez, eu sabia que isso não era verdade. De mau humor, ele concordara em me ver, alertando-me de que, por ora, ele apenas ouviria minha história antes de decidir se me recomendaria para os seus colegas. Entendi que isso significava que ele estava agindo como um filtro; se minha reclamação não valesse a pena, ele não queria desperdiçar o tempo da polícia. Senti minha testa coçar com suor. A sala era sufocante, sem janelas nem ventilação. Se eu fosse um suspeito, logo admitiria qualquer coisa para sair dali. Por sorte, eu insistira que a porta ficasse aberta para eu poder ficar de olho em Adam.

— Você costuma pegar vítimas de suicídio? — o detetive Maguire perguntara quando cheguei com Adam.

— Eu o estou ajudando com uma questão de emprego, na verdade.

Não era uma mentira completa.

Verifiquei a porta mais uma vez para garantir que Adam ainda estava ali. Ele parecia entediado e cansado, mas pelo menos estava presente.

— Você sempre leva o trabalho para casa? — o detetive perguntou.

— Você em algum momento vai para casa? — disparei.

Percebi tarde demais que ele estava a ponto de se abrir pela primeira vez. Minha resposta o fez se retrair para sua concha; o campo de força foi levantado de novo e ele se remexeu desconfortável na cadeira, claramente se repreendendo por causa de sua fraqueza ou por deixar a máscara escorregar.

Minha reação fez com que me sentisse culpada; percebi que eu preferia lidar com o Maguire durão. Não queria relaxar e começar a compartilhar segredos dos negócios com aquele homem.

— Então, conte de novo, você acha que um homem usando uma jaqueta de couro preta e malha de gola alta, possivelmente um europeu do leste, quebrou seu para-brisa com um taco de *hurley* porque é possível que você tenha testemunhado uma venda de drogas entre ele e um carro preto com vidros escurecidos, do qual você não consegue lembrar mais nenhum detalhe, em uma estrada do interior, para a qual você não consegue dar o caminho ou a localização porque estava jogando um jogo de se perder. Entendi direito?

O tom dele era entediado.

— Para-brisa da minha amiga Julie, não meu, mas sim, o resto está certo.

Eu havia levado três dias para fazer a ocorrência sobre o para-brisa, em parte porque estava ajudando Amelia com os preparativos do funeral da mãe, em parte por causa da minha programação com Adam, mas na maior parte porque estava evitando ter que passar um único segundo na companhia do detetive Maguire, embora no final eu soubesse que era ele quem podia me ajudar.

— Por que *possivelmente* europeu do leste?

— Ele tinha aquele visual — falei em voz baixa, desejando nem ter mencionado aquela parte. — Ele era enorme, tinha queixo forte, ombros largos. Por outro lado, tinha um taco de *hurley*, o que o fez parecer mais irlandês...

Minha voz morreu, meu rosto foi ficando vermelho ao ver a expressão de divertimento no rosto dele.

— Então, se ele tivesse dado um mortal perfeito, seria russo e, se tivesse um taco de beisebol, isso faria dele americano? E se ele tivesse ido atrás de você com hashis? Japonês ou chinês... O que você acha?

Ele sorriu, gostando da piada.

Eu o ignorei.

— Mais alguém pode confirmar sua história?

— Sim. O Adam pode.

— O suicida.

— A vítima da tentativa de suicídio, sim.

— Alguma outra testemunha que não tenha acabado de tentar se matar cinco minutos atrás?

— Ele tentou o suicídio há cinco dias e, sim, minha sobrinha viu tudo.

— Preciso das informações dela.

Pensei a respeito.

— Claro. Você tem uma caneta?

Ele pegou a esferográfica de má vontade, abriu seu bloco de notas, que estava em branco apesar de eu ter passado os dez minutos anteriores contando-lhe o que acontecera.

— Manda.

— O nome dela é Alicia Rose Talbot e você vai encontrá-la na escolinha Cheeky Monkey Montessori, avenida Vernon, em Clontarf — falei devagar.

— Ela trabalha lá?

— Não, ela frequenta. Tem três anos de idade.

— Você está brincando comigo?

O detetive jogou a caneta.

Adam espiou para dentro da sala, protetor.

— Não, mas acredito que você está comigo. Não acho que esteja levando isto a sério — declarei.

— Olhe, parto do princípio de que a resposta mais óbvia deve ser a verdade. Sua história sobre um traficante russo com um taco de *hurley* em uma estrada de interior tem tantos talvez que duvido que tenha sustentação.

— Mas aconteceu.

— Talvez tenha acontecido.

— *Aconteceu*.

Ele ficou em silêncio.

— Então, qual é a resposta mais óbvia? — perguntei.

— Ouvi dizer que você deixou seu marido.

Engoli em seco, surpresa por ele ter ido naquela direção.

— Na noite do tiro — ele me induziu.

— O que *o momento* em que fui embora tem a ver com alguma coisa?

O detetive esfregou o queixo com cavanhaque, bem vermelho de barbeador de mais e hidratante de menos. Depois, ficou sentado por um momento, analisando-me, e comecei a sentir como se estivesse sendo interrogada.

— Teve alguma coisa a ver com o tiro?

— Não... sim... talvez — balbuciei ao perceber que não queria que ele soubesse. — Por que você quer saber isso?

— Porque sim.

Ele se mexeu na cadeira e começou a rabiscar no bloquinho.

— Estou neste trabalho há muito tempo, então ouça alguém que tem experiência nessas coisas: você não deve deixar o que acontece no trabalho afetar a sua vida pessoal.

Fiquei surpresa. Estava prestes a dar uma resposta malcriada, mas, em vez disso, mordi a língua. Devia ter sido difícil para ele falar o que me disse.

— Não foi por causa do que aconteceu com o Simon. Mas obrigada. Pelo conselho.

O detetive Maguire me examinou por um tempo em silêncio e, depois, abandonou o assunto.

— Acha que o seu ex-marido tem alguma coisa a ver com o carro ter sido danificado?

— De jeito nenhum.

— Como sabe?

— Porque ele não é esse tipo de pessoa. Ele não é emotivo assim. Ele nem torce para um time de futebol porque não consegue acreditar em nada tanto assim. No aniversário dele, certo ano, os amigos deram uma parte de uma cerca para ele se sentar... Ele é tão sem opinião assim. É sério, se você o conhecesse, nós não estaríamos tendo esta conversa. Vamos seguir em frente.

— Como ele tem enfrentado o fato de você ter ido embora?

— Maguire, isso não tem nada a ver com você — gritei, levantando-me.

— Pode ter alguma coisa a ver com o seu para-brisa — ele disse, com calma, permanecendo sentado. — Um marido recém-abandonado pela esposa, humilhado, de coração partido e bravo, eu imagino. Ele pode ter sido o seu docinho quando vocês estavam casados, mas nunca se sabe o quanto as pessoas podem mudar. É como apertar um interruptor. Houve algum comportamento ameaçador nas semanas anteriores?

Minha falta de resposta foi suficiente para ele.

— Mas o carro nem é meu — protestei. — Ele sabe disso. Quebrá-lo iria afetar outra pessoa, não eu.

— É da sua amiga Julie, você me disse. Mas você o está dirigindo. E ele não está pensando muito racionalmente agora. Como ele se sente em relação à sua amiga Julie? Teve algo a dizer sobre ela nos últimos tempos?

Suspirei, lembrando-me da mensagem de voz de alguns dias antes, e olhei para Adam, que estava claramente ouvindo neste momento. Ele fez um aceno com a cabeça para eu contar a Maguire.

— Merda.

Esfreguei o rosto, cansada.

— Então, não vou fazer uma denúncia. Vou pagar pelo dano eu mesma.

Levantei-me e andei pela sala.

— Ainda assim, eu gostaria de fazer uma visita a ele.

— Não!

Parei de andar.

— É sério, ele vai virar uma fera se souber que contei a você.

— Parece que ele já virou uma fera. Quero garantir que não faça isso de novo.

— Por favor, não entre em contato com ele.

Maguire suspirou, depois se levantou.

— O que veio primeiro? As ligações telefônicas nervosas? Elas foram tristes no começo? Depois agressivas? Depois ele quebrou seu carro.

— O carro da Julie.

— Não me importa merda nenhuma de quem é o carro. A próxima coisa na lista dele vai ser sentar-se com você para comer biscoitos e tomar leite.

— Mas o cara russo...

— Não é o cara russo. Você tem alguém em casa com você?

Não gostei da pergunta pessoal e não tinha certeza de como responder. Corei, envergonhada de dizer a ele que Adam estava ficando na minha casa. No final, não tive que falar nada; peguei o olhar trocado entre Adam e o detetive Maguire.

— Certo.

Maguire pareceu um pouco satisfeito de que eu estaria segura.

— Pense a respeito e me avise se quiser que eu faça uma visita a ele.

— Desculpe por ter desperdiçado o seu tempo — falei, mortificada, ao sair da sala.

— Já estou acostumado com isso, Rose — ele falou alto em direção ao corredor.

— Merda — falei, terminando a ligação no meu celular. — Era uma pessoa que quer ver o carro. Quão rápido podemos consertar um para-brisa?

Desenterrei a cabeça e, depois, baguncei os armários da cozinha à procura de uma lista telefônica.

— Rápido. Não se preocupe — Adam disse, sentando-se no balcão, balançando as pernas e me observando. — Conheço um cara que pode fazer isso; vou ligar para ele.

— Seria fantástico. Obrigada. Quanto vai custar?

Mordisquei as unhas e esperei a resposta dele.

— Não muito. Tenho certeza de que a sua amiga tem seguro, eu não me preocuparia com isso.

— Não tem a menor chance de eu contar para a Julie. Tenho que resolver isso sem ela saber. Quanto vai custar?

— Christine, relaxe. É um para-brisa, eles quebram o tempo todo. Uma pedra pode pular da estrada e quebrá-lo.

— Meu ex-marido o estilhaçou em um milhão de pedaços — falei. — Não é bem a mesma coisa.

— Demora o mesmo tempo para consertar, no entanto. Você acha que foi ele?

— Não sei. O detetive Maguire parece ter muita certeza, mas eu realmente não consigo ver o Barry fazendo isso.

Adam pensou a respeito por um momento, olhou para fora da janela como se quisesse garantir que eu estava segura. Eu gostava daquele lado protetor dele.

— Eu pago pelo vidro — ele disse, de repente.

— Sem chance, de forma alguma. Essa é uma ideia idiota, Adam — falei, brava. — Não é isso que quero, não estava tentando sugerir isso. Não aceito coisas de mão beijada — avisei com firmeza.

Ele revirou os olhos.

— Não é de mão beijada. Eu devo pelos seus serviços de qualquer forma.

— Adam, não estou cobrando por isso. Não estou fazendo isso por dinheiro. Estou tentando salvar sua vida. Você *viver* vai ser pagamento suficiente para mim.

Meus olhos encheram-se de lágrimas e tive que desviar o olhar. Comecei a procurar a lista nos armários onde já tinha olhado, esquecendo que ele dissera que ligaria para um amigo. Eu estava perdendo a cabeça.

— Mas você cancelou todas as suas consultas por duas semanas. Estou custando para você.

— Não penso dessa maneira.

— Eu sei. Porque você é gentil. Agora, deixe que eu seja gentil com você, porque acredito que você está passando por um momento especialmente péssimo e não vi ninguém vir ajudá-la nem uma vez. Não vejo ninguém tentando ajudar a senhorita-conserta-tudo — ele falou, observando-me.

Os comentários dele me pegaram de surpresa e, por um momento, esqueci o dinheiro. Minha família podia ser estranha, mas eu sabia que sempre estaria ao meu lado; Amelia estava distraída, o que era compreensível; Julie estava em Toronto, e os outros... Bem, pensei que eles estavam me respeitando e me dando espaço, mas, naquele instante, forçada a pensar no assunto, percebi que talvez tivessem tomado partido. Empurrei aquela ideia para fora da minha cabeça e voltei para os problemas de dinheiro. Em algum momento, eu teria que conversar com Barry sobre me devolver o dinheiro que eu colocara na nossa conta conjunta. Nós a tínhamos organizado como a conta de economia para o casamento e a lua de mel e a mantivemos aberta depois, como a conta com a qual pagávamos a hipoteca, sendo que eu pagava em quantias maiores de dinheiro para não gastá-lo. A mensagem que eu recebera de Barry naquela manhã fora de que ele havia pegado meu dinheiro, minha parte dos pagamentos da hipoteca e todo o valor extra que eu tinha depositado. Verifiquei a conta para ver se ele estava dizendo a verdade e o dinheiro tinha desaparecido. Não havia sido uma boa ideia ter um cartão para saques daquela conta. Ele retirara tudo.

— Então, de qualquer forma, isso pode fazer com que você se sinta melhor, preciso da sua ajuda com outro assunto — Adam disse, mudando o tom da conversa. — Preciso da sua ajuda para comprar um presente para a Maria.

— É claro — respondi, sentindo-me desconfortável e confusa quanto à maneira como minha tristeza aumentou ainda mais só ao pensar nela. — Que tal batom rosa?

Ele apertou os olhos, tentando descobrir se aquilo fora dito com a malícia que parecera ter.

— Não... — ele disse devagar. — Não era isso que eu tinha em mente. Veja bem, é aniversário dela...

— O quê?

Acordei daqueles pensamentos.

— Quando é o aniversário dela?

— Hoje. Por que você está tão brava?

— E você só está me dizendo isso agora? Adam, é uma ótima oportunidade de conquistá-la de volta. Poderíamos ter passado *dias* planejando isso.

— Estava tentando pensar em um presente sozinho, mas nada parece bom o bastante. Há os presentes usuais, joias, diamantes, viagens, mas já fizemos tudo isso. Não parece bem o *suficiente* desta vez. Além disso, não achei que você fosse me deixar vê-la de qualquer forma.

Ele estava certo, mas eu ainda estava irritada por ele não ter me dito antes.

— O que você deu para ela no ano passado?

— Nós fomos a Paris.

Ele olhou para mim e meu ressentimento por Maria cresceu em disparada.

— Mas eu não estava no clima. Não estava me sentindo tão bem.

— Por quê? O que aconteceu?

— Nada, na verdade. Foi mais ou menos na época em que a minha irmã se mudou. Eu estava com muitas coisas na cabeça. Maria achou que era porque eu estava planejando pedi-la em casamento. Obviamente, não aconteceu assim e... Bem, a viagem foi mais ou menos um desastre.

A irmã dele fora embora. Ele via a partida das pessoas como abandono, eu teria que ter cuidado quando nos despedíssemos. A perspectiva me deixou triste.

— Você está bem? — Adam perguntou.

— Sim, estou pensando.

Entrei no quarto e peguei o livro como inspiração. O capítulo seguinte inteiro falava dos benefícios de aprender a cozinhar. Joguei o livro longe, não muito feliz com a solução dele para o nosso dilema. Na verdade, eu não estava nada impressionada com as soluções dele até então. Cozinhar como terapia? Cozinhar como maneira de reconquistar Maria? A menos que Adam cozinhasse o jantar para ela... mas como isso poderia funcionar?

— Adam, você ainda tem a chave do seu apartamento? — interroguei.

— Sim, por quê?

Ele apareceu na porta do quarto. Sempre parava bem ali, nunca cruzava a entrada do meu espaço privado. Eu gostava disso nele, sempre respeitando limites invisíveis, respeitando meu espaço.

Eu estava pensando que ele talvez pudesse levar o jantar de aniversário de Maria escondido para o apartamento deles, mas, caso Sean estivesse lá, seria um desastre e faria Adam dar passos para trás depois de dias de trabalho duro da nossa parte.

— Eu adoraria saber onde ela vai estar no aniversário dela. Tem algum jeito de você descobrir isso? Falar com os amigos dela? A família? Sem que pareça importante, é claro.

— Os nossos aniversários são na mesma semana e, assim, *geralmente* comemoramos juntos — ele falou, incomodado.

Respirou fundo para acalmar a raiva.

— As amigas dela vão levá-la para Ely Brasserie em Grand Canal Dock.

— Como você sabe disso?

Ele pareceu constrangido.

— Apenas sei.

— Adam — alertei —, fui bem específica ao dizer para você não falar com ela.

— E eu não falei. Acabei ouvindo uma mensagem no correio de voz do Sean.

— Como você *acabou* fazendo isso?

— Porque o Sean é um idiota que nunca se lembra de mudar a senha do correio de voz. Estou ouvindo as mensagens dele desde segunda-feira.

Fiquei ofegante.

— Não sabia que tinha como fazer isso.

— Então é óbvio que você não mudou a sua senha.

Fiz uma anotação mental para cuidar daquilo imediatamente.

— Não importa, você ouve as minhas mensagens de qualquer maneira.

Pensei na mensagem que ele ouvira e apagara. Eu estava morrendo de curiosidade para saber o que Barry havia dito, mas não podia perguntar mais do que já perguntara a Adam e, de certa forma, eu não queria ouvir a resposta. Segui em frente.

— Então, o que as mensagens diziam?

— Ele está preocupado porque a Maria está um pouco distante estes dias, desde o domingo, quando descobri a respeito deles, mas ainda mais nos últimos dias. Eles deram um tempo, ou ela pediu um tempo, para pensar.

— Sobre você — sussurrei.

Adam encolheu os ombros, mas havia luz nos olhos dele.

— Isso, Adam!

Levantei as duas mãos.

Nós batemos as mãos e, depois, ele me puxou em um abraço.

— Obrigado — ele falou no meu ouvido, os dois braços envolvendo minha cintura com força.

A respiração dele fez meu corpo todo arrepiar.

— Sem problemas — falei, querendo continuar ali.

Forcei-me a afastar.

— Agora, ao trabalho.

— O que vamos fazer?

— Você pode ter dado Paris para ela no ano passado, mas, este ano, meu caro, você vai fazer um bolo de aniversário para ela.

Kitchen in the Castle era um curso de culinária único que funcionava em uma cozinha em Howth Castle, que datava de 1177. Sempre um lugar famoso para encontros e passeios de amigas, naquela noite de sexta-feira não seria diferente. A turma era na maior parte composta de casais, de todas as idades, com um que definitivamente estava no primeiro encontro. Havia também um grupo de três meninas de vinte e poucos anos que pareceram ter um ataque de risadinhas assim que Adam entrou.

— Christine! U-hu! — Ouvi uma mulher chamar meu nome.

Ela era gorda e arredondada, com um sorriso grande e bonito e um rosto de menina. Não fazia ideia de quem era aquela mulher.

— Sou eu! Elaine!

Eu a encarei até enfim registrar quem ela era. Na última vez em que a vira, ela estivera vestida de Drácula, lendo um livro para uma plateia de crianças aterrorizadas. Nos últimos dias, desde que a mãe de Amelia havia falecido, ela estivera ajudando na livraria.

— Estou aqui em um encontro — ela sussurrou para que seu acompanhante, ao seu lado, não ouvisse.

Não deu nem um pouco certo.

Estendi a mão para cumprimentá-lo e logo tive certeza de que o homem era gay.

— Eu o conheci na aula "Como se apaixonar".

— Na aula *o quê*?

— Você não ouviu falar? Minha nossa, todas as meninas estão indo... Muitos homens também. Que é o motivo de eu ir — ela ainda estava falando em voz baixa. — Foi assim que conheci o Marvin.

Ela deu uma risadinha e apontou orgulhosa para ele, depois riu de novo. Desta vez, ela soltou um ronco, seus olhos se abriram em choque e sua mão voou até seu nariz para evitar que aquilo acontecesse de novo. As meninas de vinte anos riram juntas com o que pareceu uma piada suja ou uma observação sugestiva, ou pelo menos imaginei que tivesse sido pela maneira como estavam observando Adam. Uma delas estava se aproximando dele. Ele sorriu para ela.

— E este é o Adam — falei alto, colocando uma mão no braço dele e puxando-o mais para perto de mim. — Adam, está é a Elaine. Ela estava me contando sobre a aula "Como se apaixonar" que ela frequenta.

— Ah, é fantástica! O curso é ministrado pela Irma Livingstone... Sabe, a mulher que escreve os... — a voz dela baixou de tom — livros de sexo. É no salão da igreja local...

— Muito adequado — Adam interrompeu.

— Sim — ela continuou, sem perceber o que ele tinha dito. — E a cada semana aprendemos dicas sobre como encontrar o seu par e se apaixonar e, depois, somos incentivados a agir de acordo com o que aprendemos com outros membros da classe.

— Então isto é lição de casa? — Adam questionou.

— Não, é um encontro — ela falou depressa, na defensiva.

Marvin parecia um pouco infeliz.

— Você também deveria ir.

Elaine me cutucou, mas pareceu não saber a própria força e me empurrou tão forte que voei contra Adam, que me equilibrou de novo.

— É, você também devia ir — Adam repetiu, olhando para mim com um sorriso divertido.

— Se eu for, então você vem comigo — falei, e o sorriso dele desapareceu.

— Fiquei sabendo o que aconteceu com o seu marido — Elaine comentou em voz baixa de novo.

Ela me olhou com pena.

— Conheci seu marido, *ex*-marido, quando eu estava indo trabalhar alguns dias atrás. Ele me disse o que aconteceu... E que ele estava devolvendo seu taco de golfe. Estou feliz por ele estar sendo tão amigável. Não foi assim comigo e o Eamon... É o meu ex-marido — ela disse, uma sombra caindo sobre sua disposição em geral alegre.

— Meu taco de golfe? — perguntei, confusa. — Mas eu não jogo golfe.

— Sim, você joga — Adam afirmou. — Ele o deixou no para-brisa do seu carro, lembra?

— Ele... Aaaaah. Certo, sim.

Então havia sido ele.

O instrutor de culinária deu boas-vindas à aula para todos nós e nos reunimos em volta de um balcão de trabalho principal, nosso nome num adesivo em nosso peito, para observar a demonstração. Os casais mais sérios fizeram anotações enquanto Adam e eu mal ouvimos e, depois, era nossa vez de começar a fazer os bolos. Adam cruzou os braços e olhou para mim. Ele estava me dizendo que estava lá porque tinha que estar, não porque queria. Peguei o pincel da manteiga e comecei a passá-la na fôrma.

— Então, o que você aprendeu hoje? — Adam perguntou a Elaine.

— Hoje foi sobre se apaixonar pelos motivos certos — ela respondeu, séria. — E como identificar quais são esses motivos.

— Uau. Quanto esse curso custa? — ele questionou, sarcástico.

Elaine não era idiota. Ela o olhou desconfiada, um pouco ofendida.

— Cento e cinquenta euros por dez semanas. Mas Irma recomenda dois cursos.

— Aposto que sim.

Adam fez que sim com a cabeça, sério.

— Christine, você tem certeza de que isso está certo?

— Acabei pagando tudo o que já possuí pelo amor, não há por que perguntar a minha opinião — falei enquanto tentava salpicar farinha por igual sobre a manteiga na fôrma.

— Não, quis dizer o bolo.

Ele sorriu para mim.

— Ah. Ela disse que a manteiga vai ali para o bolo não grudar, e a farinha é para o bolo não ficar gorduroso — informei, sentindo-me frustrada conforme a farinha grudava de forma desigual à fôrma e parecia uma bagunça pegajosa.

Eu não estava mesmo me divertindo. Não gostava de cozinhar, muito menos de cozinhar bolos, e, em vez de Adam experimentar outra "alegria" da vida, era eu quem estava fazendo isso. E era bastante chato.

— Certo, está na hora de você fazer a sua parte agora, faça a massa — falei, procurando um pano para limpar minhas mãos cheias de manteiga.

Adam estava me olhando com uma expressão divertida.

— O que foi? — reclamei com ele.

— Nada. Só estou observando você aproveitar a vida, só isso.

Ele voltou sua atenção para Elaine.

— Então, que tipo de coisa você aprendeu quando ela estava ensinando a se apaixonar pelos motivos certos?

Elaine deu as costas para seu acompanhante e fez um relatório da sua aula.

— Irma disse que pensamos em nos apaixonar como uma coisa mágica e misteriosa que acontece conosco e sobre a qual não temos controle, por isso falavam "cair" de amores. Mas se apaixonar acontece quando uma série de eventos ocorre com uma pessoa.

Ela tinha a atenção completa de Adam.

— E, como tudo na vida, se você quer que aconteça, tem que fazer acontecer. Não pode se sentar no seu sofá em casa e esperar que vá se apaixonar. Tem que ser um participante ativo no processo. Irma nos ensina os passos de como ser ativo na nossa busca por nos apaixonarmos.

— Como...

— Como definir o que você quer, ser você mesmo, expandir seu círculo social, ser realista quanto ao que dá errado, rir muito, ouvir, ser espirituoso, contar alguns segredos, fazer com que seja divertido. Ela nos ensina isso na aula e, depois, temos que fazer o trabalho prático, exercícios depois da aula.

— Que tipo de exercícios?

— Na semana passada, tivemos que ter um encontro e praticar a técnica de ouvir, em que você fala vinte por cento do tempo e ouve oitenta por cento.

— Ouvir agora é uma técnica? — Adam perguntou, achando graça.

— Você ficaria surpreso com a quantidade de pessoas que não faz isso — ela avisou. — Bem, fui a um encontro com alguém da sala e não deu muito certo. Nós dois estávamos tentando ouvir e ninguém estava falando nada.

Adam riu.

— Chef! Estamos concentrados? — a instrutora simpática o chamou.

Algumas cabeças se viraram e Adam tentou parecer ocupado.

— A próxima lição são *segredos* — Elaine sussurrou animada. — Vamos jogar "Eu nunca". E, depois, vamos fazer perguntas, tipo qual é seu momento mais vergonhoso, memória de infância favorita, maior medo, algum talento oculto, que coisas você faz quando está sozinho, como seria seu dia perfeito? Você sabe, esse tipo de coisa.

— Então essa será sua próxima aula? — Adam perguntou, olhando para o acompanhante de Elaine, que estava fazendo todo o trabalho até então, como eu estava fazendo por ele.

Ela fez que sim com a cabeça, entusiasmada.

Adam pareceu estar prestes a fazer um comentário sarcástico, mas se controlou.

— Boa sorte com isso, Elaine.

— Obrigada. Você também. — Ela sorriu.

Adam olhou para mim, com o rosto todo vermelho de lutar contra a massa, e sorriu.

— Ela vai descobrir um ou dois segredos do Marvin, com certeza — sussurrei.

Adam deu uma risada.

— Não achei que você estivesse ouvindo — ele falou.

— Vinte por cento ouvindo. Oitenta por cento tentando fazer a massa.

— Vou ajudar.

Ele pegou um ovo.

— Vê se não joga isso na parede — murmurei.

Adam sorriu e quebrou um ovo.

— Você é engraçadinha.

Depois, olhou para mim, pensativo por um instante.

— O que foi, estou com farinha no rosto?

— Não.

— Você tem que separá-los.

Empurrei a tigela até ele.

— Não sei como fazer isso. Você é separada, você consegue fazer.

— Rá, rá — falei, nada impressionada. — Você fica cada vez mais engraçado.

— É esta vida divertida que você está me fazendo ter.

Elaine nos observava, achando graça.

— Você faz três e eu faço três — eu disse, e ficou combinado.

Adam quebrou o ovo e resmungou ao sentir a clara nos dedos. Colocou a gema quebrada em uma tigela, clara e casca na outra. Ele foi ainda pior com o segundo, melhor com o terceiro. Tentei pescar as cascas da clara. Em vez de colocar o açúcar com a gema, ele o esvaziou nas claras. Quando reparei no que ele fizera, imediatamente comecei a tirar o açúcar com uma colher e colocá-lo na outra tigela, esperando que a instrutora não visse. Adam riu em silêncio. Acrescentei extrato de baunilha e de limão. Depois, comecei a bater as claras enquanto Adam sonhava acordado, sem dúvida pensando em sua preciosa Maria. Não pude evitar, mergulhei o queixo nas claras em neve, fazendo uma longa e fina barba, e virei-me para Adam. Imitei a voz do pai dele, baixa e rouca.

— Meu filho, você *tem* que assumir o controle da empresa. Você é um Basil, *dazzle*!

Ele olhou para mim surpreso e, depois, jogou a cabeça para trás e riu, como devia, mais alto do que eu já ouvira antes, um som tão alegre e livre. A instrutora parou de falar, a classe se virou para olhar para nós. Adam desculpou-se com todos, mas não conseguia se controlar muito bem.

— Com licença, eu já volto — Adam falou e caminhou pela cozinha silenciosa, rindo para si mesmo, sem conseguir parar, segurando a barriga como se estivesse doendo de rir.

Todos olharam para mim. A clara pingava do meu queixo e eu sorri para eles.

— Seu bolo está no forno, vai levar vinte minutos. Pegue — falei, juntando-me a Adam do lado de fora.

Entreguei a ele seu casaco e, então, mostrei uma taça de champanhe.

— Temos um intervalo de dez minutos e, depois, vamos fazer a cobertura.

Dei um gole no champanhe.

Adam me observou, os olhos brilhando e, depois, riu de novo, outro ataque que tomou conta dele. Era uma gargalhada contagiosa e, em pouco tempo, eu estava rindo também, embora estivesse rindo dele, que ria de... Eu não tinha certeza. Depois, ele parou, depois começou de novo por um tempo, depois parou.

— Eu não ria assim fazia muito tempo — ele disse, sua respiração flutuando pelo ar frio.

— E nem foi tão engraçado.

Ele caiu na gargalhada de novo.

— Foi sim — ele conseguiu dizer em um gritinho.

— Se eu soubesse que colocar clara de ovo no meu queixo iria consertar você, teria feito isso dias antes.

Sorri.

— Você. — Adam olhou para mim, o rosto vivo, os olhos brilhando. — Você é um tônico. Deveriam prescrever você para depressão em vez de comprimidos.

Eu me senti realmente lisonjeada com o elogio. Era a coisa mais gentil que ele já havia me dito e o mais perto que cheguei de sentir que eu não estava atrapalhando a vida dele. Em vez de dizer algo simpático, mudei para o modo de terapeuta.

— Você já tomou antidepressivos?

Ele levou um momento para pensar, voltando ao comportamento de cliente, de questionado.

— Uma vez. Fui a um clínico geral, contei como estava me sentindo e ele os prescreveu. Mas não me ajudou bem do jeito que eu queria. Parei de tomar depois de um ou dois meses.

— Porque eles não cuidaram da raiz do problema — ponderei.

Adam olhou para mim, e eu podia ver que estava irritado com meu comentário. Ele sabia que eu iria insistir para que ele fosse a um terapeuta de novo e, assim, eu me contive.

— E fazer bolo é a forma perfeita de chegar à raiz.

Sorri.

— É claro, porque você sabe exatamente o que está fazendo — ele comentou, gentil.

— É claro.

Ficamos em silêncio por um tempo e eu me perguntei se era o momento certo para admitir que eu sentia que não tinha nem de longe conhecimento suficiente para aquilo, ou se o fato de ele ter deixado aquilo implícito era reconhecimento o bastante. Como se sentisse o que estava por vir, Adam saiu do transe e quebrou o silêncio.

— Certo, vamos fazer a cobertura.

Antes de decorar nossos bolos, primeiro tínhamos que tirá-los do forno. O nosso foi o único da sala toda a fazer um buraco no meio. Quase como se fosse mágica, bem diante dos nossos olhos assim que atingiu o ar, o centro desmontou em um *puf* baixinho.

Com isso, caímos em tal histeria que quase fiz xixi na calça e recebemos o pedido educado, e rápido, para irmos embora.

15

Como colher o que você planta

A caminho do jantar de comemoração do aniversário de Maria no centro de Dublin, paramos em uma loja para decorar o bolo dela. Ainda estávamos achando graça, quase em um estado de embriaguez, rindo de cada coisinha engraçada que acontecia, nós dois famintos por emoções assim havia muito tempo. Adam carregava o pão de ló em formato de coração com o centro caído, molenga e sem assar e com um contorno queimado por fora.

— Este é o bolo mais feio que já vi! — Adam disse, rindo.

— Ele precisa de uma plástica, só isso — falei, rondando pelos corredores. — Arrá!

Peguei uma lata de chantilly em spray e chacoalhei-a.

— Ei! — o dono da loja gritou, bravo.

Adam sacou no mesmo instante um maço de notas e o dono da loja silenciou seus protestos.

Adam segurou o bolo enquanto eu apertava o spray. A primeira aplicação foi um desastre; eu não tinha sacudido a lata o bastante e o creme explodiu em um sopro de ar decepcionante, salpicando o bolo, o rosto e o cabelo de Adam.

— Eu diria que foram vinte por cento no bolo e oitenta por cento na minha cara.

Isso me fez cair na risada e levei uns bons minutos antes de conseguir firmar a mão o suficiente para tentar de novo. Tive mais sucesso na segunda tentativa e cobri o topo com o creme em spray. Quando terminei, Adam olhou o bolo pensativo. Depois, levou-o para as caixas de docinhos e pegou com a concha alguns dentinhos doces, depois, com uma mão não muito firme, espalhou-os sobre a superfície.

— O que você acha?

Ele mostrou ao dono da loja.

O hippie de cabelos longos não ficou impressionado.

— Está faltando alguma coisa — ele disse.

Eu ri. Estavam faltando muitas algumas coisas.

— Eu acrescentaria alguma coisa crocante — ele acabou dizendo.

— Crocante!

Adam levantou um dedo.

— Essa é uma ótima ideia.

Ele me guiou para abrir um pacote de Hula Hoops, que salpiquei por cima do bolo; depois, afastei-me para observar meu trabalho.

— Perfeito — Adam disse, estudando-o de vários ângulos.

— É o pior bolo que já vi na minha vida — declarei.

— Exato. É perfeito. Ela vai saber que fui eu quem fez.

Antes de sairmos, Adam enfiou uma vela em forma de bola de futebol no meio, com um alegre "ela odeia futebol", e voltamos para o carro com chofer.

Ficamos parados do lado de fora da Ely Brasserie e observamos Maria e as amigas pela janela com o máximo de discrição que conseguíamos sem que fôssemos vistos por elas ou que os funcionários nos pedissem para sair. Fazia um frio congelante do lado de fora, pequenos flocos de neve estavam começando a cair. Meus pés estavam dormentes, meus lábios mal podiam se mover, meu nariz já havia caído do meu rosto muito tempo antes, ou pelo menos parecia que sim.

— Hoje, estou me sentindo... com um frio do caramba — falei, e a declaração ganhou um sorriso de Adam, a nossa histeria anterior tendo diminuído para conservar calor. — Você conhece essas moças?

— perguntei, quase sem conseguir mexer os lábios para formar minhas palavras.

Adam fez que sim.

— São as amigas mais próximas dela.

Elas eram todas mulheres bonitas e cheias de estilo que faziam muitas cabeças virarem, mas não pareciam notar já que estavam concentradas umas nas outras, amontoadas em um canto do restaurante enquanto compartilhavam as novidades da vida, do amor e do universo. Eu não conseguia tirar os olhos de Maria. Mais uma vez, os lábios vermelhos que eram sua marca registrada e os cabelos médios, pretos e lisos e, desta vez, ela estava na moda com um moderno vestido de couro preto. Ela era perfeita. Conversava com cada uma das amigas, parecia divertida, interessante e compreensiva com quem quer que estivesse falando. A única vez em que tirei os olhos dela foi para observar Adam olhando-a, e estava claro que ela estava tendo o mesmo efeito sobre ele. Maria era hipnotizante, o tipo de mulher para quem a maioria dos olhares é atraída. E era simpática. Isso era o golpe mortal. Eu tinha mais ressentimento dela do que nunca, mas ela era a garota perfeita para um homem como Adam. Os dois formavam um casal impressionante, suas belezas iguais e, ainda assim, distintas, cada um deles peculiar e único. Adam não conseguia tirar os olhos dela, contudo parecia triste, como se perdê-la tivesse tirado a alma, tudo dele.

Recuei alguns passos e olhei ao redor, batendo os pés para me esquentar, qualquer coisa para afastar aquela sensação de ser uma impostora ou a vela. O que havia dado tão errado na minha vida que eu tinha recorrido a ficar do lado de fora de um restaurante e observar uma mulher bonita viver uma vida que eu estava invejando... E não apenas por causa do calor? Era ridículo e eu me sentia uma idiota, uma fracassada do nível mais alto. De repente, eu não queria mais ficar ali.

— Até que enfim! — Adam disse quando a mesa foi limpa para a sobremesa.

Eu tinha entregado o bolo ao restaurante. Não fora uma tarefa difícil explicar para os funcionários, enquanto tentava manter Adam fora de vista, que era uma surpresa para a aniversariante já sentada. A garçonete dera uma olhada no bolo e rira. Agora, observávamos enquanto quatro garçons começavam a procissão até a mesa de Maria. Adam cruzou a rua e se aproximou da janela para ver melhor. Maria levantou o olhar com surpresa e, depois, com alegria conforme os clientes ao redor também cantavam a música de parabéns. Reparei em algumas das amigas dela à mesa lançando olhares questionadores umas para as outras, tentando descobrir quem havia preparado a surpresa. E, depois, o bolo foi colocado diante de Maria e ela o olhou confusa, a grande bagunça no prato com chantilly; os dentinhos doces e Hula Hoops tinham ficado moles por causa do creme. Por um momento, Maria ficou com uma expressão neutra, como se mantivesse por educação um olhar de apreço para não ofender o confeiteiro desconhecido e, depois, fez um pedido e soprou a vela. Ela olhou para as meninas para ver quem preparara tal coisa. Houve mais encolher de ombros e risadas e, depois, ela questionou os garçons para garantir que tinham ido à mesa certa. Adam os observou, ansioso, e esperei que Maria fosse entender que era dele, para eu não ter que impedi-lo de entrar correndo no restaurante para explicar.

— Olhe, Maria, olhe para os dentes e os Hula Hoops — ele a incitou, em voz baixa, para que apenas eu ouvisse.

— Eles têm um significado? — perguntei, surpresa.

Pensei que Adam havia esvaziado os pacotes aleatoriamente sobre o bolo, não tinha percebido que havia um motivo para o que ele escolhera.

Os olhos dele nunca saíram da janela, mas ele me ouvira e estava respondendo em um tom distraído que me fez sentir que eu estava atrapalhando, que ele preferia não ter se incomodado em responder à minha pergunta.

— Em um dos primeiros dias em que saímos juntos, ela foi me ver jogar futebol. Ela estava na lateral e a bola bateu no rosto dela, lascou o dente da frente. Comprei dentinhos doces para ela usar no caminho para casa e chupei os Hula Hoops até ficarem macios, porque o dente dela estava dolorido para morder.

Aparentemente revivendo a história que Adam estava contando, Maria levantou o olhar do bolo, a compreensão aparecendo em seu rosto, e começou a rir. Depois, acalmou-se para contar às outras meninas. Embora não conseguisse ouvir, Adam riu com ela. A essa altura, eu já havia perdido todo o meu senso de humor. Queria ir para casa.

Depois, Maria parou de rir e fez algo notável. Começou a chorar. No mesmo instante, as seis moças se juntaram em volta dela e ela ficou perdida em uma comoção de abraços e palavras reconfortantes.

Olhei para Adam. Os olhos dele ficaram marejados também.

Virei-me para ir embora. Naquele momento, eu honestamente não me importava se ele ficasse. Nem achei que ele fosse notar.

— Ei, senhorita-conserta-tudo — Adam falou com voz suave, fazendo-me parar.

Ergueu suas duas mãos enluvadas. Eu bati nelas e os dedos dele começaram a prender os meus. Ele baixou o olhar para mim e eu engoli em seco, meu coração flutuando por eu estar presa ao olhar dele.

— Você é genial, sabia? — ele disse baixinho.

— Bem — desviei o olhar —, ainda não a ganhamos.

Adam olhou de volta para o restaurante. Maria estava enxugando os olhos com um guardanapo, ela olhou de novo para o bolo e fez que não com a cabeça, rindo.

Ainda não. Mas quase conseguimos.

Senti um tipo estranho de alívio, mas ele foi manchado de tristeza. Não tive tempo para pensar nos meus sentimentos porque Maria havia colocado o casaco e estava saindo do restaurante.

— Merda, ela o viu? — perguntei, soltando meus dedos dos dele.

— Não pode ter visto — ele respondeu, um leve pânico na voz.

Nós nos afastamos depressa, indo o mais longe possível do restaurante. Quando estávamos a uma distância segura, virei-me e vi que Maria estava do lado de fora do restaurante.

— Ela está fumando — falei, aliviada.

— Ela não fuma.

Nós a observamos. O telefone dela iluminou-se em sua mão. O telefone de Adam começou a tocar. Ele logo o silenciou, mas olhou para a tela desejoso.

— Não atenda.

— Por que não?

— A ausência faz o coração sentir mais afeto. Você precisa que ela realmente sinta sua falta e o queira. Além disso, você ainda está bravo, posso sentir. Vai dizer algo errado e afastá-la.

— Tipo o Barry?

Virei para o outro lado.

— Você quis que ele tentasse reconquistá-la? — Adam perguntou depois de um tempo.

Abri um sorriso triste. Não tínhamos falado muito sobre Barry, não a sério.

— Ele nem tentou. Eu não teria voltado, mas teria sido bom se tivesse tentado. Ele nunca quis nada com força. Nem a mim. Sei que parece ridículo, já que fui eu quem o deixou.

— Talvez ele esteja tentando. As mensagens de voz. As ligações...

— Hoje de manhã ele disse a uma amiga em comum com quem passamos a virada de ano que eu detesto ir às festas dela porque odeio a comida que ela faz, e odeio ouvir os filhos insuportáveis dela cantando, já que eles claramente não têm talento, e mal posso esperar para fazer a contagem regressiva do ano-novo e poder ir embora da casa dela. Ela me mandou uma mensagem de texto, ainda muito chateada e brava. Estou desconvidada das festas dela pelos próximos anos.

— Certo, então ele não está tentando reconquistá-la.

— Não. Ele está amargo. Muito perturbado no momento. Não acho que ele esteja pensando em uma reconciliação.

— Diga a sua amiga que não é verdade.

Olhei para ele.

— Ah, é verdade. Então você faz xixi no banho? — ele provocou.

Eu estava agradecendo à escuridão por esconder meu rosto escarlate.

— Bem, talvez nem *tudo* seja verdade.

— É verdade!

Adam deu uma risadinha para si mesmo.

— Eu estava com uma picada de mosquito, uma muito ruim. Ele me flagrou tentando... Bem, você sabe.

— Você mijou na sua mordida de mosquito?

Ele começou a gargalhar.

— Xiu.

Dei um soco no braço dele.

— De qualquer forma, não funcionou — acrescentei, e nós dois rimos.

O telefone dele sinalizou uma mensagem de voz.

— Essa foi longa — falei. — Deixe-me ouvir.

— Adam, sou eu.

A voz de Maria estava suave, gentil, estava claro como ela se sentia, eu não precisava ouvir mais nada, mas escutei mesmo assim.

— Recebi o seu bolo — ela riu. — É o bolo mais horrível, nojento e atencioso que já ganhei. Nunca vou me esquecer daquele dia. Foi o dia em que nos beijamos pela primeira vez, com aqueles dentes na nossa boca — ela riu. — Obrigada. Você é louco.

Ela riu de novo.

— Senti falta desse lado seu, mas... Sinto que você voltou. Sinto muito por tê-lo machucado. Eu me senti tão... Perdida, eu estava preocupada. Não sabia o que fazer. O Sean, ele estava... Por perto e se preocupava e... Ele se preocupa muito com você também, sabe? Não o odeie. De qualquer forma, obrigada. Estou ligando para agradecer. Preciso vê-lo, ligue para mim... Tudo bem?

Adam estava sorrindo de orelha a orelha.

Ele me levantou e me girou no ar, e eu ri tão alto na rua fria, escura e vazia que o som correu na direção de Maria do lado de fora do restaurante. Mas não precisávamos ter nos preocupado; tudo o que ela teria visto seria um casal no escuro, divertindo-se juntos, escondidos nas sombras, possivelmente apaixonados.

16

Como organizar e simplificar sua vida

Quando voltamos ao apartamento, com sacolas de comida para viagem nas mãos, vimos as luzes ainda acesas na livraria de Amelia. Eram dez da noite.

— Isso é bizarro — falei. — Tome, vá na frente.

Entreguei para Adam as chaves do apartamento.

— Fique longe de vidro e eletricidade. Vou ver se ela está bem.

Ele revirou os olhos.

— Vou com você.

Amelia abriu a porta assim que andamos em direção a ela, como se tivesse ficado lá esperando por nós. Seus olhos estavam arregalados e ansiosos. Olhei ao redor. Uma mesa fora montada com vinho, queijo e bolachas, havia cinco garrafas de vinho vazias na mesa. As estantes tinham sido afastadas do centro da loja e, no lugar delas, estavam cadeiras, quatro fileiras de quatro, com um punhado de pessoas sentadas diante de um palanque onde uma mulher lia um livro em voz alta. Seu cabelo era de um cinza bonito, longo, fluido e vibrante, e ela estava usando um vestido preto justo com um decote amplo que revelava um colo firme e com bastante óleo.

Elaine virou-se e acenou para nós animada antes de voltar depressa a olhar a oradora.

— Quem é essa? — sussurrei.

— Irma Livingstone — Amelia respondeu, revirando os olhos. — Amaldiçoo o dia em que disse sim para Elaine. Irma é a professora dela do curso "Como se apaixonar" e Elaine achou que seria uma ideia maravilhosa trazê-la aqui e pedir a ela que lesse seu livro. Ela está lendo há uma hora.

Amelia me entregou o livro. *Como ser dona de sua própria zona erógena*.

— Por quê? Quem é dono da minha agora? — perguntei, olhando-o sem ficar impressionada, antes de Adam puxá-lo da minha mão.

Um homem idoso na primeira fila havia caído no sono e estava roncando alto, uma jovem mulher com cara de estudiosa estava fazendo anotações extensas e um homem parecia estar tentando esconder uma ereção bem grande, sem o conhecimento de Elaine, que estava fazendo contato visual com ele na esperança de conseguir um encontro.

Irma notou a presença de Adam.

— Eu ia terminar por aqui, mas vejo que temos companhia. Em seguida, vou ler o capítulo quatro, o prazer de dar prazer a si mesma com seu parceiro. Devo avisá-los, é uma partezinha bastante erótica... Se me perdoam a piada.

Ela sorriu para Adam.

— Ótimo.

Adam deu um sorriso largo para mim.

— Adoro partezinhas eróticas. Vocês, meninas, vão conversar. Tchauzinho.

Não pude deixar de rir quando a voz melosa de Irma começou a ler devagar e sensualmente sua partezinha erótica.

Quando estávamos no silêncio da casa de Amelia, acima da loja, pudemos conversar.

— Como você está?

— Estou bem.

Amelia sentou-se, parecia cansada.

— É silencioso sem ela. Solitário.

— Sinto muito por não ter estado ao seu lado.

— Você esteve. Além disso, você está ocupada demais com Simon, Adam e Barry. E Adam — acrescentou com um sorriso.

— Pare.

Fiz que não com a cabeça, sem conseguir falar sobre aquilo.

— O Barry me mandou uma mensagem de texto gentil sobre a mamãe.

— Bem, é bom saber disso, pelo menos uma vez.

— Como estão indo as coisas com o Adam?

— Boas. Bem. Ele está chegando lá, sabe? Logo ficará bem sozinho. Ele não vai mais precisar de mim, então... É ótimo.

Ouvi o tremor na minha voz e quão falsa e ridícula soou.

— Claro.

Amelia sorriu.

— Você é muito boa em ajudá-lo.

— É, bem, ele está passando por um momento ruim.

— Ahã.

Amelia estava mordendo o lábio para parar de sorrir.

— Pare.

Eu a empurrei delicadamente.

— Estou tentando falar sério.

— Eu sei, estou vendo.

Amelia riu. Depois, seu sorriso logo deu espaço para sobrancelhas franzidas.

— O que foi?

— Estive mexendo nas coisas dela.

Ela se levantou e pegou papéis de uma gaveta da cozinha.

— E encontrei isto.

Amelia me entregou um monte de papéis. Havia muito a absorver, então olhei para ela.

— Diga, o que estou vendo aqui...?

— Uma unidade de depósito. No nome da mamãe. Ela nunca me disse nada a respeito, o que é estranho, porque eu cuidava de todos os assuntos dela. Era pago por débito automático em uma conta que não reconheço.

Ela me mostrou o número. Não estava esperando reconhecê-lo, mas reconheci. Era a conta para onde meu aluguel ia a cada mês. Da empresa do papai. Amelia não viu minha reação e, assim, engoli em seco, esperando para ver onde aquilo iria chegar.

— Eu não saberia de nada se não tivesse encontrado este envelope com uma chave e detalhes sobre a unidade de depósito. É de dez anos atrás. Olhe o endereço no envelope.

O endereço era da Rose e Filhas Advogados.

— Você sabe alguma coisa a respeito?

— Não — respondi. — Definitivamente não.

A expressão de Amelia me disse que ela não acreditava em mim.

— Certo. Não até dois segundos atrás, quando vi o número da conta. Amelia, juro que eles nunca mencionaram nada para mim. Estão cuidando do testamento da sua mãe, não estão?

Ela fez que sim com a cabeça.

— Há alguma menção ao conteúdo da unidade de depósito nele?

— Não sei, não fui ver seu pai ainda para saber. Mas... Achei mesmo que sabia o que havia no testamento da mamãe. Nós conversamos sobre ele.

— Vamos perguntar ao meu pai.

Peguei meu telefone.

— Simples, vamos resolver isso agora mesmo.

— Não.

Amelia tirou o telefone da minha mão.

— Não. Nada de soluções rápidas agora mesmo.

Ao ver minha expressão ofendida, ela explicou:

— E se o seu pai me disser que não posso ir lá?

— Ele não vai dizer isso. Por que diria? As propriedades dela são suas agora.

— E se não for para eu saber a respeito disso? Assim que perguntarmos a ele, estarei selando meu destino. Quero descobrir o que está lá por conta própria.

Observei os olhos dela ficarem apreensivos e ela se perder em milhares de pensamentos.

— Por que ela se daria a todo esse trabalho para eu não ver o que há lá?

* * * *

No dia seguinte, Amelia, Adam e eu percorremos o corredor da Store Age, um estabelecimento de depósitos pessoais situado em um grande centro comercial de Dublin. As portas das unidades eram de um rosa luminoso, assim como o logo, para ser visível para o tráfego na rodovia próxima dali. Foi o suficiente para me dar uma dor de cabeça, em especial depois da noite em claro gasta tentando planejar o futuro de Adam, mas lembrei a mim mesma de que estava lá para apoiar minha amiga. Na verdade, eu estava grata pela distração oferecida pelas viradas inesperadas que a vida de Amelia estava dando. O humor de Adam havia afundado de novo uma vez que seus pensamentos voltaram para um futuro servindo a empresa da família, e a minha ideia daquela manhã — presenteá-lo com um diário de gratidão no qual ele tem que escrever todo dia, listando cinco coisas de que gostou para, no fim da semana, ter trinta e cinco coisas — afundou como uma pedra em um poço. Tínhamos recorrido ao plano de contenção de crise e Adam havia optado por esvaziar minha geladeira em vez de reconhecer as coisas de que gostava na sua vida. Era bem significativo. Estava claro que, se eu não conseguisse resolver a questão da Basil Confectionery, o sucesso com Maria seria em vão.

Enquanto pensava sobre aquilo, tentei manter o clima leve para Amelia.

— Talvez a sua mãe fosse uma agente secreta e dentro da unidade de depósito está uma coleção de identidades secretas, perucas e passaportes, maletas com compartimentos secretos — refleti, continuando o jogo que tínhamos começado no passeio de carro até lá.

Olhei para Adam, para passar a vez para ele.

— Seu pai tinha uma grande coleção de pornô da qual ele não queria que você soubesse.

Amelia se retraiu.

— Seus pais gostavam de sadomasoquismo e esta é a alcova secreta deles — falei.

— Boa — Adam me elogiou.

— Obrigada.

— Seus pais desviaram milhões e guardaram aqui — Adam falou.

— Bem que eu queria — Amelia murmurou.

— Sua mãe roubou o Shergar — eu disse, e Adam caiu na gargalhada.

Amelia parou de repente em frente a uma porta de um rosa luminoso e batemos contra as costas dela. Amelia se recompôs, olhou para mim e, depois, colocou a chave na porta, virou-a devagar e empurrou a porta, inclinando-se o mais longe possível do depósito caso algo pulasse nela. Fomos recebidos pela escuridão com cheiro de mofo.

Adam tateou a parede e acendeu a luz.

— Uau.

Entramos e olhamos em volta.

— Sua mãe era Imelda Marcos — falei.

Cada parede do depósito de três por três metros estava forrada de prateleiras cheias de caixas de sapatos identificadas com um ano, começando do canto inferior esquerdo com 1954 e terminando na parede oposta com uma caixa datada de dez anos antes.

— Este foi o ano em que eles se casaram — Amelia disse, indo até uma caixa e abrindo-a.

Dentro, havia uma fotografia dos pais dela no dia do casamento, ao lado de uma flor seca do buquê da noiva. Havia um convite de casamento, o livro de orações da cerimônia, fotos da lua de mel deles, uma passagem de trem, uma passagem de barco, pedaço de um ingresso de cinema do primeiro encontro deles, um recibo do restaurante, um cadarço de tênis, um jogo de palavras cruzadas completo do *Irish Times*; tudo arquivado com capricho. Esqueça a caixa de memória, era uma sala de memória.

— Meu Deus, eles guardaram tudo!

Amelia passou os dedos com delicadeza pela fileira de caixas de tênis, parando no último ano.

— O ano em que o papai morreu. Ele deve ter feito tudo isto.

Ela engoliu com dificuldade, sorrindo ao pensar nele cuidando daquela coleção, depois franzindo as sobrancelhas, ferida pelo fato de terem escondido dela.

Amelia pegou outra caixa aleatória e procurou dentro e, depois, tirou outra e outra. Uma a uma, ela vasculhou cada caixa, exclamando de alegria ao encontrar item após item representando uma memória na vida deles, e uma memória na dela. Velhos boletins de escola dela, a fita de cabelo que ela usou no primeiro dia de aula, seu primeiro dente, um cacho do seu cabelo da primeira visita ao cabeleireiro, uma carta que ela havia escrito para o pai quando tinha oito anos pedindo desculpas depois de eles terem brigado. Comecei a me perguntar se deveríamos deixá-la sozinha no depósito, certa de que ela iria querer passar horas intermináveis debruçando-se sobre cada caixa, revivendo cada ano da vida de casados dos pais e da vida dela. Porém, ela precisava de alguém com quem compartilhar as lembranças, e Adam foi paciente o bastante para ficar ao meu lado, para podermos fazer isso por ela. Até ele parecia emocionado pelo que via, e esperei que fosse ser uma boa forma de terapia, para ele, testemunhar aquele amor preso em uma sala.

Ela levantou uma foto dos pais nas montanhas australianas.

— Esse era o chalé de férias do meu tio — Amelia contou, sorrindo enquanto analisava a foto, passando os dedos pelo rosto deles. — Eles costumavam ir lá todo ano antes de eu nascer. Eu vi as fotos e implorei para me levarem, mas mamãe não podia ir.

— Ela esteve doente desde que você era criança? — Adam perguntou.

— Não no começo. Ela teve o primeiro derrame quando eu tinha doze anos, mas, antes disso, ela tinha muito medo. Ficava nervosa com viagens depois de eu nascer. Acho que é coisa de mãe...

Ela nos olhou buscando confirmação, mas nenhum de nós podia responder, já que crescemos sem mãe.

— Eu não fazia ideia de que eles tinham guardado todas essas coisas.

— Eu me pergunto por que esconderam de você — Adam falou, mais para si mesmo do que para Amelia, muito envolvida em passar os olhos pelas prateleiras para registrar o que ele estava dizendo.

Era o assunto que todos estavam evitando e Adam havia apontado para ele e o destacado. Ele percebeu isso assim que disse e logo tentou apagar o rastro.

— Que incrível eles terem guardado tudo isso.

Era tarde demais. Amelia estava com uma expressão estranha no rosto. Adam a havia lembrado de que aquele depósito era um segredo que os pais não tinham desejado compartilhar com ela. Por quê?

— Amelia? — chamei, preocupada. — Você está bem? O que foi?

Como se saísse de um transe, Amelia pulou para a ação e começou a explorar as prateleiras como se soubesse o que estava procurando e não tivesse um segundo a perder. Ela correu os dedos pelas datas nas caixas.

— O que você está procurando? — questionei. — Podemos ajudar?

— O ano em que eu nasci — ela respondeu, ficando nas pontas dos pés para ler as datas nas prateleiras superiores.

— Setenta e oito — falei para Adam.

Com 1,82m, ele podia alcançar com mais facilidade do que nós.

— Achei — ele falou, pegando uma caixa empoeirada.

Ele estava descendo a caixa para a altura de Amelia quando ela estendeu a mão e, por acidente, deu um soco no objeto e o mandou voando pelo depósito. A tampa abriu e o conteúdo derramou-se pelo ar e se espalhou por todo o chão. Ajoelhamos para recuperar o máximo de pedaços possível. Adam e eu batemos as cabeças.

— Ai! — Eu ri, e Adam estendeu a mão para esfregar minha cabeça.

— Desculpe. — Ele se retraiu, sentindo minha dor.

Ele olhou para mim com aqueles grandes olhos azuis e frios e eu derreti. Ficaria feliz em permanecer naquela pequena sala de amor com ele para sempre. A ideia me animou, deu-me um brilho; era gostoso ter uma paixonite de novo. Fazia tanto tempo e, depois de Barry, eu havia começado a ficar com medo de que nunca me sentiria assim com ninguém outra vez, mas ali estava, vivo dentro de mim, essa bola de nervos, ansiedade e animação sempre que ele olhava para mim. Porém, tão rápido quanto aquilo aconteceu, a realidade da minha situação me atingiu e deslizei para o canto de novo.

— Você está bem? — ele perguntou, gentil.

Fiz que sim com a cabeça.

— Que bom — Adam disse com um pequeno sorriso, e senti que estava zunindo da cabeça aos pés, simplesmente zunindo.

Fiquei paranoica e percebi que Amelia, que estava em pé ao meu lado, havia ficado muito quieta. Como supus que ela estivesse testemunhando o nosso momento, levantei o olhar e vi lágrimas escorrendo pelo seu rosto enquanto ela lia um pedaço de papel que tinha nas mãos. Levantei depressa.

— Amelia, o que foi?

— Minha mãe... — Ela me entregou o bilhete escrito à mão — Não era minha mãe.

Minha querida bebê Amelia,

Sinto muito por não poder cuidar de você como eu deveria. Quando você for mais velha, espero que entenda que esta decisão foi tomada puramente com amor e nada mais. Acredito que você está em braços seguros e amorosos com Magda e Len. Sempre pensarei em você.

Com amor para sempre,
Sua mamãe.

De volta à cozinha de Amelia, eu estava lendo o bilhete em voz alta para ela e Elaine. Amelia estava andando de um lado para o outro, tendo passado do choque para a tristeza, e, naquele momento, para uma raiva energética e desconfortável, que fez Elaine e eu ficarmos cuidadosas com o que dizer. Elaine estava passando os dedos pelos itens da caixa de sapatos: sapatinhos de bebê, um cardigã, um chapéu, um vestido, um chocalho, entre outras coisas.

— Estas coisas foram todas feitas à mão — ela disse, interrompendo a reclamação de Amelia.

— E daí? — Amelia perguntou, brava. — Isso não é nem de longe a questão aqui.

— Bem, isto é renda de Kenmare.

— Quem se importa com o tipo de renda que é? — Amelia resmungou de novo.

— É só que ela não é feita por muitas pessoas, nem mesmo hoje e, então, nos anos 1970 existia apenas um lugar que a teria feito.

Amelia parou de andar e olhou para Elaine, a compreensão aparecendo em seu rosto.

— Calma, calma — eu tinha que parar com aquela bobagem. — Não vamos entrar nessa. Tenho certeza de que isso poderia ter sido feito por qualquer pessoa no mundo, Elaine. Não devemos dar esperanças para Amelia de encontrar seus pais.

— Encontrar meus pais? — Amelia sussurrou, pasma.

Era como se a ideia não tivesse passado pela cabeça dela ainda. Amelia estivera tão envolvida em imaginar por que os pais adotivos tinham guardado o segredo dela e como eles podiam ter mentido para a filha por tanto tempo que não tinha ainda parado para pensar na possibilidade de encontrar seus pais de verdade.

— Só estou dizendo que é renda de Kenmare, feita com amor e carinho. Eu sei, porque comecei uma aula de confecção de renda para conhecer homens. Cada itenzinho desta caixa aponta para Kenmare. A renda é de Kenmare e as malhas são do Quills, que fica em Kenmare.

— Não tem como você ter reconhecido o tricô como sendo do Quills — falei, com pressa para desfiar aquele ridículo fio de pensamento.

— A etiqueta está nele — Elaine disse, mostrando para mim.

Ela levantou o olhar para Amelia.

— Amelia, acho que sua mãe biológica está em Kenmare.

— Caramba.

Esfreguei o rosto, cansada. Seria uma longa noite.

Adam havia voltado para o meu apartamento com instruções severas de completar o quebra-cabeça de mil e quinhentas peças que eu comprara para ele. Ele não ficara impressionado nem motivado com o quebra-cabeça de pintura a óleo de um mar agitado que eu estivera montando com ele por uma hora todo dia e, assim, comprei um de uma "gatinha" sem blusa na praia pela internet, que chegara naquela manhã. Supus que ele não começaria pela borda naquele quebra-cabeça.

Voltei de madrugada, exausta por ter andado em círculos com Amelia. Se Elaine não tivesse estado lá, teria sido mais fácil fazê-la ser sensata, mas, apesar do meu esforço, quando saí da casa dela, tarde da noite, Amelia estava decidida a ir até Kenmare.

— Como ela está? — Adam perguntou, curvado sobre a mesa de centro com uma peça na mão.

Sua testa estava franzida, seus lábios em um bico. Ele estava concentrado. Era adorável e me fez sorrir.

— O que foi?

Ele levantou o olhar e me pegou observando-o.

— Nada. Você acabou de responder à minha pergunta se você é fã de bumbum ou de seios.

— Fã de seios até o fim.

Adam tinha completado com sucesso um seio. Como eu previra, nenhuma peça do contorno fora montada.

— Este quebra-cabeça é muito melhor que o último, obrigado.

— Minha intenção é agradar.

Eu me ajoelhei e me uni a ele em sua missão.

Senti que ele me observava. Adam me analisou por um tempo e, como não olhei nos seus olhos, ele continuou:

— Agora estou procurando o mamilo direito.

Examinamos a mesa de vidro, nossas cabeças unidas.

— Aqui.

Entreguei uma peça para ele.

— Isso não é um mamilo.

— É sim... É um pedaço do mamilo e um pedaço da axila dela e um pedaço do mar. Olhe na caixa: o mamilo dela está arrepiado e está prestes a empurrar aquele surfista no fundo para fora da prancha. Viu, é a prancha aqui.

Apontei para a peça.

— Ah, é — Adam riu. — Sabe, do jeito que você fala, você me excita como a Irma.

— Irma — bufei. — Não acredito que ela pediu o número do seu telefone.

— E eu não acredito que dei o seu.

— Você o quê?

Eu o empurrei. Ele me empurrou de volta. Era um flerte infantil e deliciosamente divertido ao mesmo tempo.

— Então, o que a Amelia vai fazer?

— Ela está um pouco confusa. É um choque enorme, óbvio. Embora eu não ficasse surpresa se descobrisse que sou adotada. Talvez até ficasse um pouco contente.

— Falou e disse — ele concordou.

— Esta é do fio dental dela.

Entreguei para ele uma peça.

Ficamos sentados em um silêncio confortável.

— Amelia não pareceu tão chocada assim, considerando-se a situação — Adam falou de repente. — Você reparou no jeito como ela correu para achar o ano em que nasceu? Ela estava enlouquecida.

— Ela disse que não fazia ideia — protestei, embora, no fundo, eu concordasse com a impressão de Adam.

— E digo que ela sabia. Às vezes, você pode saber uma coisa mesmo sem saber — Adam afirmou, olhando para mim.

E ali estava de novo. Aquela frase. Eu estava olhando para ele, surpresa.

— O que foi?

— Nada.

Engoli em seco.

— É só...

Mudei de assunto.

— A Elaine está tentando convencer a Amelia de que ela precisa ir para Kenmare encontrar os pais biológicos.

— A Elaine precisa de um médico para a cabeça.

Fiquei em silêncio.

Ele levantou o olhar para mim.

— Você sabe que é uma ideia ridícula, não sabe?

— Sei. Mas a Amelia quer fazer isso.

— É claro que ela quer. No espaço de uma semana, o mundo todo dela foi virado de cabeça para baixo. Ela não está pensando direito. Concordaria em ir para a lua se alguém sugerisse.

O que ele disse me fez perceber algo. Não quanto a Amelia, mas a ele. O mundo dele quase tinha acabado na noite de domingo, ele não estava pensando direito; faria qualquer coisa para acertar a situação. Acabei sendo aquela qualquer coisa. Engoli em seco com dificuldade, sabendo que aquela experiência era para ele, não para mim. Precisava me libertar da situação, precisava parar de ter *sentimentos* por ele. Precisava tirá-lo de Dublin, da minha vida e precisava começar a consertar a vida dele, fazer os preparativos para ele ficar confortável o bastante, então eu o acomodaria e diria boa-noite e adeus.

— Nunca vi a Amelia querer ir para qualquer lugar em todo o tempo em que somos amigas. Ela não viajava de fim de semana e, se viajasse, era sob protesto. Ela nunca podia ir a lugar nenhum, nunca saiu do país. Ela querer fazer essa viagem é algo significativo mesmo, independentemente de ela encontrar os pais biológicos ou não. Eu disse que a levaria até um detetive particular amanhã para ver se ele pode ajudar.

Suspirei. Teria que deixar Amelia de lado.

— Adam, precisamos ir a Tipperary. Precisamos consertar as coisas lá. Fizemos o que podíamos com a Maria por enquanto; é hora de sairmos de Dublin por alguns dias. Vou trazê-lo de volta a tempo para o seu aniversário, tudo pronto para anunciar que você não vai assumir a Basil's. Vai recuperar a sua Maria, recuperar seu trabalho na guarda costeira, a Basil's vai ser resgatada e vou deixá-lo em paz para sempre.

Dei um sorriso tenso.

Adam não pareceu muito feliz com aquilo.

— Não faça essa cara tão triste. Temos mais uma coisa para fazer amanhã antes de deixarmos a Maria por alguns dias.

Peguei a caixa ao lado da porta; outra entrega daquela manhã. A insônia era boa para algumas coisas. Compras on-line.

— O que tem nessa caixa?

Adam olhou-a desconfiado.

— Maria disse que quer vê-lo. Bem, amanhã, ela vai. Muito.

Abri a caixa e revelei o conteúdo.

— Tcharãn!

Seu belo rosto se iluminou quando Adam olhou para mim, impressionado.

— Christine, eu queria que o mundo fosse cheio de pessoas como você, sabia? — Ele riu.

Então preencha seu mundo comigo!, gritei para ele na minha cabeça.

17

Como se destacar na multidão

Na manhã seguinte, o quebra-cabeça tinha sido abandonado. Ansioso com o projeto seguinte, Adam estava parado no centro de Dublin usando um gorro de lã branco e vermelho com um pompom vermelho, uma peruca preta saindo de debaixo do gorro, óculos pretos redondos, um agasalho listrado vermelho e branco, seus jeans azuis e uma bengala. Uma olhada para ele equipado como *Onde Está Wally?* e eu tinha começado a rir e não conseguira parar. Mesmo vestido de Wally, Adam era lindo.

Maria estava subindo a escada da Marks and Spenser's quando viu, bem ao lado dela, mas descendo, um homem que se parecia muito com Adam vestido de Wally. Ele não olhou na direção dela nem uma vez, sua cabeça estava erguida e seus olhos miravam bem à frente. A expressão em seu rosto não mudou, levando-a a questionar se era uma atuação direcionada a ela ou apenas uma coincidência. Mas foi quando ela estava colocando brócolis na sua cesta e Wally passou por Maria empurrando um carrinho vazio, desaparecendo ao virar um canto assim que ela tentou segui-lo pelo corredor, que ela começou a suspeitar que poderia ser para ela. Quando ela estava sentada no quarto andar da loja de departamentos Brown Thomas fazendo as unhas e o mesmo homem passou, serpenteando por entre as araras de roupas e, por fim, desaparecendo, ela teve certeza de que era ele. Vê-lo pelo canto do olho quando estava comprando flores na rua Grafton confirmou as suspeitas e, quando Maria estava comprando café na Butler's e ele passou pela janela antes de se abaixar e sumir de vista, ela estava rindo alto. Ao cruzar a ponte no Stephen's Green, ela estava correndo os olhos pelo parque para vê-lo. Um vislumbre de vermelho chamou sua atenção e ela o encontrou no caminho sob a ponte. Maria o observou entrar em um lado e correu para o outro lado da ponte para pegá-lo ao sair. Daquele momento em diante, sempre que aparecia algo vermelho, ela se via parando e olhando, expectativa borbulhando em seu estômago de que ele apareceria de novo.

— Adam! — Maria chamou da ponte, porém ele não olhou para ela.

Ele a ignorou, permaneceu no personagem e continuou seu jovial passeio de Wally, pateta e bobão com seu jeito de caminhar engraçado, balançando a bengala alegremente, sua mochila grande demais nas costas.

Maria rugia de tantas risadas. Os passantes a olhavam de uma maneira estranha, mas ela não se importava. Se ela conseguisse estender sua visão para enxergar além das árvores atrás das quais ele desaparecera, teria parado de rir. Teria visto o casal que estivera na rua escura perto do restaurante na noite anterior de novo caindo na gargalhada quando Adam sentiu que era seguro abandonar a personificação de Wally. Em todos os lugares onde ela via aquele homem, não via a mulher atrás dele, com ele, ao lado dele, incentivando-o, dando-lhe apoio. Se tivesse visto, poderia ter se perguntado para quem a demonstração era na verdade.

— Vamos, seu homem louco.

Tirei o chapéu de Wally de Adam e joguei na cara dele.

— Vamos sair daqui, estou com fome.

— Com fome? — Adam perguntou, fingindo surpresa. — Não acredito, estamos curados.

Nós nos sentamos juntos, eu comendo salada, mas um pouco mais elaborada que o normal, com nozes, e ele com seu prato quente de frango. Em pouco tempo, nós dois havíamos limpado os pratos.

Soltei um arroto baixinho e Adam riu.

— Olhe até onde chegamos — ele disse.

Ele me deu um olhar que fez meu estômago dar um pulo. Depois, saber como aquilo iria acabar me fez perder o apetite todo de novo. Por sorte, fui distraída por uma ligação de Oscar, que precisava conversar comigo enquanto estava sentado no ônibus. Lembrando-me do meu papel no momento exato, voltei aos negócios.

— Hoje estou me sentindo...

Olhei para ele esperando o restante.

— Hoje estou me sentindo... Cheio?

— Não é um teste, sabe? Você não tem como errar a resposta.

Adam pensou a respeito.

— Hoje, estou me sentindo... Feliz. Recuperado. Não, não recuperado, renovado. Como se eu fosse eu, mas em uma versão melhor.

Ele me olhou intensamente.

— Isso faz sentido?

Não pude evitar, tive que desviar o olhar ou meus olhos revelariam muito para ele. Em vez de encará-lo, eu me concentrei nas embalagens de sal e pimenta que estava empurrando pela mesa sem propósito.

— Que bom. Imagino que seja porque você acredita que recuperou a Maria?

Adam pareceu confuso com a pergunta.

— O que estou perguntando é se você está pronto para seguir em frente e fazer o restante do trabalho?

Ele inspirou.

— Não deu muito certo no hospital.

Eu não tinha resposta para aquilo. Comecei a cutucar minha salada de novo.

— Por que você teve uma reunião com o seu primo Nigel? Ele alegou que vocês falaram de uma fusão.

— Eu queria vê-lo. Não colocava os olhos nele desde que tínhamos doze anos... Você acredita nisso? A hostilidade entre a Bartholomew e a Basil era toda entre os nossos pais até onde me importa. O testamento do meu avô diz especificamente que, se eu não assumir a empresa, ela fica para o Nigel. Eu queria saber quais eram as intenções dele, o que ele faria pela empresa.

— Você queria uma trégua.

— Nem passou pela minha cabeça que precisávamos de uma trégua. Como eu disse, até onde eu sabia, a briga era entre os nossos pais, não entre nós. Estava procurando uma saída, Christine. Queria que ele dissesse que iria administrar a empresa do jeito exato que ela tem que ser administrada. Em vez disso, ele começou a falar de uma fusão, como se fôssemos fazer o acordo bem ali, naquele momento.

— E você disse que não?

— Eu ouvi. Digo, seria tão ruim se Bartholomew e Basil se unissem? Era o nome do meu avô, então seria adequado, e deixaríamos a hostilidade para trás, começaríamos do zero. Unir as empresas ajudaria as duas marcas. Se não houvesse uma briga, meu pai concordaria no mesmo instante. Mas o Nigel é tão amargo em relação à empresa da família quanto meu tio Liam. Ele quer unir as duas empresas e, depois, vender. Ele disse que, dessa forma, nós dois podemos sair dos negócios e passar o resto da vida deitados em uma praia qualquer.

Adam parecia que queria socar uma parede, a agressividade estava crescendo de novo. Coloquei uma mão no braço dele por um momento.

— Mas vender parece que resolveria um problema para você.

— Não quero gerenciar a empresa, mas também não há chance de eu ser responsável por acabar com ela. Muitas pessoas estão contando comigo. Gostaria de ver a Basil ir parar nas mãos certas, para continuar sendo uma empresa ativa. Devo pelo menos isso ao meu pai e ao meu avô.

Adam passou os dedos pelo cabelo, exausto com toda a situação.

— Acha que sua irmã venderia a empresa?

— Lavinia aguentaria dez anos para se qualificar para a herança e, depois, venderia para a oferta mais alta, de quem quer que fosse. Só que, para fazer isso, ela teria que vir para casa, onde seria presa... Por mim, se não por outra pessoa, pelo que ela fez.

— Adam — falei com delicadeza. — Se você tivesse pulado, se você *pular*, como a empresa ficaria?

— Se eu pulasse, Christine, eu não teria mais que me preocupar com essa confusão infeliz, essa é a maldita questão.

Adam jogou dinheiro na mesa, levantou-se e deixou o restaurante.

Sentei-me em frente a meu pai à mesa dele. Ele estava me encarando sem expressão.

— Repita isso — ele pediu.

— Qual parte?

— A coisa toda.

— Pai, estou falando faz dez minutos! — Dei um gritinho.

— E essa é precisamente a questão. Você ficou falando por muito tempo, muito entediante, minha mente viajou. E pode explicar por que você tem ovos esmagados por todo o seu jardim desde terça-feira?

Respirei fundo, fechei os olhos e pincei o dorso do nariz para me acalmar.

— Faz parte da terapia dele.

— Mas você não é terapeuta.

— Eu sei disso.

Senti-me na defensiva.

— Então, por que ele não vai ver um terapeuta?

— Eu pedi a ele, mas ele não vai.

Papai ficou em silêncio, deixando todas as brincadeiras de lado pela primeira vez.

— Você assumiu muita coisa aqui, Christine.

— Sei disso. Mas, com todo o respeito, não vim aqui para levar um sermão sobre o que escolho fazer ou não com alguém que precisa de ajuda. Agora, podemos voltar ao assunto, por favor?

— Sim, estou me perguntando qual é o assunto.

— Pai, pare de brincar com ela — Brenda avisou do fundo do escritório.

Virei-me e vi que minhas duas irmãs tinham entrado sem serem notadas.

— Nada é privado nesta família?

— É claro que não — Adrienne disse, entrando na sala para se sentar à mesa conosco.

Brenda logo veio também.

— Christine, minha querida ovelhinha — papai começou a dizer, estendendo as mãos para segurar as minhas. — Você sabe que, quando eu deixar a empresa, e o universo, não espero que você de repente fique no controle. Digo, da empresa, não do universo.

Ele olhou nos meus olhos, analisando-me.

— Estou preocupado com você. Você sempre foi a que pensa, enquanto suas irmãs e eu fazemos, mas, nestas últimas semanas, você ficou presa em um monte de ação e não muita reflexão.

Suspirei.

— Você não entendeu. Não estou falando de mim. Sei que não tenho que assumir a empresa.

— Ela está falando sobre o cara do suicídio — disse Brenda, ocupada devorando um pacote de salgadinhos.

— O nome dele é Adam — falei brava. — Tenha um pouco de respeito.

— Uhuuu — os três disseram em uníssono.

— Vocês já se beijaram? — papai perguntou.

— Não.

Franzi as sobrancelhas.

— Eu o ajudei a voltar com a namorada. E, em seguida, vou resolver a situação com o emprego dele. Preciso de ajuda, o que vocês acham? Podem me ajudar? Não entendo as questões legais.

Todos eles encolheram os ombros.

— Vocês são inúteis! — falei, levantando-me. — Conheço pessoas que procuram a família em busca de conselho e ela realmente ajuda.

— Isso acontece nos filmes de Hollywood — papai disse, dispensando o assunto. — Você precisa falar com um advogado sobre esse problema.

— Você é advogado.

— Não, um diferente.

— Um que se importe?

Adrienne levantou uma sobrancelha olhando para ele.

— Eu me importo — ele riu. — Mas você precisa de um que não esteja ocupado.

Papai levantou-se da mesa e levou um documento para o armário de arquivos imaculadamente organizado. Voltou com alguns papéis.

— Então, ele tem o que é chamado de licença por força maior. A Lei de Licença Parental, de 1998, conforme a alteração pela Lei de Licença Parental, emenda de 2006, dá a um funcionário um direito limitado a dispensa do trabalho se ele tem uma crise familiar. Ela se origina quando, por motivos familiares urgentes, a presença imediata do funcionário é indispensável devido a um ferimento ou a uma doença de um familiar próximo. A quantidade máxima de licença é de três dias em um período de doze meses ou cinco dias em um período de vinte e seis meses, e você tem direito a receber seu pagamento.

Meu coração doeu. Adam já havia tirado dois meses de licença. Ele não tinha condição legal para conseguir o emprego de volta.

— Se houver uma discordância entre seu amigo e o patrão dele sobre a licença de força maior, a questão pode ser apresentada usando o formulário de reclamação que incluí nesta pasta aqui.

Ele colocou a pasta de documentos na mesa à minha frente.

— Não diga que eu nunca lhe dei nada. Com relação ao testamento do avô, não posso oferecer nenhum conselho legal a você porque não o vi. Consiga uma cópia e farei o melhor que posso para ajudá-lo a achar uma maneira de escapar. Se for a coisa certa.

— O que você quer dizer com "se for a coisa certa"? É claro que é a coisa certa — falei, confusa.

— O que ela precisa encontrar é um terapeuta — papai disse às outras.

— Ela sempre pode conversar conosco — Brenda afirmou. — Lembre-se disso, Christine.

— Não para mim... Ele está falando de um terapeuta para o Adam.

— Que tal ir ver o terapeuta bonitinho que era seu cliente? O viciado em sexo... Leo qualquer-coisa — Adrienne sugeriu.

— Leo Arnold, e ele não é viciado em sexo — respondi, um sorriso se formando nos meus lábios com a tentativa de Adrienne de me alegrar.

— Que pena.

— Ele estava tentando parar de fumar e, assim, eu lhe dei uns conselhos, só isso. E ele foi um cliente que coloquei em um emprego, por isso, ir vê-lo para uma consulta não seria profissional.

— E morar com um cliente por uma semana é profissional? — papai perguntou.

— Isso é diferente.

Admitir que Adam não era tecnicamente meu cliente seria mexer em outro vespeiro.

— Não seria falta de profissionalismo se você mandasse o Adam ver esse cara — papai disse.

— Adam não quer ver um terapeuta — repeti frustrada.

— Ele não se ajuda e, por isso, está fazendo com que você faça tudo por ele. Bem, vou dizer uma coisa, você pode dar a ele toda a ajuda do mundo, mas, a menos que ele aprenda a cuidar de si mesmo, vai ser inútil.

Todos nós ficamos em silêncio. Era um argumento surpreendentemente válido vindo do meu pai.

— Mudando de assunto, o Barry acha que você está dormindo com o Leo e que foi por isso que o deixou. Ele me ligou ontem à noite para contar — disse Adrienne.

Eu me enfureci.

— Ele também disse que você falou que o motivo de a Brenda não perder nada do peso da gravidez é porque não é peso da gravidez, é peso de vaca gulosa — Adrienne continuou, olhando Brenda enquanto ela chupava o sal dos salgadinhos dos dedos.

— Eu nunca disse isso — protestei.

— Não, mas eu não a culparia se dissesse.

— Ela tem razão — papai acrescentou, olhando para Brenda.

Brenda levantou o dedo para nós três e continuou comendo.

— Você já comprou um vestido para a festa? O que vai usar? — Adrienne perguntou.

— Estou mais concentrada em manter o aniversariante vivo — respondi, distraída com a notícia de que Barry estava obcecado por Leo Arnold.

Estava tentando adivinhar como ele teve a impressão — correta — de que eu tinha atração pelo cara. Nunca falei dos meus clientes com ele.

— Não tem por que ele estar vivo se você estiver horrorosa — Brenda declarou, e os três riram.

— Brenda comprou um par de sapatos novos lindos — papai contou. — São peep toes pretos com perolazinhas muito bonitas.

Papai tinha uma queda por sapatos femininos. Ele costumava adorar nos levar às compras quando estávamos crescendo, e era conhecido por nos surpreender com sapatos para ocasiões especiais. Ele também tinha bom gosto. De certa forma, era um gay extravagante preso no corpo de um homem heterossexual; ele amava as mulheres, amava a forma como elas pensam, passava todos os seus dias de trabalho com elas, tinha passado toda a vida dividindo uma casa em que as mulheres estavam em maior número, incluindo suas tias, e, assim, tinha muito respeito por elas. Ele gostava do comportamento e das tendências delas, das suas nuances, sua necessidade de chocolate no momento do mês que ele conhecia de cor — um pré-requisito para criar sozinho três meninas adolescentes —, e se esforçava ao máximo para entender os hormônios sempre em mudança e a necessidade de discutir e analisar sentimentos e acontecimentos.

— O que faz com que vocês pensem que vão para a festa? — perguntei, surpresa por eles todos estarem se preparando.

— Ele nos convidou quando esteve aqui, não se lembra? — papai disse. — Você não acha que vamos perder uma festança assim.

— Não é nem de perto a festa do ano. Ele só tem trinta e cinco anos.

— Não, mas é a noite em que vão anunciar que ele vai assumir a Basil's no lugar do pai, o que é muito importante, considerando que

Dick Basil está no comando há mais de quarenta anos. O pai o deixou na administração quando ele tinha apenas vinte e um anos. Imagine toda essa responsabilidade tão novo! Você sabia que a Basil's exporta seus produtos para quarenta países, um total de cento e dez milhões de euros no comércio irlandês, e mais de duzentos e cinquenta milhões de euros em chocolates produzidos na Irlanda são exportados todo ano? É melhor acreditar que é algo importante. Eles usam ingredientes locais, o que é mais importante agora do que nunca. Tenho certeza de que o Taoiseach estará lá. Ele e Dick Basil são bons amigos. Se ele não estiver na cidade, é quase certeza que o ministro do Comércio e Assuntos Exteriores esteja lá, e possivelmente o ministro de Emprego, Empreendedorismo e Inovação. — Papai bateu as mãos. — Vai ter muita bagunça nessa noite e vou ficar ansioso por ela.

Engoli seco.

— Onde você ficou sabendo de tudo isso?

— *The Times*. Caderno de negócios. — Papai o levantou e mostrou para mim e, depois, jogou de volta na mesa. — Seu garoto vai receber uma dinastia.

— Ele não a quer — falei em voz baixa, um pânico por Adam crescendo em meu estômago. — Por isso estou cuidando dele. Se ele tiver que assumir a empresa, vai se matar. E fará isso nessa noite.

Todos eles olharam para mim em silêncio.

— Bem, então, você tem seis dias para trabalhar nisso — papai disse, abrindo um sorriso de apoio para mim. — Minha querida bebê, vou lhe dar o melhor conselho que acredito que já lhe dei na sua curta vida.

Eu me preparei.

— Sugiro que você encontre aquele viciado em sexo.

Deixei Adam no escritório do meu pai com seu laptop, e papai com instruções rígidas de não fazer comentários inadequados, e parti para a sala de espera de Leo Arnold, o cliente com quem eu fantasiara na maioria das noites até abandonar Barry. Nunca, nem por um momento, quis que aquelas fantasias virassem realidade, eram apenas isso, fantasias, algo para manter minha mente ocupada quando a realidade parecia escura demais. Eu tinha certeza de que ele nem era o meu tipo; não havia nenhuma atração verdadeira entre nós, eu criara um Leo Arnold completamente diferente na minha cabeça, um que marcava consultas para sessões de terapia tarde da noite e, incapaz de se controlar por mais um instante, aparecia no meu escritório quando eu estava sozinha, às vezes até quando havia um cliente esperando do lado de fora. Senti meu rosto corar ao pensar em quão ridículo tudo aquilo era agora que estava sentada na sala de espera dele, agora que era a vida real.

— Christine.

Leo apareceu de repente à porta. Sua secretária tinha, é claro, lhe dito que eu estava esperando, mas ele mesmo assim não conseguiu esconder sua surpresa.

— Leo, desculpe por não ter marcado um horário — falei, minha voz baixa para eu não irritar as outras pessoas da sala de espera.

— Sem problemas — ele disse em um tom agradável, guiando-me para o seu consultório. — Tenho alguns minutos entre as consultas. Desculpe por não ser por mais tempo, mas soube que você disse que era urgente.

Sentei-me em frente à mesa dele, tentando não olhar muito em volta, embora, depois de imaginar o consultório dele e as coisas que tínhamos feito ali tantas vezes na minha cabeça, era difícil não querer saber qual era a realidade. Dei uma olhada no gabinete de arquivo e pensei em algemas. Meu rosto começou a esquentar e eu sabia que estava ficando cor de vinho.

— Imagino que se trate do seu marido.

Ele limpou a garganta:

— Barry.

Levantei o olhar para ele, surpresa.

— Na verdade, não.

— Você está aqui para uma consulta? — Leo perguntou, surpreso.

— Por quê? Você pensou que eu estava aqui para quê?

— Bem, pensei que pudesse ter relação com a, ahn, ligação que recebi.

— De quem?

— Do Barry. Não é o seu marido? Ele disse que era o seu marido. Talvez eu tenha cometido um erro.

— Ah! — falei, entendendo, meu rosto ficando ainda mais carmim. — Ele ligou para você? — sussurrei, com medo de dizer as palavras em voz alta.

A ideia era demais para eu suportar. Como Barry havia conseguido o número dele? Lembrei-me do computador que eu deixara no apartamento. Ele devia ter colocado as mãos na minha lista de contatos. Não havia fim para o meu constrangimento.

Foi a vez de Leo ficar corado.

— Ahn... Sim, pensei que você soubesse. Eu não teria falado nada a respeito se tivesse percebido que você não sabia... Sinto muito.

— O que ele disse?

Minha voz era um pouco mais que um sussurro.

— Ele achava que, ahn, nós, que você e eu estávamos, ahn... Bem, acho que a forma mais educada de dizer seria que ele acreditava que estávamos tendo um caso.

Fiquei ofegante.

— Minha nossa... Leo... Sinto muito... Não sei que diabos ele... — Esforcei-me para encontrar as palavras.

— Bem, isso foi mais educado do que a maneira como ele disse, de qualquer forma.

— Eu sinto muito — falei com firmeza, encontrando minha voz, tentando continuar sendo profissional. — Não faço ideia de como ou por que ele teria chegado a essa conclusão. Ele está passando por um certo... Digo, nós estamos passando por um certo...

Pesadelo, finalizei, para mim mesma.

— Ele disse algo sobre encontrar um coração em volta do meu nome — Leo continuou, seu rosto tão escarlate quanto o meu.

— Ele disse o quê?

Meus olhos se arregalaram de repente.

— Que diabos... Não faço ideia...

Pensei no bloco de notas que eu deixava ao lado do computador, aquele no qual eu rabiscava quando estava trabalhando, pensei nos corações de amor que sempre desenhava, às vezes estrelas, às vezes espirais e, então, lembrei-me da vez, o único momento ridículo e infantil em que eu tinha colocado o nome de Leo no meu coração gordinho e achado engraçado, como se eu fosse uma estudante de novo, como se pudesse escolher de quem gostar, como se fosse uma situação despreocupada e divertida em vez de uma traição. Presa, presa. Eu havia me sentido presa e um nome em um coração gordinho me libertara por um momento e, agora, ele voltara para me assombrar. Eu me encolhi, senti-me um pouco enjoada, queria muitíssimo sair do consultório.

— Ele contou para a minha esposa, na verdade — Leo falou, com um pouco mais de firmeza agora, seu rosto não mais vermelho, sua raiva aparecendo um pouco mais. — Eu soube disso por ela. Ela está grávida. Seis meses. Um momento muito inoportuno para ela ouvir esse tipo de coisa.

— Ele o quê? Ó meu Deus, ah, minha nossa. Leo, mais uma vez, eu sinto muito, eu...

Fiquei fazendo que não com a cabeça, olhando ao redor, querendo que o chão me engolisse inteira.

— Espero que ela entenda que não é verdade. Digo, eu poderia ligar para ela para explicar, se você achar que isso iria...

— Não. Não acho que isso ajudaria — ele falou, curto, interrompendo-me.

— Certo.

Fiz que sim com a cabeça.

— Eu entendo, acredite, entendo completamente.

Olhei em volta. Queria ir embora, mas estava paralisada.

— Por que você veio me ver, se não foi por isso?

— Ah, deixa pra lá.

Levantei-me, cobri meu rosto com as mãos; eu estava mortificada.

— Christine, por favor, parecia importante. E este encontro, você disse que era urgente.

Eu queria mesmo ir embora. Não havia nada que quisesse mais que sair daquele consultório, nunca ver o rosto dele de novo, encontrar uma maneira de apagar da memória toda a lembrança da conversa que acontecera, mas não conseguia. Eu devia a Adam ajudá-lo da melhor maneira que podia, e isso significava engolir meu orgulho, meu tudo, e pedir ajuda.

Quando abandonei a resistência, senti uma liberdade repentina.

— Não é para mim, na verdade. Estou aqui em nome de um amigo.

— É claro — Leo disse, sem parecer que acreditava em mim.

— Não, é sério, é sobre um amigo, mas esse amigo se recusa a ver um terapeuta, então estou aqui em nome dele.

— É claro — ele disse no exato mesmo tom, o que foi incrivelmente frustrante.

Se eu tivesse dito a ele que era a respeito do meu macaco de estimação, era provável que ele tivesse respondido do mesmo jeito.

Então, contei a ele a minha história com Adam, no pouco tempo que tínhamos, resumindo a tentativa de Adam de acabar com a vida dele, minha promessa de ajudá-lo, nossa jornada juntos e os passos que eu tinha dado na tentativa de ajudá-lo a aproveitar a vida.

— Christine.

Leo sentou-se ereto na sua grande cadeira de couro, parecendo preocupado.

— Isso é muito perturbador.

— Eu sei. Agora você entende por que estou aqui.

— É claro que a situação do seu amigo é uma preocupação, mas principalmente o que você tem feito com ele, do ponto de vista de um terapeuta, é incrivelmente prejudicial a ele.

Congelei.

— Desculpe?

— Por onde eu começo?

Leo balançou a cabeça, como se quisesse limpá-la.

— Onde você aprendeu essas "dicas" de como aproveitar a vida?

— Em um livro — falei, meu coração martelando.

Um brilho de raiva apareceu nos olhos dele e, depois, Leo disse, severo:

— Essa psicologia pop é uma ameaça. Christine, você tirou o poder dele.

Ao ver meu olhar confuso, continuou:

— Você não sabe mais que ele. Você não pode ajudá-lo tirando a integridade dele. Ao tentar "consertar" a vida dele, você o está deixando sem poder, porque intrinsecamente nada terá mudado, você apenas o fez ser dependente de você. Sua busca por esses métodos de solução rápida que você lê em livros...

— Tenho tentado *ajudá-lo* — falei, brava.

— De fato, eu entendo isso — Leo falou, gentil. — E, como amigo, entendo o que você tentou fazer. Porém, como terapeuta, algo que você não é, tenho que dizer que você não tratou disso do jeito certo.

— Então, eu devia tê-lo empurrado da ponte? — falei, nervosa, levantando-me.

— É claro que não. O que estou dizendo é que você deve dar o poder a ele. Você deve deixá-lo ter a própria vida nas mãos.

— Ele tentou *tirar* a própria vida!

— Você está chateada. Entendo que você estava tentando fazer a coisa certa, e que este é um momento especialmente estressante para *você*...

— Não se trata de *mim*, Leo. Trata-se do Adam. Tudo o que quero saber é como posso melhorá-lo. Só me diga como consertá-lo!

Houve um longo silêncio enquanto Leo olhava para mim e, depois, ele sorriu gentilmente e disse:

— Você ouviu o que disse, Christine?

Eu ouvi e estava tremendo.

— Você não pode consertá-lo. Ele precisa ajudar a si mesmo. Sugiro que você se limite a estar perto dele, ouvi-lo, apoiá-lo. Mas, o que quer que você faça, pare de tentar *consertá-lo* antes que vá longe demais.

Olhei para ele com tristeza.

— Espero que isso a ajude. Sinto muito por não termos tido mais tempo hoje, mas, se seu amigo quiser marcar uma consulta comigo, estou mais que disposto a atendê-lo. E, se você sentir que seria útil você conversar com alguém, ficarei feliz em indicar outro terapeuta daqui que estimo muito.

Ao perceber minha confusão, Leo acrescentou:

— Minha esposa acharia que eu ser seu terapeuta seria... inadequado.

— É claro — sussurrei, encolhendo-me ainda mais. — Muito obrigada pelo seu tempo. E, mais uma vez, sinto muito.

— Um comentário pessoal, se me permite... — ele acrescentou, olhando-me e pedindo permissão para falar com franqueza.

Fiz que sim com a cabeça.

— Você é maravilhosa no que faz. Recomendei sua agência de recrutamento para muitos clientes por aqui que caíram em momentos difíceis. Penso que eles achariam seu jeito de fazer as coisas esclarecedor, animador. Você se preocupa com o emprego no qual coloca as pessoas. E você foi além do necessário ao tentar me ajudar com meu hábito de fumar. Tenho uma pilha de livros que ainda preciso ler — Leo disse, sorrindo.

Eu conseguia sentir o cheiro de cigarro no paletó dele, mas, mesmo assim, gostei da gratidão.

— Você é uma solucionadora, Christine, mas, se realmente quiser ajudar alguém, ser uma amiga para alguém, às vezes precisa ouvir e deixar que a pessoa faça o trabalho sozinha. Esteja ao lado dela. Isso é tudo.

18

Como deixar absolutamente tudo bem de novo

Eu deveria ter aprendido com a minha sessão com Leo: pare de se intrometer. Na verdade, a mensagem fora passada em alto e bom som, contudo eu havia marcado aquela reunião para resolver o problema de Amelia antes de me encontrar com Leo. Subi a escada acima da mercearia afro-caribenha na rua Camden até o escritório do meu primo e detetive particular, Bobby O'Brien. Ele tinha trinta e dois anos e nascera em County Donegal; depois de entrar para a polícia e ser mandado a um elegante subúrbio de Dublin sem ação suficiente, ele decidira sair. Seguindo meu conselho — depois de passar várias vezes pela Rose Recruitment por ter sido demitido ou ter abandonado empregos para os quais eu o mandara —, ele optara por se estabelecer como lobo solitário e investigar assuntos interessantes por conta própria.

Como eu não podia ir com Amelia em uma caçada sem propósito para encontrar seus pais, esperava que Bobby a guiasse para a direção certa. O plano era que eu os apresentasse e, depois, fosse embora; colocaria o poder na mão de Amelia, não o tiraria dela. Dar aos outros o poder sobre sua vida, dar aos outros o poder sobre sua vida. Meu novo mantra.

Confrontada com a porta do escritório de Bobby, Amelia congelou no topo da escada.

— Não posso fazer isso.

— Não tem problema nenhum — falei, virando-me e começando a descer a escada. — Ninguém vai pensar mal de você.

— Ei — Amelia disse. — Você não vai tentar me fazer mudar de ideia?

— Não. Não quero forçá-la a fazer nada que você não queira, Amelia — anunciei, esperando que Adam recebesse a mensagem também. — É um momento difícil para você e eu entendo isso. A vida é sua e você tem o total controle dela. Você deveria tomar as próprias decisões, não quero influenciá-la de nenhuma maneira nem *projetar* meus problemas em você, porque achar que posso consertá-la *não vai* me consertar.

Tanto Adam quanto Amelia estreitaram os olhos para mim, desconfiados.

— O que aconteceu com ela? — Amelia perguntou a Adam.

— Acho que ela bateu a cabeça — ele respondeu, sem expressão. — Vamos — Adam disse, incentivando Amelia a ir até a porta do escritório. — Estamos aqui agora, vamos fazer isso.

— Mas só se *ela* quiser — insisti.

Adam revirou os olhos. Amelia me encarou, os olhos arregalados.

— Você quer encontrar seus pais biológicos, não quer? — Adam perguntou.

Amelia fez que sim com a cabeça.

— Então tente isto — ele sugeriu, assumindo o controle da situação já que eu basicamente os abandonara. — E, se isto não funcionar, tente outro caminho. Mantenha suas opções abertas. Esteja preparada para... Você sabe...

Ele olhou ao redor do hall sujo, as pichações nas paredes, e tentou não inspirar o fedor horrível de peixe, umidade e esgoto que invadia o velho prédio.

— ... Qualquer coisa.

Ele bateu na porta de Bobby.

— Quem está aí? — Bobby indagou, uma certa urgência na voz.

— É a Christine — falei alto.

— Christine?

A surpresa era mais que evidente.

— Nós marcamos um horário?

— Ahn, não. Eu esperava que você pudesse ajudar. Estou com alguns amigos.

Apesar do progresso de Adam, sua mente volátil e seu estado frágil me deixaram com medo de deixá-lo sozinho. Naquela manhã mesmo, um carro havia me cortado, na pista errada, para sair de uma rotatória e, assim que paramos ao lado dele no semáforo, Adam pulara do carro e gritara com a mulher aterrorizada atrás do volante, que tinha três crianças no banco de trás. Adam havia ignorado minhas súplicas para voltar ao carro e, assim, foi necessário que o semáforo ficasse verde e a mulher acelerasse para fugir, quase chorando, para que ele voltasse para dentro, e ficou quieto, estalando os dedos continuamente. Depois, levou uma hora até que ele falasse comigo. Ele tinha agido como se sair comigo naquele dia fosse uma punição, mas não era, eu apenas estava com medo, sempre com medo de deixá-lo sozinho caso alguma outra coisa o fizesse passar do limite.

— Que amigos? — Bobby perguntou.

Lá estava de novo, o leve medo, a desconfiança, como se ele estivesse fazendo algo errado, ou tivesse feito e não quisesse ser pego.

— Olhe, se é por causa do seu marido, sinto muito por ter falado com ele daquele jeito, certo? Nós nunca nos demos bem... Isso não é surpresa... Mas ele exagerou muito me ligando daquele jeito.

Fechei os olhos e contei até três com aquela revelação.

— Você pode, por favor, abrir a porta? — pedi, impaciente.

Ouvimos o som de fechaduras e ferrolhos sendo destrancados e, depois, a porta se abriu bem pouquinho, alguns centímetros, a corrente visível. Um olho azul nos espiou. Olhou para a direita e para a esquerda, analisou Adam e Amelia e, em seguida, o corredor atrás de nós. Aparentemente satisfeito, fechou a porta, soltou a corrente e abriu a porta para nos fazer entrar.

— Desculpe por isso — ele disse. — Faz parte do trabalho, sabe? Tenho que ter cuidado.

Ele fechou a porta atrás de nós, deslizou as trancas e virou a chave na fechadura.

— Bobby O'Brien — ele sorriu, charmoso, e estendeu a mão primeiro para Adam e, depois, para Amelia.

— Você já conhece a Amelia — falei. — Somos amigas da escola. Ela vai a todos os eventos da família.

— É mesmo?

Ele a examinou.

— Tenho certeza de que me lembraria de uma mulher bonita como você.

As bochechas de Amelia ficaram cor-de-rosa.

Revirei os olhos com os esforços dele de flertar com ela.

— Você roubou o sorvete dela no meu aniversário de oito anos e o jogou por cima do muro do vizinho.

Ele pensou a respeito.

— Era você?

Amelia riu.

— Fico diferente quando não estou choramingando que odeio os meninos.

— Não mudou tanto assim — Adam murmurou apenas para eu ouvir, e virei um olhar feio para ele.

— Como você está, Christine?

Bobby me deu um abraço caloroso.

Depois de me soltar, ele foi até a janela atrás da sua mesa. As venezianas verticais estavam fechadas. Ele separou as tiras um pouquinho e espiou a rua lá embaixo e, depois, voltou a nos olhar.

— Como posso ajudá-los?

Ele estava usando uma camiseta verde com as palavras Beer Heaven escritas e calça jeans azul com cortes. Seu cabelo era preto e encaracolado, caindo sobre os olhos, a pele pálida e o maxilar com uma barba rala. Sempre parecia que estava aprontando, provavelmente porque sempre estava; nunca tanto quanto naquele momento. Percebi que Amelia estava de olho nele. Gostei disso e contive a vontade de me intrometer. Deixe-os ter controle sobre si mesmos, falei para mim mesma.

— Bobby, Amelia é o motivo de estarmos aqui. Ela descobriu há pouco tempo que seus pais não são seus pais biológicos. Amelia, você quer assumir daqui? Mostrar a ele o que encontrou?

Enquanto Amelia falava sobre o conteúdo da caixa de sapatos, olhei para fora da janela para ver o que estava deixando Bobby tão ansioso. Não havia ninguém ali. Logo fechei as venezianas e me afastei. Bobby reparou em mim e me deu um sorriso fraco e nervoso. Eu não queria saber o que ele tinha feito.

— Então, basicamente, você está dizendo que tudo nessa caixa, essa coleção de itens que foram deixados com você quando você foi entregue para a sua mãe adotiva, leva a Kenmare? — Bobby resumiu.

— Eu não diria isso — Adam interrompeu. — A pessoa que concluiu isso é muitíssimo desequilibrada.

— Fale por si mesmo — Amelia chamou a atenção dele, colocando-o em seu lugar.

— Então, vamos para Kenmare — Bobby disse depressa, batendo as mãos.

Estreitei os olhos para ele, desconfiada.

— Você acha que é uma boa ideia? — Amelia perguntou, surpresa. — Acha que minha amiga está certa?

— Acho que a sua amiga é genial — Bobby falou. — Digo, eu teria reconhecido a renda em algum ponto, mas ela a viu logo de cara. Eu adoraria ir a Killarney...

— Kenmare — interrompi.

— Kenmare, desculpe.

Ele abriu um sorriso charmoso para Amelia.

— Eu adoraria ir a Kenmare, fazer algumas perguntas. Vamos encontrar seus pais em pouco tempo.

Levantei as sobrancelhas.

— Eu tenho muitos casos de adoção — ele contou, sentindo a energia ruim que Adam e eu estávamos mandando e vendendo-se um pouco mais. — Em geral, vamos para o departamento de adoções e eu auxilio as pessoas ao longo do processo. Pode ser um negócio estressante, não é fácil pensar, processar tudo — ele disse, sincero desta vez. — Podemos conseguir resultados dessa forma também, mas é sempre bom seguir qualquer pista que você consiga descobrir sozinha.

— Já entrei em contato com o departamento de adoções — Amelia afirmou. — Baixei os documentos do site dele, mas... — Ela abaixou a voz, embora não houvesse ninguém por perto para ouvi-la. — Não tenho certeza de que essa adoção foi feita de forma oficial. Não consegui achar nenhum documento.

— É...

Bobby passou os dedos pelo bilhete e pareceu perdido em pensamentos.

— Concordo. Então, o que diz?

Ele estendeu a mão para Amelia, ansioso para fechar o negócio, para ele poder fugir do seu ninho.

— Quanto vai custar? — o cínico Adam interrompeu a conversa deles.

— Cento e cinquenta euros se eu os encontrar, além da minha acomodação. Outras despesas eu mesmo cubro. Fechado?

Bobby baixou o olhar para a própria mão, que ainda estava estendida.

Amelia pareceu incerta.

Ele baixou a mão.

— Não posso prometer milagres — ele disse, gentil —, mas já encontrei pais e reuni famílias antes. Não temos um plano muito completo aqui, mas sou bom. Não recebo o pagamento até resolver o quebra-cabeça e pago meu aluguel todo mês. Quase.

Ele abriu um sorriso desaforado.

— Não é você, Bobby — Amelia disse. — É a... situação. Se eu for em frente com isto, bem, então se torna real.

Ela olhou para mim em busca de ajuda.

O que era considerado se intrometer?

— Você deve fazer o que acha que é certo — acabei falando e, depois, acrescentei: — O que você tem a perder? Você não tira férias há tanto tempo. No mínimo, vai ver outra parte do país.

Amelia sorriu, tímida.

— Certo.

Ela apertou a mão de Bobby.

Adam fez que não com a cabeça.

— Sei que é loucura — Amelia disse, mantendo a voz baixa enquanto voltávamos para o carro. — Mas tenho que sair de Dublin, tenho que me afastar da loja. Preciso ir embora. Acertar meus pensamentos. Tudo foi virado de cabeça para baixo, mal consigo pensar direito.

— E você acha que a viagem vai ajudar com isso?

— Não — ela riu. — Mas, pelo menos, vou me divertir estando loucamente confusa com isso tudo. O Bobby — ela sorriu —, ele é interessante.

Eu estava ouvindo sem prestar muita atenção, tentando, ao mesmo tempo, espiar os dois homens atrás de nós.

— Então, como você conheceu a Christine? — Bobby perguntou.

— Em uma ponte.

— Qual ponte?

— A Ha'penny.

— Isso é romântico — Bobby falou, dando um tapinha nas costas de Adam como se fossem amigos.

Adam enfiou as mãos mais fundo nos bolsos e esperou que eu parasse de conversar para podermos enfim ir embora.

Voltei a prestar atenção em Amelia.

— Obrigada por melhorar meu humor — ela disse.

— Para isso servem as amigas. Mas posso fazer uma pergunta? Quando estávamos no depósito, você foi direto para a caixa com o ano em que você nasceu. Você suspeitava, não é?

— Eu sempre me questionei. Às vezes, perguntava para minha mãe ou meu pai sobre a gravidez, sobre onde eu nasci, e as respostas que eles davam eram todas um pouco vagas demais. Além disso, eles nunca pareciam querer falar no assunto. Eu não queria deixá-los desconfortáveis ou machucá-los e, assim, parei de perguntar, desisti de encontrar respostas. Eu não fazia ideia do que eles estavam escondendo. Mas sei que a minha mãe ficou grávida quatro vezes antes de mim e ela perdeu todos aqueles bebês. Ela dizia que eu era uma bênção de Deus na vida dela. Assim, pensei que ela estivesse com medo de me perder do jeito que perdera os outros, por isso era tão cuidadosa comigo.

— Seus pais a amavam muito.

— Eu me sentia amada.

Amelia sorriu.

— Então, tudo bem. Não é que eu queira me reunir com meus pais biológicos, eu apenas... quero saber. E, então, acho que poderia me afastar. Não vai importar se eles não quiserem ter nada a ver comigo. Ainda não tenho certeza se quero ter alguma coisa a ver com eles. Tudo o que quero é saber a história. Sinto que mereço saber.

— Você merece.

Pensei a respeito.

— Você está certa, sabe? Se eu estivesse no seu lugar e soubesse que minha mãe está por aí e tivesse uma chance de encontrá-la, faria o que fosse preciso. Faria de tudo para tê-la de volta.

— Eu sei que faria — Amelia disse, lançando um olhar preocupado para Adam antes de cobrir a preocupação com um sorriso que foi muito alegre e muito rápido.

Engoli em seco.

— Isso é ridículo — Adam falou da porta, vendo-me preparar minha mala.

Tudo tinha parecido ridículo para ele o dia todo. Sem motivo, uma perda de tempo, ridículo.

— O que é ridículo? — perguntei, tentando não soar tão exausta quanto eu me sentia.

— Ir para Tipperary.

— Como você vai *não* assumir a empresa se não formos até lá resolver?

— Não podemos resolver, é o testamento do meu avô. Não há como mudá-lo. Essa viagem será uma perda total de tempo.

A voz dele estava severa.

Eu não sabia exatamente como iríamos solucionar aquilo, mas havia a vontade, então seria possível, e Adam tinha que encarar suas responsabilidades cedo ou tarde. A perspectiva o estava deixando irritadiço, inquieto. Ele estava de mau humor de novo.

Saiu do quarto.

— Então, esta é a última vez em que estarei aqui? — ele falou da sala de estar.

Foi aí que entendi. Ele tinha um problema com as pessoas o deixando, e com ele deixando as pessoas também. Depressa, segui a voz dele.

— Você está seguindo em frente, Adam. É uma coisa boa.

Ele fez que sim com a cabeça, sem acreditar em uma única palavra daquilo.

— Neste momento, eu me sinto... — eu o incentivei.

Ele suspirou.

— Neste momento, eu me sinto... sentimental.

Eu me sentia também. Em seguida, o telefone tocou.

— É a Maria.

Ele o entregou para mim.

Encarei o aparelho, querendo desligar na hora, mas pensei no conselho de Leo.

— Atenda.

Engoli em seco.

— Convide-a para a sua festa. Se você quiser.

— Tem certeza?

Fiquei confusa com a reação dele.

— Você não quer que ela esteja lá?

O telefone continuou a tocar.

— Sim, é só que, você sabe...

Nós nos encaramos.

Eu não tinha certeza do que ele estava pensando, mas sabia o que eu estava pensando. *Não atenda, não se apaixone por ela, desapaixone--se. E me ame.*

O telefone parou de tocar, deixando uma sala silenciosa. Adam nem olhou para o aparelho na sua mão. Engoliu em seco. Deu um passo na minha direção.

O telefone tocou de novo e ele congelou.

Depois, atendeu e eu saí da sala.

Enquanto Adam estava fora do carro com Pat, segui hesitante para a ala de Simon Conway. Estava atenta para a esposa dele, suas filhas ou qualquer membro da sua família que sentisse que me dar um soco aliviaria sua dor e traria Simon de volta para eles. O único rosto familiar que encontrei — e recuei assim que a vi — foi o de Angela, a enfermeira que me levara ao quarto de Simon na semana anterior, na noite em que conheci Adam. Congelei quando a vi, mas Angela me deu um sorriso caloroso.

— Não vou morder — ela sorriu. — Só a família pode entrar, mas venha.

Ela me levou até o quarto.

— Soube o que aconteceu da última vez em que você esteve aqui. Desculpe, eu não estava trabalhando. Quero que não se preocupe nem um pouco com isso. Ela estava chateada e queria culpar alguém. Você não é responsável.

— Eu estava lá. Fui eu que...

— Você não é responsável — Angela disse com firmeza. — As meninas disseram que ela se sentiu muito mal com aquilo depois que você saiu. Ela estava tão tomada de emoção que tiveram que tirar as filhas de lá e acalmá-la.

Ela não estava descrevendo uma imagem bonita, no entanto ajudou a aliviar um pouco o meu estresse.

— Você já falou com alguém? — Angela perguntou; eu sabia que ela queria dizer alguém profissional.

Eu não esquecera o conselho que Leo me dera sobre Adam, mas aquele era um problema totalmente diferente. Mesmo assim, eu estivera pensando a respeito e enfim descobrira com quem, exatamente, eu precisava falar.

Fiquei sozinha com Simon. O bipe e o sopro eram os únicos sons no silêncio. Sentei-me ao lado dele.

— Oi — sussurrei. — Sou eu. Christine. Christine Rose, a mulher que não conseguiu salvá-lo de você mesmo. Estou me perguntando se alguém deveria tê-lo salvado de mim — falei, os olhos ficando marejados conforme as emoções que eu estava me esforçando ao máximo para suprimir voltavam em uma enxurrada, todas de uma vez. — Tenho repassado aquela noite várias vezes, tentando descobrir o que aconteceu. E devo ter dito algo errado. Não consigo me lembrar. Fiquei tão aliviada por você ter baixado a arma. Desculpe se o que quer que eu disse fez com que você sentisse que não era importante o suficiente, que sua vida não valia a pena ser vivida. Porque vale e você é importante. E, se você conseguir me ouvir, Simon, lute, lute pela sua vida... Se não por você, então faça isso pelas suas filhas, porque elas precisam de você. Há tantas coisas na vida delas para as quais elas vão precisar de você. Eu cresci sem mãe, por isso sei como é ter o fantasma de alguém sempre presente, em todos os momentos da sua vida. Você sempre se pergunta o que ele iria pensar, o que ele faria se estivesse ali, se você o está deixando orgulhoso.

Deixei um longo silêncio durante o qual permiti que minhas lágrimas rolassem e, depois, eu me recompus.

— De qualquer forma, por causa desta culpa que sinto pelo que fiz com você, eu me meti em um monte de problemas. Conheci um homem em uma ponte e tenho que ajudá-lo a ver a beleza da vida, convencê-lo de que vale a pena viver ou vou perdê-lo.

Limpei meus olhos lacrimejantes.

— Uma das coisas que tenho que fazer é ajudá-lo a voltar com a namorada. E, se eu não fizer com que ele volte com a namorada, ele vai se matar. Essas são as regras. Faz apenas uma semana, mas, às vezes, você sabe, não sabe? E, nesta semana, aprendi algumas coisas.

Olhei para os meus dedos, entendendo aquilo com certeza, por completo, cem por cento.

Eu tinha esperado sentir alívio. Em vez disso, tinha uma dor de cabeça pulsante, um coração pesado, o sopro do ventilador e o bipe do monitor cardíaco como única resposta. Queria um aceno de cabeça encorajador, queria ouvir que me compreendiam, que estava tudo bem, que não era minha culpa, que eu conseguiria resolver tudo. Eu precisava que me dessem *ferramentas*, onde estavam minhas ferramentas? Precisava de um bom livro que consertaria tudo; *Como deixar absolutamente tudo bem de novo*, um guia simples passo a passo para remendar corações, limpar consciências e fazer todo mundo esquecer.

Talvez o entendimento não fosse suficiente, a admissão silenciosa não fosse suficiente; eu precisava dizer em voz alta. Levantei o olhar, fixei os olhos em Simon como se minhas palavras de honestidade de coração aberto fossem ser poderosas o bastante para fazê-lo abrir os olhos.

— Estou apaixonada pelo Adam.

19

Como se levantar e sacudir a poeira

— Está tudo bem? — O homem mais lindo do mundo me perguntou enquanto eu entrava no carro com chofer de Dick Basil.

Fiz que sim com a cabeça.

Ele franziu as sobrancelhas e examinou meus olhos de choro. Tive que desviar o olhar.

— Você chorou.

Funguei e olhei para fora da janela.

— Como ele está? — perguntou, gentil.

Só pude fazer que não com a cabeça, sem confiar que conseguiria falar.

— A esposa dele disse alguma coisa para você de novo? Christine, você sabe que não merecia aquilo. Foi injusto.

— A Maria pode me tratar desse mesmo jeito na semana que vem — falei de repente, sem saber que aquilo sairia da minha boca, sem saber ao certo que estava na minha cabeça.

Pat ligou o rádio.

— Desculpe?

— Você ouviu. Maria, toda a sua família, eles vão me culpar. Vão dizer que passei duas semanas passeando por aí com você em vez de conseguir uma ajuda adequada. Você pensa no que vai acontecer comigo se você for em frente com isso?

— Eles não iriam culpá-la. Eu não deixaria — Adam garantiu, ficando chateado com a maneira como eu estava ficando afetada com aquilo.

— Você não estará aqui para me proteger, Adam, não vai poder me defender. Será a minha palavra contra a deles. Você não sabe a bagunça que vai deixar atrás de você — falei, brava, mal conseguindo fazer as palavras saírem.

E, com aquilo, eu não estava falando apenas da situação, estava falando de mim.

O telefone de Adam tocou e, assim que vi a expressão no rosto dele quando atendeu, soube no mesmo instante. Seu pai falecera.

Adam não quis ver o corpo do pai no hospital, não quis se desviar do plano de ir a Tipperary, o lugar para onde, é claro, precisávamos ir naquele momento de qualquer forma, para fazer os preparativos para o funeral. Assim, permanecemos no carro como se nada tivesse acontecido, quando, é claro, tudo tinha acontecido: ele perdera o pai e estava oficialmente no controle da Basil.

— Você teve notícias da sua irmã? — perguntei.

O telefone dele havia permanecido no bolso, onde ele o colocara depois de receber a ligação. Adam não entrara em contato com ninguém. Perguntei-me se ele estava em choque.

— Não.

— Você não verificou seu telefone. Não deveria ligar para ela?

— Tenho certeza de que ela foi informada.

— Ela virá para o funeral?

— Espero que sim.

Fiquei aliviada com a resposta positiva dele.

— E espero que os policiais estejam esperando por ela na pista de pouso. Na verdade, talvez eu ligue para eles e os alerte por minha conta.

Não fiquei tão satisfeita então.

— Talvez isso signifique que a festa não vai seguir adiante — falei em voz baixa, sentindo-me mal por tentar achar um lado bom na morte de um ente querido, mas Adam claramente precisava daquilo.

— Está brincando? Não há chance de eles cancelarem a festa agora... Essa é a grande oportunidade deles de provarem que estão tão fortes e prontos quanto sempre.

— Ah. Há alguma coisa que você gostaria que eu fizesse?

— Não, obrigada.

Ele ficou em silêncio enquanto olhava para fora da janela, prestando atenção em cada cena que passava, tentando se segurar a estar longe daquele lugar temido para onde estávamos indo, tentando diminuir a velocidade do carro. Perguntei-me se ele sequer me queria ao seu lado. Não que isso fosse afetar a minha presença ali; eu ficaria com ele apesar disso, em especial naquele momento, mas seria mais fácil se soubesse que ele me queria ali. Suponho que não. Era provável que ele tivesse preferido estar sozinho com seus pensamentos, e eram os pensamentos dele que me assustavam.

— Na verdade — ele disse, de repente —, você faria a leitura do funeral da mãe da Amelia?

Fiquei surpresa. Ele não havia comentado muito sobre ela no funeral, além de me perguntar quem escrevera. Fiquei profundamente emocionada. Aquela leitura significava tudo para mim. Olhei para fora da janela, pisquei para afastar as lágrimas.

Estávamos passando com o carro por estradas do interior, a paisagem era fértil e verde, vibrante, mesmo na manhã gelada. Era o território dos cavalos, muitos treinadores e estábulos com algumas das melhores terras para alimentar suas crias, fossem cavalos de corrida ou de exposição, era um negócio importante naquela área... Se não estivessem fazendo chocolates, quero dizer. Pat não estava tomando muito cuidado na estrada, ele não parava antes de virar em curvas fechadas, pegava à esquerda e à direita em pistas que eram iguaizinhas à última volta que tínhamos feito. Senti minhas unhas afundarem no assento de couro.

Olhei para Adam, para ver se ele parecia tão nervoso quanto eu. Ele estava me olhando. Eu o flagrara.

Ele limpou a garganta e desviou o olhar.

— Eu estava... Sabia que você está sem um brinco?

— O quê?

Segurei minhas orelhas.

— Merda.

Comecei a procurar o brinco pelo meu corpo, sacudindo as roupas sem cuidado, esperando que ele caísse. Tinha que encontrá-lo. Como ainda não o achara, ajoelhei-me e apoiei-me nas mãos.

— Cuidado, Christine — Adam avisou e senti sua mão na minha cabeça ao bater contra a porta quando Pat fez outra curva fechada.

— Era da minha mãe — falei, inclinando-me para o lado dele e empurrando seus pés para verificar o chão em volta dele.

Adam retraiu-se, como se sentisse minha dor ao perder o brinco.

Depois de não achar nada, sentei-me, o rosto corado e agitada. Não quis falar com ninguém por um tempo.

— Você se lembra dela?

Eu raramente falava sobre a minha mãe, não por uma decisão deliberada, mas porque minha mãe tinha estado na minha vida por um tempo tão curto que eu não tinha referências dela. Tentava puxá-la na memória de vez em quando, mas tinha pouco a lembrar e, assim, pouco a dizer.

— Estes brincos são uma das pouquíssimas memórias que tenho dela. Eu costumava me sentar na borda da banheira e observá-la quando ela estava se arrumando para sair. Adorava vê-la se maquiando.

Fechei os olhos.

— Consigo vê-la agora, de frente para o espelho, o cabelo tirado dos ombros com uma presilha. Ela usava estes brincos... Só colocava estes nas noites especiais de passeio.

Passei o dedo pela minha orelha nua.

— São engraçadas as coisas de que lembramos. Posso ver pelas fotos que fazíamos muito mais coisas juntas, não sei por que me lembro daquele momento mais que do restante.

Fiquei em silêncio por um tempo, depois disse:

— Então, para responder à sua pergunta, não. É um jeito longo de falar não, eu não me lembro muito dela. Acho que é por isso que uso estes brincos todo dia. Não tinha percebido isso até agora. Quando as pessoas comentam dos meus brincos, sei que posso dizer "obrigada, eram da minha mãe". É um jeito de inseri-la nas minhas conversas todo dia, de alguma forma torná-la real e parte da minha vida. Sinto que ela é uma *ideia*, um monte de histórias de outras pessoas, uma pessoa que muda o tempo todo nas fotos, que parece diferente em cada uma, em luzes diferentes, ângulos diferentes. Eu costumava perguntar às minhas irmãs sempre quando olhávamos o álbum: esta é a mamãe de que vocês se lembram? Ou *esta* é ela? Mas elas diziam que não e, depois, descreviam-na de uma maneira que nenhuma fotografia captava. Mesmo a minha própria imagem dela ao espelho é da parte de trás da cabeça dela, sua orelha direita, seu queixo. Às vezes, desejo que ela se vire naquela memória para eu vê-la por inteiro; às vezes, faço com que ela se vire na minha imaginação. Isso deve parecer estranho.

— Não é nem um pouco estranho — Adam disse, gentil.

— Você se lembra da sua mãe?

— Pedaços. Coisas pequenas. O problema era que eu não tinha ninguém com quem conversar sobre ela. Acho que ajuda a sua memória de uma pessoa quando os outros compartilham histórias, mas meu pai nunca falava dela.

— Não havia mais ninguém com quem conversar?

— Nós tínhamos uma babá nova a cada verão; o jardineiro era o mais perto que tínhamos de uma pessoa frequente na casa, e ele não tinha permissão para falar conosco.

— Por que não?

— Regras do meu pai.

Permitimos um longo silêncio.

— Seu brinco vai aparecer — Adam garantiu.

Eu esperava que sim.

— A Maria disse que vai à minha festa de aniversário.

Eu me esquecera de perguntar a ele. Como eu tinha me esquecido daquilo?

— Que bom. Ótimo. Isso é... Adam, isso é ótimo mesmo.

Ele olhou para mim. Grandes olhos azuis queimando até a minha alma.

— Estou feliz por você achar que é ótimo mesmo.

— Eu acho. É...

Não consegui pensar em nenhuma outra palavra além de ótimo e, assim, deixei a frase morrer.

Por fim, o carro diminuiu a velocidade e me sentei ereta, ansiosa para ter um vislumbre do lugar onde Adam crescera. As placas nos grandes pilares anunciavam "Mansão Avalon". Pat prestava atenção aos limites de velocidade ali e rastejou pelo caminho de entrada, que se estendia por quilômetros. As árvores se abriram para revelar um amplo gramado aberto diante de uma enorme mansão antiga.

— Uau.

Adam não parecia impressionado.

— Você cresceu aqui?

— Cresci no colégio interno. Passei as férias aqui.

— Deve ter sido incrivelmente emocionante para um menino, muitos lugares a explorar. Olhe aquela ruína.

— Eu não tinha permissão para brincar lá. E era solitário. Nossos vizinhos mais próximos estão a uma distância considerável.

Ele deve ter ouvido o tom de pobre menino rico na sua voz, porque se calou.

— Aquela é a velha casa de gelo. Sempre pensei que a reformaria e moraria nela.

— Então você quis morar aqui — falei.

— Em outro tempo.

Ele desviou o olhar de mim, para fora da janela.

O carro parou diante dos degraus largos que levavam para a enorme porta da frente. A porta se abriu e uma mulher com um rosto simpático nos deu boas-vindas. Eu me lembrei dela das histórias de Adam: Maureen, esposa de Pat, o motorista. Ela era empregada, ou governanta, como Adam a chamava, havia trinta e cinco anos, desde que Adam nascera. Embora ele nunca a considerasse uma figura materna na sua vida — as babás eram contratadas para cuidar dele, e Maureen, embora carinhosa, tinha os próprios filhos, e sua única responsabilidade como funcionária era o bom funcionamento da casa —, eu tinha certeza de que Adam estava perdendo uma oportunidade. Não estava convencida de que ela pudera fazer vista grossa para as duas crianças sem mãe sob o mesmo teto e tinha certeza de que Adam estava sendo idiota de acreditar nisso.

— Adam.

Ela o abraçou calorosamente e foi visível que ele enrijeceu.

— Sinto muito pela sua perda.

— Obrigado. Esta é a Christine, ela vai ficar aqui alguns dias.

Maureen não conseguiu esconder bem sua surpresa ao ver uma mulher na companhia de Adam que não fosse Maria, mas isso foi logo mascarado pelas boas-vindas dela, embora nada pudesse ser feito para esconder o constrangimento que sei que nós duas sentimos quando se tratou de decidir os arranjos para dormirmos. A casa tinha dez quartos e Maureen não sabia se me levava para um deles ou para o quarto de Adam. Ela me guiou hesitante, olhando para trás de vez em quando para tentar cruzar o olhar com Adam em busca de orientação, de uma dica do que fazer, mas, além de estar sobrecarregado com nossas malas, ele estava perdido em sua mente, a testa franzida enquanto tentava desvendar um pictograma. Imaginei que ele havia partido na semana anterior pensando que voltaria como um homem noivo, que logo seria entregue ao matrimônio e, quando aquilo de repente havia ido pelo ralo, ele não tinha nenhuma intenção de voltar. Agora, ali estava ele, de volta ao lugar que parecia detestar tanto.

Eu tinha me preocupado com o nosso "acordo" a semana toda, mas aquela preocupação não se comparava ao que eu sentia naquele momento na companhia de Adam. Ele parecia alheio, frio, mesmo quando olhei nos olhos dele e sorri, encorajando-o. Imaginei como Maria se sentia quando tentava interagir com ele, alcançá-lo, ter intimidade com ele e, então, era recebida com a retração. Primeiro, pensei naquilo como uma casca de Adam, mas, depois, percebi que estava completamente errada. Ele não era uma casca, era preenchido por completo por outra pessoa, possuído por um Adam que sentia raiva, perda, ira e ressentimento com sua perda de controle sobre a própria vida. Um Adam com uma infelicidade profunda. Ele perdera a mãe quando era muito novo, mas, em outros aspectos, sua vida fora protegida. Ele não tivera que se preocupar com a refeição seguinte, livros escolares, brinquedos no Natal, uma casa sendo tomada dele. Na sua vida, todas essas coisas eram garantidas. E ele tinha achado que estava garantida sua liberdade de se livrar do controle do pai, planejar seu próprio destino, com uma irmã mais velha para entrar no negócio da família. Depois, tudo aquilo mudara. O dever, a coisa que ele evitara e comemorara ter conseguido evitar havia chegado casualmente por trás dele, lhe dado um tapinha no ombro e solicitado com respeito que ele o seguisse. A festa acabara, a crença de que ele havia tido controle sobre o próprio destino, que poderia construir um tipo diferente de vida para si, evaporou, derreteu diante dos seus olhos como uma casa de cera.

Ele estava no final e não gostava de finais, ele não gostava de separações e despedidas e não gostava de ir embora. A mudança acontecia nos termos dele quando ele estava pronto. Era o olhar dele, seu tom de voz, tudo o que fazia Adam ser Adam que havia se alterado desde que colocamos o pé na casa e, agora que eu estava pensando no assunto, aquilo começara a invadir desde que ele desligara o telefone mais cedo. Senti um enjoo porque percebi quão extremamente sério Adam falava sobre deixar este mundo, e eu sabia que, se ele tentasse de novo, dessa vez daria conta do trabalho, não pararia até ser bem-sucedido.

Era uma coisa ajudar alguém que queria ser ajudado, para o que eu achei que Adam estava bem aberto em Dublin. Ali, em Tipperary, senti que ele já havia fechado a porta e se distanciado emocionalmente de mim. Ele passou a maior parte do dia dormindo com as cortinas fechadas em um quarto enorme, com uma lareira aberta e uma área com sofá, no qual Adam insistira que dormiria mais tarde, mas, por ora, ele estava na cama e eu estava sentada com as pernas para cima no assento ao lado da janela *bay* que tinha vista para o lago Derg. Escutei a respiração dele e observei o relógio, sempre consciente de que estávamos perdendo tempo. O tempo, naquele caso, não curava; precisávamos conversar, consertar e fazer, eu precisava desafiá-lo e apoiá-lo, mas não podia fazer nenhuma daquelas coisas porque ele se retraíra, se afastara e se voltara para si mesmo, e eu estava assustada.

Verifiquei Adam de novo; ele estava dormindo com certeza. Suas mãos estavam com as palmas para cima atrás dele na cama, os braços erguidos como se ele se rendesse. Seu cabelo loiro caía sobre uma das pálpebras e eu estendi a mão para tirá-lo. Ele não acordou e meu dedo permaneceu na pele macia um pouco mais. Ele não se barbeara naquela manhã e uma barba rala quase imperceptível e bem loira brilhava à luz. Seus lábios estavam unidos, formando um bico da maneira como ele fazia quando se concentrava. Aquilo me fez sorrir.

Maureen apareceu à porta aberta e bateu com delicadeza para chamar minha atenção. Eu me assustei e puxei a mão de volta, como se tivesse sido pega fazendo algo errado. Perguntei-me há quanto tempo Maureen estava lá. Ela sorriu para mim de uma maneira que sugeriu que reparara na minha ternura com Adam e, envergonhada, fui até a porta.

— Desculpe por incomodar, mas trouxe os cobertores extras que Adam pediu.

Eles eram para o sofá e, assim, coloquei-os lá.

Percebi que Maureen queria fazer perguntas, e, em vez disso, ela disse:

— E, bem...

Ela olhou para o corpo adormecido de Adam.

— Teve uma ligação para o Adam.

— Acho que não devemos perturbá-lo — falei, gentil. — Você pode dizer depois. Ou é urgente?

— Era a Maria.

— Ah.

— Ela tentou ligar no celular dele, mas ele não está atendendo. Ela quer saber se ele quer que ela venha para o funeral. Ela disse que eles tiveram alguns problemas e não tinha certeza se ele iria ou não querê-la aqui. Ela não quer chateá-lo.

— Ah...

Olhei para Adam e tentei imaginar o que fazer. O Adam de Dublin teria desejado que ela fosse. O Adam daquele momento precisava dela, mas aquele não era o Adam por quem Maria tinha se apaixonado e estava se apaixonando de novo. Eu estava determinada a fazer com que eles se encontrassem quando ele estivesse de volta à sua forma. Maria, ao vê-lo daquele jeito, ou ao ser tratada como fora antes, seria mandada correndo de volta para os braços de Sean. Eu teria que conversar com ele mais tarde sobre aquilo, mas estava certa de que ele concordaria comigo.

— Acho que ele preferiria que ela não estivesse aqui, mas não é porque ele está chateado com ela. Por favor, diga isso a ela.

— Certo. Vou dizer — Maureen concordou, delicada.

Ela lançou um olhar rápido para Adam de novo, obviamente perguntando a si mesma: devo confiar nessa moça? Devo perguntar a ele pessoalmente?

Foi quando ela estava mais à frente no corredor que eu a segui, mais confortável em falar com ela quando Adam não estava ouvindo.

— Maureen...

Apertei as minhas mãos.

— Nós não estamos... juntos. Adam e eu. Ele não está muito bem nos últimos tempos, está tendo alguns problemas pessoais.

Maureen fez que sim com a cabeça, como se daquilo ela soubesse muito bem.

— Ele não gostaria que eu dissesse nada. Tenho certeza de que você o conhece melhor que eu, mas estou tentando... ajudar. Estou tentando ajudá-lo a semana toda. Pensei que estivesse dando certo. Não sei como ele costuma ser, mas, nos dias depois do nosso primeiro encontro, ele pareceu... mais leve. Isto o fez dar uns passos para trás. Embora eu saiba que nunca há um bom momento para perder alguém...

— Você conheceu o Sr. Basil?

— Sim.

— Bem, então, vai entender quando eu disser que, apesar de trabalhar para ele por trinta e cinco anos, nós nunca fomos exatamente próximos.

— O mesmo poderia ser dito do filho dele.

Maureen fez um bico e concordou com a cabeça.

— Sei que você não vai contar o que eu disse, mas, o Adam — ela abaixou a voz —, ele sempre foi sensível. Sempre foi duro consigo mesmo. Nunca conseguiu se libertar das coisas com facilidade, mesmo das menores. Tentei estar ao lado dele, mas Adam preferia lidar com as situações sozinho, quieto, e o Sr. Basil... Bem, ele era o Sr. Basil.

— Entendo. Obrigada por me contar, e garanto que não vou repetir o que você disse. Literalmente não tirei os olhos dele durante a semana — expliquei.

— A maioria das mulheres não consegue tirar.

Ela sorriu e eu corei, revelando-me.

— Por motivos que não posso explicar, não posso deixá-lo sair de vista. Por isso a situação do quarto, mas preciso muito ir a um lugar agora e queria saber se você poderia ficar de olho nele para mim. Tenho certeza de que tem muito a fazer para amanhã, mas vou demorar apenas uma hora. Se você não se importar.

Coloquei uma cadeira do lado de fora da porta do quarto para Maureen, para que Adam não se assustasse ao achá-la descansando no sofá ao pé da sua cama.

— Por favor, ligue para mim se ele acordar, for ao banheiro, *qualquer coisa*.

Lancei um olhar preocupado para Adam na cama, tentando decidir se ia ou ficava.

— Vai ficar tudo bem.

Maureen colocou uma mão quente no meu braço.

— Certo — falei, nervosa.

— Ela estava certa — Maureen disse.

— Quem estava?

— Maria. Ela me perguntou se o Adam estava aqui com uma mulher. Uma mulher bonita que parecia estar cuidando dele.

— Ela perguntou?

— Sim.

Maureen fez que sim com a cabeça.

— O que você disse?

— Eu disse a ela que ela teria que discutir os assuntos do Adam com o Adam.

Consegui abrir um sorriso fraco.

— Obrigada.

Encontrei Pat na cozinha dos empregados, devorando um sanduíche de ovo. Eu já estava temendo o passeio em um espaço confinado com ele; velocidade e, agora, um ovo para completar. Tentei esperar com educação até ele terminar, mas, saber que Adam estava no andar de cima sem mim me fez andar de um lado para outro nervosa.

— Certo — Pat disse, forçando a metade final do sanduíche para dentro da boca, empurrando a cadeira para trás, virando a xícara de chá e se levantando.

Ele pegou as chaves e seguiu para o carro.

Mary Keegan, o "homem" de confiança de Dick Basil, morava a vinte minutos dali, em um pedaço impressionante de terra. Quando ninguém atendeu na casa dela, Pat me apontou na direção dos estábulos e voltou para o rádio que berrava um jogo esportivo no carro superaquecido e cheirando a gases com ovo. Ele estivera certo sobre onde Mary estava. Parei na cerca e observei a mulher elegante a cavalo enquanto ela pulava pelo percurso com obstáculos.

— Aquela é a Lady Meadows — uma voz disse atrás de mim, e eu me virei e vi Mary.

Ela estava vestida para a ocasião: galochas, uma blusa de gola quente com um colete impermeável por cima.

— Pensei que fosse você quem eu estava olhando.

— Eu? Com certeza não! — Ela riu. — Eu não teria tempo suficiente para ser tão boa assim. Sou boa só para galopadas pela manhã e caçadas. Adoro caçar.

— Lady Meadows é o cavalo ou a mulher?

— O cavalo — ela riu. — A mulher é Misty. Ela compete em provas de obstáculos, profissionalmente. Quase foi para as olimpíadas da última vez, mas o cavalo dela, Medicine Man, quebrou a pata treinando. Quem sabe na próxima?

— Você tem um ótimo lugar aqui. Quantos cavalos vocês têm?

— Doze. Nem todos eles são nossos, mas ajudam com as taxas. Porém, estamos expandindo. Ela até está pensando em começar a criar cavalos.

— Você sonha em ficar aqui em tempo integral?

— Eu? Não. Por quê? Você foi mandada pela Basil's para me demitir?

Ela tentou fazer parecer que estava brincando, mas ficou claro pelo medo em seus olhos que ela estava preocupada.

— Não, na verdade, é o contrário.

Mary pareceu intrigada.

Terminamos nossa conversa no que deveria ter sido o calor de um bangalô, mas, com as portas abrindo e fechando conforme funcionários do estábulo vinham e iam, havia pouca chance de qualquer calor permanecer na casa. Mary continuou de casaco e eu também, bebendo o máximo de chá quente que eu podia e esquentando minha mão na caneca enquanto estava sentada no sofá infestado de pelos de animais, cercada por três cães; um dormindo, um nervoso por estar preso do lado de dentro enquanto andava pelo lugar cheirando as paredes à procura de uma maneira de sair e outro sentado no colo de Mary e me observando de uma maneira desconcertante sem piscar durante toda a conversa. Mary não pareceu notar nada daquilo, nem o frio, nem os pelos de cachorro que eu tirava da minha caneca. Eu não tinha certeza se era porque ela estava muito acostumada com tudo aquilo ou por causa da minha proposta.

Ela fingia ter dúvida, mas seu interesse era óbvio.

— E você discutiu isso com o Adam?

— Sim.

Era só meia mentira.

— Ele não pôde estar aqui hoje porque tem muito a preparar para o funeral.

Pensei nele em sua casa, deitado na escuridão com as cobertas da cama cobrindo a cabeça.

— E ele está contente com isso? — ela perguntou, confusa. — Com não ter um papel diário na empresa? Comigo tomando as decisões?

— Com certeza. Ele será presidente do conselho, então todas as decisões terão que ser aprovadas por ele, mas acho que é a melhor maneira de seguir em frente. Todos com quem falei têm muita certeza de que você consegue administrar a empresa da forma como o Sr. Basil quer. Você ama a empresa.

— Foi o primeiro lugar onde trabalhei depois de me formar.

Ela sorriu.

— Eles costumavam ter sede em Dublin, mas, quando vieram para cá, foi ótimo para a área. É ótimo. Passei o primeiro ano atendendo o telefone. Aos poucos, fui subindo. Mas...

Ela fez que não com a cabeça, confusa.

— O que foi?

— O velho Sr. Basil não teria gostado disso. A família do Sr. Basil não iria querer isso. Lavinia iria preferir morrer a me ver no cargo dela. Os Basil preferem manter as coisas em família.

Ela não falou mal de ninguém, era profissional demais para isso, no entanto eu conseguia ler nas entrelinhas e combinava com o que Adam dissera sobre sentir a pressão da sua família dentro da empresa para que ele assumisse o cargo e não os outros.

— Desde que não seja a família do tio dele envolvida — acrescentei.

— Bem, é claro — ela concordou. — A empresa não vai para o Nigel, vai? — quis saber, preocupada.

— Essa é a última coisa que o Adam quer. E acho que você não tem nada com que se preocupar em relação à Lavinia.

— Tem certeza de que o Adam está feliz com isso? — ela perguntou de novo, confusa.

Evitei responder.

— Você se importa se eu perguntar por que você está incerta quanto a isso? Pensei que fosse óbvio que o Adam não queria o emprego.

— Ah, senti isso, é claro, mas pensei que fosse ser diferente quando o Sr. Basil morresse. Pensei que ele veria de uma forma diferente. É difícil fazer o trabalho quando o Sr. Basil está respirando no seu pescoço; ele mal lhe dá um segundo para pensar e, depois, grita com você por nada. Pensei que Adam fosse querer tornar a empresa dele.

Ela encolheu os ombros.

— Pensei que o problema fosse o pai, não a empresa. E ele provou que é bom nisso, no pouco tempo em que esteve lá. Ele teve algumas ideias boas... E, acredite, seria útil termos sangue novo lá. Seria uma pena tão grande ele não assumir o cargo. Mas, como você diz, se é isso que ele quer.

Ela olhou para mim como se não acreditasse.

Aquilo me deixou toda confusa de novo.

Meu telefone tocou.

Era Maureen.

— Ele acordou.

Eu não disse para Pat acelerar, ele já estava dirigindo a cento e sessenta quilômetros por hora em estradas nas quais eu mal iria a noventa. Quando cheguei à casa, esperava encontrar Adam do lado de fora ou no andar de baixo, mas, em vez disso, achei-o ainda no quarto, tentando convencer uma Maureen de rosto corado a deixá-lo sair.

— Passe as chaves por baixo da porta, Maureen — Adam disse, a impaciência em sua voz clara.

— Hum. Não tenho certeza se cabe — ela falou, nervosa, e, depois, baixou a cabeça nas mãos em uma agitação silenciosa.

Maureen me ouviu na escada e levantou o olhar para mim, aliviada.

— Ele tomou um banho e estava com fome, então trouxe o almoço e tranquei a porta — ela sussurrou, frenética. — Ele ficava dizendo que queria dar uma volta.

— Por que você não deixou?

— Você disse para não perdê-lo de vista!

— Você poderia tê-lo seguido.

Ela bateu as mãos sobre a boca aberta, sem ter pensado naquilo. Senti minha boca repuxar.

— Ele está muito bravo — Maureen murmurou.

— Tudo bem. Ele vai descontar em mim.

Elevei a voz:

— Está tudo bem, Adam, estou aqui, vou ajudar.

Coloquei a chave na porta e chacoalhei-a como se estivesse tendo dificuldade. Adam ficava empurrando a maçaneta para cima e para baixo, impaciente.

— Adam, pare! Estou tentando...

Por fim, a chave entrou no lugar e a porta abriu depressa. Fiquei tão surpresa com a força repentina que não tive tempo para me mexer. Adam saiu a passos largos, como um touro libertado, e meu ombro foi o alvo quando ele passou esbarrando, contudo ele estava bravo demais para parar e pedir desculpas, e Maureen me pegou quando fui jogada alguns passos para trás.

— Minha nossa, querida, você está bem?

Não senti a queimação até mais tarde, já que estava mais preocupada com Adam correndo escada abaixo, fumaça saindo das suas orelhas. Parti atrás dele.

— Quero ficar sozinho — Adam disse, saindo da casa com passos rápidos e virando para a esquerda, que levava a um caminho ao longo do lago.

As pernas dele eram muito mais longas do que as minhas e tive que dar uma corridinha para alcançá-lo, alguns passos apressados e, depois, outra corridinha. Entre um leve pânico por ele ter saído da trilha e o fato de eu estar correndo, e eu já estava um pouco sem ar.

— Você sabe que não posso fazer isso — falei, correndo um pouco, depois andando, depois correndo de novo para alcançá-lo.

— Agora não, tudo bem?

Eu o acompanhei, não queria dizer nada para irritá-lo. Permaneci ao seu lado, silenciosa, mas presente. Não que ele não fosse poder fazer nada só porque eu estava ali. Ele era forte, como o meu ombro latejante provava. Ainda assim, insisti, não podia desistir dele. Não podia deixá-lo sozinho, não podia...

— CHRISTINE! — ele gritou na minha cara — VÁ EMBORA.

Ele havia parado de repente e me pegado de surpresa. Gritou tão alto que ecoou pelo lago, reverberou na minha cabeça, machucou meus ouvidos, fez meu coração martelar no peito. O brilho de raiva em seus olhos, a única veia que pulsava na sua testa e as veias que saltavam em seu pescoço, suas mãos em punhos, ameaçadoras sem intenção, fizeram com que eu prendesse a respiração. Senti-me como uma criança que levara um berro de um adulto, aquela sensação surpresa, vulnerável, constrangida. E senti-me sozinha, de repente muitíssimo sozinha. Adam se virou para o outro lado e saiu andando rápido, e eu desmontei, curvei-me, as mãos voando para os meus joelhos enquanto eu ofegava em busca de ar, enquanto começava a chorar e, pela primeira vez, não tentava parar.

Eu deixei Adam ir.

20

Como falar o que pensa

Senti um tipo estranho de calma ao me sentar no armazém dos barcos e observar o lago Derg. As margens do lago haviam congelado e patos voavam baixo, bicavam-no e logo subiam para o céu, como se fosse frio demais até para eles, sua fome não valia a pena. Funguei de novo conforme meu nariz pingava, desistindo de limpá-lo já que estava completamente adormecido, meus olhos vermelhos e doloridos. Eu tinha certeza de que minhas lágrimas teriam congelado se não estivessem fluindo tão depressa. Não me dei ao trabalho de enxugá-las, às vezes elas rolavam até meus lábios e eu as lambia, sentindo o gosto de sal. Era um tipo estranho de sentimento, esperar, sentir-se impotente para interromper uma atitude da qual eu me sentira a única responsável nas horas do dia e da noite e, ainda assim, quando eu pensava nela, sabia que não seria capaz de impedi-la. Não fisicamente. Minhas palavras eram tudo o que eu tinha, meu pensamento era tudo o que eu tinha, mas, desta vez, ele não queria ouvir.

Escutei passos atrás de mim e meu coração bateu forte. Eram eles, vindo me dizer que o haviam encontrado. Possivelmente para me prender... Poderiam fazer isso? O meu fracasso não o havia ajudado e encorajado? Olhei bem à frente, o lago escuro e parado, frio, minha respiração irregular no silêncio. Houve uma lacuna nas nuvens e levantei o olhar para a luz e tive um pensamento otimista repentino. Os passos eram lentos, não havia nada de pânico neles, nada nem mesmo ameaçador. Eles pararam atrás de mim e, depois, continuaram em volta do armazém até Adam aparecer ao meu lado.

Ele sentou-se perto de mim. Levantei uma mão para impedi-lo de se aproximar mais. Mordi o lábio para conter um novo surto de lágrimas e, sentindo que não conseguiria, desviei o rosto para o outro lado.

Adam pigarreou, mas ficou quieto por mais um tempo. Era a coisa certa a fazer; sentarmos juntos, estarmos na companhia um do outro, por si só, estava esquentando o ar gelado entre nós.

— Desculpe — pediu e, mesmo depois de ter levado tanto tempo para dizê-lo, ainda pareceu repentino.

Não respondi. Eu sabia que devia, mas não o desculpei.

— Aonde você foi?

— Esfriar a cabeça. Assustei algumas lebres e fiz um cervo se borrar.

Não consegui evitar. Uma risadinha escapou.

— Assim é melhor — Adam disse, mais gentil. — Detesto vê-la chorar.

Ele estendeu a mão e enxugou uma lágrima perdida na minha bochecha. Fechei os olhos e outra caiu.

— Ei — ele falou, deslizando pelo banco e colocando os braços em volta de mim.

Decidi não falar sem conseguir controlar a bola na minha garganta. Em vez disso, apoiei a cabeça em seu ombro. Ele beijou o topo da minha cabeça.

— Nunca sou eu mesmo quando estou aqui — ele disse. — Viro esse cara confuso, irritado... Bem, você sabe.

Adam ficou em silêncio. Não preenchi o silêncio. Iria ouvir, não ajudá-lo.

— E você prometeu que não iria contar a ninguém. Isso me deixou bravo.

— Não contar a ninguém o quê?

Levantei o olhar para ele.

— Sobre, você sabe, o domingo passado.

— Não contei para ninguém.

Ele olhou para mim.

— Christine, não minta, por favor. Não você. O resto do mundo pode mentir para mim, mas você não.

— Não estou mentindo.

Afastei-me dele.

— Eu não mentiria para você.

E, como para provar, disse no mesmo instante:

— Eu disse a Maureen para falar para Maria não vir ao funeral, achei que seria melhor ela não vê-lo assim.

Adam tentou ler meu rosto.

— Mas não é disso que estou falando.

— Eu sei. Mas é a única coisa que eu não tinha contado para você. Além da coisa que estou prestes a falar. Mas, tirando essas duas coisas, mantive minha palavra. Nunca contaria a ninguém como nos conhecemos.

— O que você está prestes a me falar?

Ele franziu as sobrancelhas.

— Falo depois.

— Fale agora.

— Adam, para quem você acha que eu contei?

— Para a Maureen — ele respondeu, ficando tenso.

— Eu não contei para ela.

— Ela me trancou no quarto.

Eu me retraí.

— Ela entrou em pânico. Eu disse para ela ficar de olho em você. Que você estava tendo problemas pessoais, que...

— Christine — Adam não gritou tão alto quanto da vez anterior; eu não achava que fosse ouvir aquele volume de ninguém, nunca mais, mas o veneno estava ali.

— Isso não é contar a ela, Adam.

— É contar a ela que há algo de errado.

Foi minha vez de explodir.

— Você acha que há alguma pessoa que *não* percebe que há algo de errado? Sério, Adam, pense a respeito. Você acha mesmo que ninguém nota? Que ninguém se importa? Eu tive que sair e estava com medo de deixá-lo. Maureen disse que ficaria de olho em você. Não achei que ela o trancaria!

Dizer aquilo era engraçado e, embora eu estivesse brava, sorri.

— Não é engraçado — ele disse, surpreso.

— Eu sei que não — concordei, os cantos dos meus lábios repuxando. — Bem, é, um pouco.

Depois, meu sorriso ficou maior e não sumia.

— Fico feliz por você achar isso — Adam murmurou e desviou o olhar.

Esperei minha risada nervosa desaparecer.

— Qual era a coisa que você ia me dizer?

— Fui ver a Mary hoje.

— Mary Keegan?

Fiz que sim com a cabeça.

— Tinha uma proposta para ela. Sua. Todo mundo concorda que ela é o homem de confiança do seu pai, certo?

Ele concordou.

— Imaginei se daria certo se você fosse o presidente do conselho, ainda com controle total da empresa, o que atende aos desejos legais do seu pai, mas Mary entrasse como diretora administrativa. Dessa forma, ela poderia administrar a empresa enquanto você mantém o controle assinando o que quer que precise ser assinado. Assim, você poderia falar com seu chefe sobre recuperar o emprego na guarda costeira. Você pode estar em conselhos e ter outros empregos ao mesmo tempo, não pode? Tenho certeza de que ele seria compreensivo.

— Então, eu ficaria no conselho da Basil e manteria meu emprego.

— Como o Batman.

Adam pensou a respeito.

— Ei, não enlouqueça de felicidade.

Eu o analisei, intrigada. Eu resolvera seus problemas, e, ainda assim, ainda havia uma batalha ali. Ele estava enfrentando uma tormenta interna.

— Você concorda que isso resolve o problema?

— Sim, com certeza, obrigado — ele falou, distraído.

Em geral, quanto mais você continua insistindo na mesma direção sem resultado, mais fica provado que está fazendo a coisa errada. Comecei a pensar que, talvez, estivesse insistindo na direção errada. Eu passara uma semana tentando pensar em como Adam poderia fugir do trabalho que ele odiava, mas a solução ainda não era boa.

— Vamos jogar um jogo — eu me intrometi nos pensamentos dele.

— Você e seus jogos — Adam resmungou.

— O que você faz quando está sozinho e ninguém está olhando? E não seja nojento — falei depressa, sentindo pelo olhar dele que direção ele iria tomar.

— Bem, então, nada — declarou.

Eu ri, feliz por ele estar de volta.

— Digo, você fala sozinho? Canta no chuveiro? O quê?

— Aonde vamos com isso?

— Só responda.

— Isso vai salvar minha vida?

— Isso vai com certeza salvar sua vida.

— Certo. Sim, eu canto no chuveiro, é isso.

E eu sabia que ele estava mentindo. Limpei a garganta.

— Por exemplo, quando estou entediada, em uma sala de espera ou sei lá, escolho uma cor e tento encontrar quantas coisas daquela cor estão no lugar e, depois, escolho outra cor e acho as coisas com aquela cor no lugar, e a cor que tiver mais itens ganha.

Adam virou-se para me olhar.

— Por que diabos você faria isso?

— Quem sabe?

Eu ri.

— As pessoas pensam coisas estranhas o tempo todo, mas nunca admitem. Eu também tenho uma mania de passar a língua pelos dentes e tenho que contar cada um enquanto faço isso. Em viagens de carros, ouvindo as pessoas falarem, sabe?

Ele me lançou um olhar estranho.

— Ou tento ter ideias para o meu livro.

Ele pareceu interessado.

— Que livro?

— O livro que sempre quis escrever. O livro que um dia vou escrever.

Fiquei envergonhada e puxei as pernas para cima, enfiei-as embaixo do meu queixo.

— Ou provavelmente não vou. É só um sonho bobo que eu tenho.

— Isso não é bobo. Você deveria escrever. O que você escreveria? Ficção erótica?

Eu ri.

— Como sua amiga, Irma? Não... Um livro de autoajuda. Não sei exatamente sobre o que escrever, no entanto.

— Você deveria escrever — Adam disse, encorajador. — Seria ótima nisso.

Eu sorri, as bochechas rosadas, gostando do incentivo que nunca recebi de Barry e, no mesmo instante, soube que eu tentaria.

— Gosto de rimar coisas — ele falou de repente.

— Arrá, conte.

Virei-me para ficar de frente para ele.

— Não palavras pequenas — ele disse, tímido. — Não acredito que estou contando isso. A Maria nem sabe.

Ponto para mim, pensei de um jeito infantil.

— Não barro e carro, mas coisas complicadas, como...

Ele olhou ao redor.

— ... *decíduo* imediatamente me diz *resíduo*.

— Meu Deus, você é tão esquisito.

Lancei um olhar feio para ele.

— Ei!

Eu ri.

— Estou brincando. Isso é legal.

— Isso não é legal.

— Ei, a mente secreta não é um lugar legal?

— Essa é a mensagem?

Olhei para o lago.

— Que tal "eu nunca..."? Minhas irmãs e eu costumávamos jogar isso no carro nas férias.

— Vocês todas devem ter quase destruído o seu pai.

— Na verdade, acho que nós o mantivemos vivo. Certo, você começa. Eu nunca...

— Sabe, isso se parece demais com uma das técnicas de "Como se apaixonar" da Elaine.

— Bem, talvez eu queira mesmo que você se apaixone.

Senti os olhos dele me queimarem.

— Pela vida — esclareci. — Quero que você ame a vida. Então, vai.

Eu o cutuquei.

— Certo, eu nunca...

Ele pensou por um tempo

— ... chupei um pirulito.

— O quê? — Explodi. — Explique!

Adam riu.

— Nunca pudemos chupar pirulito quando criança porque eles eram perigosos. Todos os dias, falavam para nós dos perigos, iríamos engasgar, iríamos quebrar os dentes, iríamos perder um olho ou faríamos alguém perder um olho. E, então, enfim disseram que poderíamos chupá-los, mas tínhamos que nos sentar para comer ou iríamos engasgar e morrer. Digo, por que alguma criança iria querer isso? Então, nunca chupei um. Isso sempre me envergonhou. Nem consigo suportar ver crianças com eles.

Eu ri.

— Sua vez.

— Eu nunca...

Eu sabia o que queria dizer, mas não tinha certeza se falava ou não. Engoli seco.

— Eu nunca... me apaixonei.

Adam me olhou surpreso.

— Mas e o seu marido?

— Pensei que estivesse apaixonada. Mas estou começando a achar que não estava.

— Por quê?

Olhamos um para o outro e eu disse para ele, em silêncio, dentro da minha mente, *porque não se parece em nada com isto*, mas, em vez disso, falei:

— Não sei. Você acha que amor não correspondido é amor de verdade?

— A resposta está na pergunta, não está? — ele respondeu devagar.

— Sim, mas, se não é recíproco, a pessoa está experimentando a coisa completa e adequada?

Adam pensou a respeito, pensou *mesmo* a respeito, e esperei por uma resposta que representasse toda aquela reflexão, mas ele simplesmente disse:

— Sim.

Era óbvio que ele estava pensando em Maria, embora eu tivesse certeza de que Maria o amava muito, apesar do seu erro com Sean.

— Christine, por que estamos falando sobre isto?

Eu não sabia de verdade, mal conseguia me lembrar de como havíamos chegado ao assunto. Estivera tentando distraí-lo e, em vez disso, acabei vagando pelos meus próprios pensamentos.

— Não sei.

Estremeci.

— Vamos entrar antes que congelemos.

Como era o território de Adam, pedi que ele me mostrasse o lugar. Queria ter uma ideia da vida dele quando criança e como sua vida seria se ele voltasse de Dublin para lá, eu queria saber o que o assustava tanto que ele virava uma pessoa diferente ali. Adam tirou um carro da garagem, que abrigava uma coleção de automóveis clássicos e esportivos guardados, e nos levou até a fábrica da Basil's a vinte minutos de distância, apontando os marcos e os lugares associados com histórias da sua infância.

— Uma das minhas ideias era organizar passeios na fábrica. Poderíamos conseguir dinheiro com isso — ele contou, pensativo. — Contei para o meu pai, mas ele não gostou muito.

— Quais foram as suas outras ideias? — perguntei.

Mary dissera que ele tinha tido algumas ideias boas, o que me intrigou. Ele dera a impressão de que não se importava muito com a empresa, mas estar lá abriu meus olhos para a realidade de que ele se importava; seu pai apenas o tinha rejeitado de novo e de novo.

— Um parque de diversões.

— Sério? Como a Disney World?

— Não tão elaborado, mas talvez um zoológico com animais domésticos, playgrounds, um restaurante, esse tipo de coisa. Está sendo feito em outro lugar, sei disso, e pensei que seria bom para esta área como um todo.

— O que o seu pai disse?

A expressão dele fechou e ele não respondeu. Fez sinal para entrar na fábrica e na vaga do carro do Sr. Basil — agora de Adam —, mas já havia um carro ali.

— Que diabos?

— De quem é o carro?

— Não faço a menor ideia.

Ele parou em outro lugar e entramos, Adam com uma expressão preocupada no rosto conforme o peso do mundo tinha de novo caído sobre ele, apenas ele. Tive a sensação de que ele não me mostraria o lugar quando vi o que estava acontecendo no escritório. Uma reunião estava em andamento. Uma mesa inteira cheia de homens de terno, nenhum sinal de Mary, e uma mulher estranha usando um terninho no centro das atenções. A mulher olhou para fora da janela da sala do conselho, viu Adam, pediu licença e saiu. Todas as cabeças a seguiram e, depois, viraram-se umas para as outras para sussurrar palavras nas orelhas antes de ela voltar.

— Ah, Adam, que bom que veio se juntar a nós.

— Lavinia — ele disse, chocado. — O que você está fazendo aqui?

Eles não se abraçaram, não havia carinho.

— Um passarinho me contou que nosso papai morreu. Você não soube?

Adam olhou feio para ela.

— Estou administrando a empresa, Adam, o que você acha que estou fazendo? — Lavinia disse com firmeza.

— Você mora em Boston. Não pode administrar a empresa.

— Vamos nos mudar de volta. Maurice concordou em aceitar as consequências. Ele está cooperando com a polícia, ou pelo menos vai cooperar. Temos algumas coisas a finalizar antes.

Ela abriu um sorriso tenso, mas a alegria não chegou aos seus olhos.

— Você quer dizer que o convenceu a ser preso — Adam acusou.

Lavinia olhou para mim.

— Esta é uma moça nova ou a Maria finalmente mudou de batom?

Adam ignorou a pergunta.

— O que você acha que está fazendo, Lavinia?

— Todo mundo sabe que o pai me queria no comando, então estou no comando. Estou apenas obedecendo aos desejos dele. Deus sabe que você não faria isso.

— Ele iria deixar o trabalho para mim.

— Adam, não vamos ter um dos seus dramas. Estou de volta agora e tudo vai ficar sob controle, para você poder ir embora para Dublin e seguir sua vida. Todo mundo sabe que você não quer ter nada a ver com a empresa.

Ele olhou para ela com frieza.

— É aí que você se engana.

Eu senti uma mudança de direção, e naquele momento tudo entrou no lugar, e eu soube que desta vez eu estava no caminho certo.

Naquela noite, nós nos deitamos no mesmo quarto, eu na grande cama, Adam no sofá aos meus pés. Eu estava prendendo o fôlego enquanto ouvia a respiração dele, que estava contínua e ritmada. Ouvi e desejei; desejei que ele continuasse respirando por muito tempo, que seu coração continuasse a bater. Era como se eu estivesse me deliciando com o som dele vivo. Ficou tão relaxante para mim que, enfim, me soltei e respirei com facilidade. Não tinha certeza de quem adormecera primeiro, mas o som da respiração dele perto de mim embalou-me delicadamente para um sono feliz pela primeira vez em muito tempo.

21

Como cavar um buraco até o outro lado do mundo

— Nosso irmão foi para seu lugar de descanso na paz de Cristo. Que o Senhor agora lhe dê boas-vindas à mesa dos filhos de Deus no paraíso. Com fé e esperança na vida eterna, vamos ajudá-lo com nossas orações.

A congregação estava em pé em volta da área dos Basil em Terryglass — Tír Dhá Ghlas, que significa terra dos dois riachos —, na margem nordeste onde o rio Shannon entrava no lago Derg. Uma multidão havia aparecido para o funeral de Dick Basil; não porque ele era um homem adorado, não, todos sabiam que não era verdade, mas pelo que ele havia dado à comunidade, às comunidades, ao país. Com uma fábrica que empregava mais de oitocentas pessoas, havia muitas famílias se perguntando e se preocupando com seus empregos e os empregos de seus filhos agora que o Sr. Basil falecera. Centenas de famílias sobreviviam com os pagamentos de Basil. Ele podia ter sido um homem rude e arrogante que era impiedoso com os concorrentes e não se importava com a amizade, mas era um homem leal, um homem patriota que nascera e fora criado em North Tipperary. Embora viajasse pelo mundo em seu jatinho privado, ele sempre voltava para casa no lugar que amava e fazia o melhor que podia para ajudar a população e as suas vilas e cidadezinhas. Em meio à recessão, com custos crescentes industriais, de trabalho e de energia, Dick Brasil se mantivera firme para conservar a produção naquele lugar que ele amava quando a opção econômica teria sido mudá-lo para o exterior. Agora, o futuro da empresa estava em risco. Dick Basil tinha seus motivos pessoais para manter os negócios por perto, e os moradores locais temiam que quem quer que viesse depois dele não tivesse a mesma lealdade à área, em especial se um dos seus filhos, Lavinia e Adam, que estavam em pé ao lado do túmulo, os dois frios — e apenas um deles por causa da temperatura congelante —, assumisse. Duas crianças que haviam se mudado de Tipperary na primeira oportunidade; uma que regularmente enfeitava as colunas sociais realizando eventos e almoços de caridade usando vestidos de grife, o outro fora dos olhares públicos, resgatando pessoas na guarda costeira irlandesa. Um tinha um jeito gentil, a outra era egoísta. Eles esperavam que fosse Adam, mas sabiam que Lavinia era o cérebro administrativo, embora tivesse havido acusações implicando-a em um vergonhoso esquema de pirâmide. Agora, havia rumores de que os filhos dela haviam sido matriculados em um colégio interno ali perto, jogando mais lenha na fogueira. E, então, havia o primo Nigel, escondido entre os engravatados ao lado do túmulo, que, desde que assumira a Bartholomew's, fechara a fábrica na Irlanda e mudara a produção para a China. Todos esperavam que, se ele se envolvesse e as duas empresas se fundissem, como os rumores sugeriam, ele não fechasse a fábrica de Tipperary também. Estavam de olho nele. Observavam o rosto de todos, procurando sinais do que estava por vir até chegar a hora de a congregação acompanhar o caixão ser baixado. A mudança estava por vir, todos sabiam e estavam se preparando. Era iminente e era inevitável.

Eu me sentia constrangida, parada entre Lavinia e Adam ao lado do túmulo. Lavinia estava usando óculos escuros grandes como olhos de insetos e um casaco preto simples que parecia algo da era vitoriana. Seu cabelo loiro estava pintado e arrumado com perfeição; sua testa, sem rugas de um jeito nada natural; seus lábios, com um volume bonito e recém-injetado. O marido parecia significativamente mais velho que ela. Na verdade, eles tinham a mesma idade, mas problemas recentes e a ameaça de prisão que se aproximava o haviam reduzido a um velho grisalho e pálido. As crianças estavam ao lado dele, com dez e oito anos, os rostos mostrando poucos sinais de tristeza pelo avô carinhoso, porque aquele homem não existia para elas.

A distância, as câmeras continuavam disparando. Clique, clique, clique. Paparazzi e jornalistas fotográficos estavam competindo pela melhor imagem do desgraçado empresário que voltara à Irlanda para enterrar o sogro. Pessoas como Lavinia me assustavam. Fria, calculista, emocionalmente subdesenvolvida, imbatível, eram baratas com habilidade de sobrevivência, mesmo que isso significasse destruir os adversários no processo, mesmo se esses adversários fossem suas pessoas mais próximas e queridas. A forma de pensar delas não era natural, o "amor" delas não era natural. Após vê-la em ação, eu compartilhava da convicção de Adam de que a irmã estava envolvida no esquema Ponzi e, ainda assim, de alguma maneira ela convencera o marido a se sacrificar e absolvê-la. Era uma jogada calculada que não tinha nada a ver com culpa ou penitência e tudo a ver com o bloqueio legal para Lavinia receber a herança antes de ter trabalhado na empresa por dez anos.

Li meu texto como Adam pedira e, quando a missa acabou, Lavinia havia erguido o queixo e olhado por cima do nariz para mim.

— Linda leitura. Muito emocionante — ela disse com um sorriso falso, como se achasse graça na ideia de ela se emocionar com qualquer coisa além de uma ordem do tribunal.

O funeral, o dia todo, não foi nada além de constrangedor para mim. Eu fora rudemente ignorada por alguns, enquanto outros ofereciam condolências por uma perda que eu não conseguia sentir. Mulheres mais velhas com rosto franzido e compreensivo haviam segurado minhas mãos e apertado-as em um esforço de me passar seu entendimento da minha dor, quando a única dor que eu sentia era nos meus dedos e articulações como resultado do aperto de ferro delas em mim.

Conforme o caixão era abaixado, senti uma mudança no peso corporal de Adam, senti seu ombro sacudir, sua mão ir para o rosto. Eu sabia que ele iria querer aquele momento para si mesmo, mas não pude evitar, estendi a mão e peguei a mão livre dele. Ele me olhou surpreso e percebi que seus olhos estavam completamente secos. Adam estava sorrindo de orelha a orelha, a mão tentando cobrir o sorriso. Olhei para ele em choque, meus olhos se arregalando, avisando-o para parar. As pessoas veriam, câmeras estavam voltadas para ele, mas saber disso apenas me fazia querer rir também. Rir enquanto o caixão do pai dele estava sendo abaixado e a terra estava sendo jogada em cima tinha que ser o momento inadequado número um, mas isso só fez a risada ser ainda mais difícil de conter.

— O que foi aquilo? — perguntei assim que a multidão começou a se dispersar e estávamos livres para abrir caminho até o carro por entre os desejos de que ficássemos bem.

Não havia limusine para a família; Lavinia e Adam não tinham intenção de dividir um carro. Como líder do luto, Lavinia foi no carro da frente com Maurice e as crianças, enquanto Pat, quieto como sempre, levava Adam e eu no carro do pai dele, que agora era de Adam, em teoria, embora Lavinia tivesse anunciado sua intenção de contrariar isso.

— Desculpe, foi só uma ideia que veio à minha cabeça.

Ele sorriu de novo, uma risada borbulhando sob a superfície.

— Não vou fingir estar triste, Christine. Digo, estou triste de verdade pelo meu pai ter falecido. É um dia triste, uma coisa triste, mas não vou ficar choramingando, agindo como se meu mundo tivesse desmoronado. E não vou pedir desculpas por isso. Acredite ou não, você pode ser um ser humano em pleno funcionamento depois da morte de um ente querido.

Fiquei surpresa com aquela demonstração de força.

— Então, conte para mim o que você achou tão engraçado enquanto abaixavam o corpo do seu pai para a terra por toda a eternidade.

Ele mordeu o lábio e fez que não com a cabeça, o sorriso se formando em seu rosto de novo.

— Eu estava tentando me lembrar dele. Estava tentando me lembrar de alguma coisa comovente, um momento que compartilhamos. É uma ocasião importante, ver seu pai ser abaixado para o chão. Eu estava tentando *sentir* a perda, honrá-lo... Achei que ter uma lembrança adequada seria apropriado para o momento, respeitoso.

Adam riu de novo.

— Mas tudo o que consegui pensar foi na última vez em que falei com ele. A última vez em que eu o vi, sabe, no hospital.

— É claro que me lembro. Eu estava lá.

— Mas você não estava. Depois de eu ser liberado pela segurança e eles tirarem todos do quarto, ele e eu conversamos, queria garantir que ele soubesse que eu não tinha feito aquilo de que Nigel me acusou. Era importante para mim que ele soubesse disso.

Fiz que sim com a cabeça.

Ele sorriu.

— Ele não acreditou em mim. E disse...

Ele começou a rir de novo e não pude deixar de fazer o mesmo.

— Ele disse "não gosto daquela vadia. Nem um pouco. Nem um pouquinho".

Ele mal conseguia pronunciar as palavras, estava rindo muito.

— E, então, eu saí — Adam disse em um gritinho, forçando essas últimas palavras.

Eu parei de rir, sem achar graça mais.

— De quem ele estava falando?

Ele conseguiu parar de rir por um milésimo de segundo para espremer a palavra, mas, depois, caiu em uma histeria ofegante.

— Você.

Levei um tempo para ver o lado engraçado e, quanto mais eu *não* ria, mais ele ria, mais histérico ele ficava e mais contagiante a gargalhada dele ficava para mim. Pat teve que dar voltas pela propriedade por dez minutos para Adam conseguir se recompor antes de se juntar aos que iam para o funeral e, nesse ponto, os olhos dele estavam vermelhos da risada e ele parecia ter chorado.

— Eu não entendo de verdade por que é *tão* engraçado — falei, enxugando os olhos enquanto subíamos os degraus até a mansão.

Eu conseguia ouvir o burburinho da conversa educada e contida do lado de dentro. Parecia que todo o North Tipperary comparecera, e o Taoiseach estava presente; meu pai estivera certo quanto aos contatos da família Basil.

Adam parou na escada e olhou para mim, um olhar peculiar que deixou meu estômago todo engraçado. Ele me olhou como se fosse dizer alguma coisa, mas a porta foi aberta por inteiro e Maureen nos recebeu com uma expressão de pânico.

— Adam, tem policiais na sala de visitas.

Adam disse que ele a havia chamado de sala das más notícias quando criança, e o nome ficara fixo para ele. O cômodo de painéis de madeira tinha sido a sala de estar da casa original, antes de a construção ser aumentada três mil vezes para cada direção. Era a sala onde a mãe dele havia descoberto que tinha câncer, era a sala onde ela morrera e, enquanto as pessoas de luto se reuniam do outro lado do hall para marcar a morte de Dick Basil, foi a sala onde Maurice Murphy, marido de Lavinia, foi preso pelos policiais antes de ser conduzido a uma viatura à espera e levado para a delegacia para interrogatório, e foi onde a família depois soube que ele estava sendo acusado por onze denúncias de roubo e dezoito de fraude pela soma de quinze milhões de euros. Os cinco milhões restantes não podiam ser levados em conta porque o Sr. Basil havia se recusado a fazer a acusação e agora estava morto e enterrado, silenciado para sempre.

22

Como resolver disputas de testamento e herança de oito maneiras simples

— Não entendo por que *ela* tem que estar aqui — Lavinia disse, pescoço ereto e queixo erguido como se usasse um suporte invisível que a impedia de assumir a postura de um ser humano normal.

Eu me contorci no sofá de couro. Concordava por completo com Lavinia; o motivo de eu estar lá escapava da minha compreensão também. Parecia inadequado eu estar presente em um momento tão particular — a leitura do testamento de Dick Basil —, mas Adam insistira que eu estivesse lá e eu concordara, embora não tivesse certeza do porquê. Até onde eu sabia, ele estava preocupado que pudesse sentir uma vontade incontrolável de pular da janela ou de se cortar com o abridor de cartas ou fazer algum estrago com o atiçador de lareira do século XVIII se não gostasse do que ouvisse quando o testamento fosse lido. Eu ainda não tinha certeza do que ele queria escutar exatamente; acho que ele também não tinha muita certeza. Por todo o tempo, eu presumira que a pior coisa para Adam seria acabar como CEO da Basil's, que era o motivo de eu ter tentando pensar em maneiras de livrá-lo daquele dever. Porém, assim que Lavinia entrou na história, ele de repente declarou que queria o trabalho. Agora, Adam estava focado em garantir que ela não tivesse nenhuma ligação com a empresa. Era como se, no minuto em que ela apareceu, ele tivesse percebido que se importava. Não era apenas dever, ou uma ideia de enfrentar o desafio e fazer o que devia; ia mais fundo do que isso. A Basil's estava no seu coração. Fazia parte de quem ele era tanto quanto sua carne e seus ossos. Fora preciso perdê-la para ele perceber isso.

— Acho melhor eu ir embora — sussurrei para Adam.

— Você vai ficar — ele disse com firmeza, sem se preocupar em sussurrar.

Todos se viraram para nos olhar.

Todos nós estávamos sentados inquietos, nervosos; Adam e eu em um sofá de couro marrom e, no outro, Lavinia e Maurice, cujos advogados tinham conseguido liberar com fiança apenas uma hora mais cedo, mais ou menos. Ele parecia estar prestes a ter um ataque do coração; seus olhos estavam vermelhos e inchados, o rosto flácido de exaustão e a pele seca e com manchas.

A razão de todos estarem nervosos era o fato de, apesar de Adam acreditar, e terem lhe dito, que o cargo iria para ele, agora que a filha mais velha, Lavinia, estava em casa, ela tinha um direito prévio. Além disso, não havia como saber o que ela poderia ter feito para garantir seu futuro enquanto o pai estava no leito de morte. Assim, agora Adam queria o emprego e Lavinia o queria mais do que nunca.

Arthur May, o advogado, pigarreou. Um homem de setenta anos com cabelos grisalhos e ondulados, alisados com gel e colocados para trás das orelhas, e uma barba como de mosqueteiro, ele frequentara o mesmo colégio interno que Dick Basil e era um dos poucos homens em quem ele confiara. Houve um momento de silêncio enquanto ele olhava ao redor para garantir que tinha a atenção de todos e, depois, começou a ler o testamento com uma voz clara, nítida e autoritária que deixou evidente que ali estava um homem com quem não se devia discutir. Quando ele chegou à parte em que, de acordo com os desejos de Richard Basil e de acordo com a última vontade e o testamento de Bartholomew Basil, Adam Richard Bartholomew Basil deveria assumir o controle da Basil's e se tornar CEO, Lavinia deu um pulo do sofá e um grito alto. Nenhuma palavra em especial, apenas um lamento de *banshee*, como se ela fosse uma mulher que tinha sido acusada de bruxaria e amarrada a um poste em chamas.

— Impossível! — Lavinia cuspiu, de repente coerente de novo. — Arthur, como pode ser?

Ela se virou e apontou um dedo acusatório para Adam.

— Você o enganou! Você enganou um velho moribundo.

— Não, Lavinia, isso foi o que você tentou fazer — Adam disse com frieza.

Ele estava extremamente calmo. Eu não conseguia acreditar muito bem; ali estava ele, completamente em paz com a decisão e o papel, quando apenas uma semana antes, mais ou menos, ele estivera ameaçando pular de uma ponte.

— Essa vadia tem alguma coisa a ver com isso!

Ela apontou a unha pintada para mim. Meu coração martelou ao ser de repente o centro da atenção em outra confusão de família.

— Deixe-a fora disso, Lavinia. Não tem nada a ver com ela.

— Você sempre foi o mesmo, Adam... Pau-mandado de toda mulher com quem já esteve. Barbara, Maria e agora essa daí. Bem, eu vi o arranjinho engraçado que vocês fizeram no quarto e posso adivinhar o que está acontecendo!

Ela estreitou os olhos para mim e eu me retraí.

— O que foi, ela não quer dormir com você até se casarem? Ela quer seu dinheiro, Adam. *Nosso* dinheiro... E não vai conseguir. Não pense que você pode me enganar, sua vadiazinha.

— Lavinia!

Adam explodiu naquela voz brava aterrorizante. Ele deu um pulo do sofá como se quisesse arrancar a cabeça da irmã e comê-la. Lavinia ficou em silêncio no mesmo instante.

— O motivo de o pai ter deixado a empresa para mim é porque você *roubou* cinco milhões dele. Lembra?

— Não seja tão infantil!

Em um gesto revelador, ela desviou o olhar ao dizer isso.

— Ele nos deu para investir.

— Ah, é *nós* de novo, não é? Pena que o Maurice tenha que enfrentar as consequências sozinho, não é, Maurice?

Se Maurice tinha parecido um homem despedaçado antes, ele parecia perto da desintegração agora.

— É isso mesmo, Lavinia — Adam continuou —, o pai deu o dinheiro para você investir... Na sua casa de campo em Nice, na ampliação da sua casa, em todas aquelas noitadas chiques que você fez para colocar sua cara nas revistas e arrecadar dinheiro para projetos de caridade que estou começando a me perguntar se sequer existiam.

— Não era assim — Maurice falou com a voz baixa, fazendo que não com a cabeça e olhando para o chão como se estivesse lendo as palavras no tapete. — Não era nem um pouco assim.

Era provável que ele estivesse repetindo a frase desde que a polícia o levara para o interrogatório. Levantou o olhar para o advogado, a voz ainda preocupantemente baixa.

— E quanto às crianças, Arthur? Ele as incluiu?

Arthur limpou a garganta, colocou os óculos, feliz em voltar ao assunto.

— Portia e Finn devem receber sua herança de 250 mil cada um no aniversário de dezoito anos.

As orelhas de Lavinia se eriçaram.

— E quanto a mim? A filha dele?

Ela perdera o grande prêmio de administrar a empresa, mas o que havia atrás da porta número dois? Talvez ela ainda conseguisse se salvar.

— Ele deixou para você a casa de férias em Kerry — Arthur respondeu.

Até Adam ficou pasmo. Pela expressão em seu rosto, ele estava alternando entre achar aquilo divertido e sentir-se culpado pela irmã que tinha desejado tanto, tanto que acabou atraindo seus medos e perdendo tudo.

— Aquela casa é um buraco de merda! — Lavinia gritou. — Um rato não passaria as férias ali, muito menos moraria naquele lixo.

Arthur olhou para ela como se tivesse visto tudo aquilo antes e estivesse cansado de histerias.

— E quanto a esta casa?

— Foi deixada para Adam — Arthur disse.

— Isso é uma desgraça, merda! — Ela cuspiu. — O testamento do vovô era perfeitamente claro, no caso da morte do pai, a empresa fica para *mim*.

— Se eu puder explicar...

Arthur tirou os óculos devagar.

— Seu avô especificava que, com a morte do seu pai, a empresa deveria passar para o irmão mais velho, que, de fato, é você, Lavinia. Mas havia uma cláusula, da qual você pode não saber, declarando que, se o filho mais velho fosse condenado por um delito ou crime, ou declarasse falência, a empresa deveria passar para o próximo na fila.

O queixo dela caiu.

— E eu acredito que — Arthur continuou, virando para ela um olhar demorado com olhos azuis dançantes, o que me fez pensar que ele estava gostando muito daquilo —, deixando de lado as recentes acusações criminosas e quaisquer outras ações que possam estar pendentes, você há pouco tempo declarou falência.

— Caramba, Lavinia!

Maurice levantou-se em um pulo, de repente reanimado.

— Você disse que ficaria tudo bem. Você disse que tinha um plano. Que daria certo. Não estou vendo dar nem um pouco certo, você está?

Ficou óbvio pela reação de Lavinia que aquele era um comportamento raro para ele.

— Certo, querido — ela disse em uma voz calma e controlada. — Eu entendo. Estou surpresa também. Papai me deu a sua palavra, mas agora acho que ele armou para mim. Ele me disse para vir para casa. Vamos para algum lugar conversar sobre isso. *As pessoas estão ouvindo*.

— Eu passei o dia todo, *o dia todo* sendo provocado e interrogado de novo e de novo...

— Certo, querido... — interrompeu, nervosa.

— Você sabe o que disseram que eu posso pegar?

— Eles só estão tentando assustar...

— Dez anos — a voz dele vacilou. — A sentença média é de dez anos. DEZ ANOS! — ele gritou na cara dela, como se achasse que ela não entendia a importância do que ele estava falando.

— Eu sei, meu bem.

— Por um crime no qual eu não estava sozinho...

— Certo, querido, certo.

Ela sorriu nervosa, tentando pegar o braço dele para levá-lo para fora da sala.

— Está claro que o pai tentou fazer a sua última graça — a voz de Lavinia falhou então. — Mas tudo bem, tenho senso de humor também e vou fazer a *minha* última graça. Vou contestar esse testamento — ela disse, a compostura totalmente recuperada.

— Você não tem argumento para lhe dar apoio — Adam disse. — Desista, Lavinia.

Eu mal reconhecia o homem que vira tremendo na ponte, o homem que fora silenciado pela presença do pai, que se retirara para sua concha assim que tínhamos passado pelos portões da sua casa. Lavinia também não o reconhecia, era evidente, porque ela estava olhando para ele como se ele tivesse sido possuído. Mas aquilo não a impediu de soltar um último insulto mortal:

— Você não sabe nada sobre administrar uma empresa. Você pilota helicópteros, pelo amor de Deus. Você é totalmente inadequado e emocionalmente incapaz de lidar com as pressões de comandar um negócio. Você vai arruinar essa empresa, Adam.

Lavinia tentou intimidá-lo com o olhar, mas não funcionou. No final, saiu brava da sala com Maurice na cola, a energia dele agora gasta, arrastando-se atrás dela como uma sombra.

— Sinto muito por isso, Arthur — Adam disse.

— Não se preocupe, meu velho.

Arthur ficou em pé e começou a arrumar sua maleta.

— Eu gostei bastante — ele admitiu, um brilho malicioso aparecendo em seus olhos.

O telefone de Adam tocou. Uma expressão preocupada apareceu no seu rosto enquanto ele olhava a tela, e ele pediu licença e foi para o canto da sala atender à ligação.

Arthur inclinou-se sobre a mesa até mim e disse em voz baixa:

— Não sei o que você está fazendo com esse homem, mas continue... Não vejo Lavinia receber uma resposta assim há muito tempo e não consigo me lembrar desse jovem já parecer tão autoconfiante. Combina bem com ele.

Eu sorri, sentindo-me orgulhosa de Adam e de quão longe ele chegara, tudo em um pouco menos de duas semanas. Mas, ao mesmo tempo, ele tinha um longo caminho à frente... E não estava só pensando na Basil's e nas pressões que isso traria. Os problemas que Adam tinha não eram do tipo que iriam embora do dia para noite, ou mesmo em duas semanas. Só podia esperar que ele estivesse em uma situação melhor agora, com as ferramentas para se ajudar. Se não, eu tinha falhado.

— Arthur, parece que você vai ficar ocupado por um tempo — Adam falou, saindo do telefone. — Era o Nigel. Parece que Lavinia já tinha feito um acordo com ele para fundir a Bartholomew's e a Basil's e vender tudo para a Mr Moo.

— A empresa de sorvete? — Arthur perguntou, pasmo.

Adam fez que sim com a cabeça.

— Estavam trabalhando nas letras miúdas e estava tudo pronto para anunciarem isso assim que a Lavinia assumisse o controle.

Arthur pensou a respeito e, depois, riu.

— Seu pai com certeza a enganou. Ele se divertiu muito fazendo isso também.

Depois, ficou sério.

— Ela agiu sem autoridade nenhuma. Lavinia não tem papel na Basil's; o acordo não vai resistir... A menos, é claro, que você queira.

Adam fez que não com a cabeça.

Arthur sorriu.

— Nigel vai ficar muito bravinho.

— Estou acostumado com pessoas da família bravas.

— É provável que você não tenha interesse em ouvir isso, Adam, mas seu pai ficaria orgulhoso de você. Ele não lhe diria, é claro, preferiria morrer antes... O que aconteceu. Mas confie em mim, garoto, ele teria orgulho de você. Ele me disse que você não queria a empresa, mas... — Arthur levantou a mão para impedir Adam de explicar. — Acho que você deve saber que trabalhamos duro nos últimos meses, montando este testamento. Era definitivamente *você* que ele queria no comando.

Adam fez que sim com a cabeça, em gratidão.

— Você vai sentir falta dele, Arthur. Amigos por quanto tempo?

— Sessenta e cinco anos.

Arthur abriu um sorriso triste e, depois, deu uma risadinha.

— Ah, quem estou querendo enganar? Serei o único a sentir falta daquele velho canalha.

Olhei para Adam, as mãos nos bolsos do seu terno elegante, parado ao lado da antiga lareira da mansão, um retrato do avô acima da cornija, a semelhança impressionante. Ele era delicioso. Nossos olhares se cruzaram e meu coração começou a martelar. Meu estômago sacudiu e revirou, eu não conseguia tirar os olhos dele e esperei que ele não pudesse perceber como eu me sentia.

— Você me perguntou o que eu costumava fazer aqui quando estava sozinho na infância.

Fiz que sim com a cabeça, feliz por ele ter falado primeiro, sem confiar que eu conseguiria dizer alguma coisa.

— É meio-dia.

Ele verificou o relógio.

— Nós temos mais quatro horas de luz, depois podemos voltar para Dublin. Tudo bem para você?

Fiz que sim. Quanto mais tempo eu o tivesse para mim, melhor.

Em quatro horas, tive uma ideia de como a vida dele tinha sido na Mansão Avalon. Saímos com o barco para o lago quase congelante, fizemos um piquenique com coisas que Maureen tinha preparado para nós:

sanduíches de pepino e suco de laranja recém-espremido, porque era o que ele costumava comer. Depois, subimos em um carrinho de golfe e passeamos pela propriedade de oitocentos hectares. Fomos atirar em pombos de argila, experimentamos arco e flecha, ele me mostrou onde ia pescar... Porém, a maior parte do tempo foi gasta no armazém de barcos, enrolados em cobertas, bebendo uísque quente em cantis, assistindo ao sol se pôr no lago.

Adam suspirou, um suspiro pesado e cansado.

Olhei para ele.

— Vou conseguir fazer isso?

Minha mente correu por uma seleção de palavras e frases dos meus livros de pensamento positivo, mas, no final, eu me contive, decidindo-me em vez disso por um simples "sim".

— Tudo é possível com você, não é?

— A maioria das coisas é possível.

Então, mais para mim mesma:

— Mas não tudo.

— Como o quê?

Como você e eu.

23

Como se preparar para uma despedida

A escuridão do fim da tarde começou a descer e, depois de algumas horas mágicas, sentindo-me como se fôssemos apenas nós dois sozinhos no mundo, voltei à terra com um baque surdo. Era hora de voltarmos para Dublin. Pat nos levou e viajamos em um silêncio confortável. Houve a tentativa ocasional de um bate-papo, mas, a cada vez em que caíamos no silêncio de novo, meu estômago se revirava em nós. Quanto mais nos aproximávamos de Dublin, mais perto estava o aniversário dele, e logo seria o momento de nos despedirmos. Duas semanas intensas, acabadas antes de percebermos. As duas semanas mais intensas da minha vida, de fato, terminadas, simples assim. É claro que era possível que pudéssemos nos ver de novo, mas nunca seria a mesma coisa, nunca seria tão íntimo, tão forte. E eu deveria estar feliz. Deveria estar comemorando: quando conheci Adam, ele queria que sua vida terminasse e, agora, parecia estar na direção certa para encontrar seu caminho. Se eu me importava com ele, a última coisa que deveria querer era que precisasse de mim da forma como precisara antes.

Pat saiu da rodovia e seguiu para o centro da cidade.

— Aonde estamos indo? — perguntei, sentando-me ereta.

— Reservei um quarto no Hotel Morrison — Adam explicou. — É mais perto da prefeitura. Pensei que seria mais fácil.

Senti meu peito ficar tenso e um leve pânico entrar em mim. Estávamos nos separando, seguindo caminhos diferentes. Suspiros profundos. Suspiros profundos. Para dentro e para fora, para dentro e para fora. Talvez fosse eu quem tinha ansiedade de separação e não ele.

— Mas o nosso tempo ainda não acabou. Temos um dia ainda. Adam, se você acha que vai se livrar de mim antes de isto estar pronto, está errado. Vou dormir no seu sofá.

Ele sorriu.

— Estou bem.

Adam parecia bem.

— Talvez você esteja agora, neste momento, mas nós dois sabemos quão rápido isso pode mudar. Além disso, você tem muito trabalho a fazer em si mesmo. Isto é apenas o começo, você sabe. E realmente precisa concordar em ver um terapeuta.

— Eu concordo — ele disse apenas.

Parecia estar achando graça.

— Isto não é engraçado, Adam. Só porque a Maria vai à festa, não significa que está garantido, não ainda. Insisto que você fique comigo até o nosso acordo terminar.

— Peguei quartos conjuntos para nós.

Ele sorriu.

— E obrigado por me lembrar.

Eu parei, constrangida.

— Ah. Eu não estava tentando deixá-lo em pânico, só estava, sabe, tentando *prepará-lo* para o que pode acontecer.

E, mais uma vez, veio-me o pensamento de que era eu quem precisava ser preparada.

Quando chegamos ao Hotel Morrison, fomos acompanhados diretamente no elevador até o último andar, onde Adam havia reservado uma suíte de cobertura com dois quartos.

— A vista que você pediu, senhor — o *concierge* disse, orgulhoso.

Andei até as janelas que iam do chão ao teto e espiei para fora. Nosso quarto tinha vista para o rio Liffey e, bem abaixo da nossa janela, estava a ponte Ha'penny, brilhando gloriosa, acesa naquela noite escura com luzes verdes direcionadas para cima e seus três postes decorativos brilhando sobre a água. Olhei para Adam, sinos soando em minha cabeça, mas tentei não reagir.

— Contente? — Adam perguntou.

— Nossos quartos não são ligados — falei, insolente.

— Não.

Ele riu.

— Eles parecem estar separados por uma sala de jantar, uma cozinha e uma sala de estar.

Adam olhou para mim, achando graça.

— Pensei que fosse gostar.

Era o quarto mais luxuoso onde eu já estivera, e só tinha estado em dois quartos realmente luxuosos, os dois cortesia de Adam.

— É incrível.

Fiz que sim com a cabeça. *Exceto pela vista.*

Estava tarde quando chegamos ao hotel e nenhum de nós queria fazer nada além de pedir serviço de quarto e assistir à enorme TV de plasma, sentados no grande sofá. Eu ficava mais confortável com Adam, somente sentada sem fazer nada, do que já ficara com Barry. Ficávamos à vontade juntos. A cereja do bolo era que eu queria muito, muito, muito mesmo dormir com Adam. Eu tivera pouco desejo de fazer isso com Barry. Havia achado sua incerteza doce no início, mas, depois, conforme o tempo passou, ela começou a me frustrar; eu queria mãos decididas, masculinas e certas no meu corpo e fiquei irritada com quão insatisfeita eu me sentia depois, com ele ofegando ao meu lado, sem fôlego, enquanto eu ainda nem tinha começado. É claro que, no começo, as coisas tinham sido diferentes, mas, cedo demais, nós nos acomodamos muito nas nossas rotinas e padrões estabelecidos. E não estávamos casados havia nem um ano. Nem conseguia imaginar como teríamos sido depois de trinta anos.

No entanto, Adam... Estar com Adam fazia com que eu me sentisse viva. Adam me intoxicava com efeitos desconcertantes. Apesar do sofá enorme, sentamos um perto do outro no meio. Eu era como uma colegial apaixonada. Senti-me congelar e ficar toda animada. *Ele estava perto de mim!* Quando nossos cotovelos se tocaram, eu me senti pegar fogo. Não conseguia me concentrar no filme. Estava feliz demais, tonta demais, eufórica com aquele momento para conseguir me concentrar. Eu também estava consciente demais da proximidade dele, seus pés descalços no banco que dividíamos, seu corpo musculoso em calças de agasalho e uma camiseta reclinado perto de mim, relaxado e ah, tão sexy ao mesmo tempo.

Eu estava com medo de tirar os olhos da TV, com medo de olhar para ele caso fosse óbvio, caso transparecesse, caso ele descobrisse que a mulher em quem ele confiava para ajudá-lo a tirá-lo do fundo do seu desespero estava sonhando em segredo em baixar as calças dele e possuí-lo bem ali no sofá. Dei uma espiada nele pelo canto do olho: ele estava encarando a TV, totalmente concentrado, a mão se mexendo mecanicamente da tigela de pipoca até sua boca. Olhei depressa, vi a pipoca cair entre seus lábios cheios. Engoli em seco. Dei outro gole na minha bebida.

— Vou tomar um banho — ele disse de repente, colocando a tigela no apoio de pé.

Depois, ele saiu da sala. O sofá enorme pareceu ainda maior agora que só havia eu, e me senti uma idiota. Apoiei a cabeça nas mãos, bati-a várias vezes contra meus joelhos recolhidos e tentei me lembrar de que o homem com o qual eu estava obcecada havia jurado se matar se não recuperasse a namorada até seu aniversário. A *namorada*. O aniversário dele era no dia seguinte. A última coisa em que ele estava pensando era em fazer sexo comigo.

Eu precisava voltar ao meu papel. Tinha enlouquecido seriamente. Baixei a taça de champanhe, sentindo-me de repente constrangida, como se eu fosse a única menina da festa porque a festa tinha acabado e eu demorara até então para perceber. Eu me endireitei, minhas bochechas queimando de vergonha pelo que eu estivera pensando, quão egoísta havia sido... Sem contar quão perigoso teria sido, com Adam em seu atual estado de espírito.

Na ponta dos pés, fui até o quarto dele e apertei a orelha contra a porta. Esperava ouvir o choro soluçado habitual, mas tudo o que eu conseguia ouvir era a água caindo em um ritmo irregular conforme o corpo dele se mexia embaixo do fluxo, espalhando-a em direções diferentes. Sem lágrimas. Eu sorri. Ele estava pronto. Eu precisava que Maria não estragasse tudo para ele. Andei com passos silenciosos pelo carpete luxuoso até meu quarto, despi-me para dormir e liguei para o número de Amelia. Eu ficara tão enlouquecida com a minha vida nos dias anteriores que nem tinha pensado em ligar para ela e ver como estava indo. O telefone tocou e tocou e, enfim, uma Amelia sem fôlego atendeu.

— O que você estava fazendo, correndo uma maratona? — brinquei, cansada, tentando me animar para ela.

— Não, desculpe, eu estava, er… ah.

Ela deu uma risadinha.

— Desculpe. Você está bem? Digo, como você está?

Franzi as sobrancelhas, ouvi com atenção os barulhos de fundo.

— Alô? — Amelia disse de novo.

Ouvi um sussurro.

— Com quem você está?

— Eu?

— Sim, você.

Eu sorri.

— Ahn… O Bobby. Você sabe. Ele está me ajudando com, ah, a busca.

Ouvi alguém bufar ao fundo.

— Você está em Kenmare?

— Não. Abandonamos essa ideia por ora, meio que nos distraímos com outra coisa aqui, sabe?

Ela deu outra risadinha.

— Christine, você *sabe* que não posso conversar agora.

Eu ri.

— É, estou percebendo. Eu queria ver se você está bem, só isso.

A voz de Amelia ficou mais clara então.

— Sabe, o estranho é que eu estou. Estou, mesmo, mesmo.

— Que bom.

— E quanto a você? Eu sei que amanhã é a... festa de aniversário. Como está o Adam? Como está indo tudo?

— É, bem — respondi, e ouvi o tremor na minha voz. — Falo com você amanhã. Vou deixar que você volte ao que quer que esteja fazendo.

Desliguei o telefone e segurei a minha cabeça. Quando levantei o olhar, vi Adam à porta, a porta que eu sempre deixava aberta para escutá-lo durante a noite. Ele estava molhado e com água escorrendo, a toalha enrolada baixa na sua cintura. Água pingava do seu nariz e do seu queixo, como se ele tivesse literalmente saído correndo do banho sem nem se enxugar. Sem prestar atenção, ele limpou o rosto, puxou o cabelo para trás, ajeitou-o com as duas mãos. Ao fazer isso, revelou ainda mais seu corpo musculoso. Eu estava encarando sem vergonha, sentindo que o fato de ele chegar à porta do meu quarto de repente seminu me dava essa licença.

Tentei pensar no que dizer. *Você está bem?* Ou *posso ajudar?* Não, muito atendente de loja. Então, não disse nada, fiquei parada, só com a roupa de baixo, olhando para ele e sendo olhada. Então, de repente, muito de repente, pela primeira vez em duas semanas, ele passou da porta, do mundo dele para o meu mundo, e ele estava no meu quarto e estava vindo na minha direção, e meu rosto estava nas mãos dele e ele estava abaixando o olhar para mim e a água do banho do cabelo dele estava pingando na minha pele, os lábios dele estavam nos meus e ele me segurou ali, bela e demoradamente, um roçar suave dos lábios dele contra os meus por muito tempo. Eu estava com medo de que ele fosse se afastar, que tivesse decidido que era tudo um erro, mas, em vez disso, ele separou meus lábios com o lábio inferior dele e empurrou sua língua para dentro da minha boca. Enfim acreditando que ele não iria embora, levantei as mãos para o seu corpo e me aproximei. Senti-me tonta, tudo se agitando dentro de mim como um mensageiro em pânico tentando compartilhar a notícia. Eu literalmente derreti e ganhei vida ao mesmo tempo, uma situação bizarra. Eu o levei para a cama e, conforme deitávamos, ele terminava nosso beijo e abria os olhos. Sorriu para mim, eu sorri de volta e nós continuamos.

Nós continuamos mais duas vezes.

Enquanto Adam estava dormindo embaixo de mim, seus braços envolvendo meu corpo, minha cabeça subindo e descendo no seu peito, senti-me satisfeita e sonolenta. Algo no coração dele batendo, ele respirando, ele vivendo me ajudara a relaxar na maioria das noites em que compartilhamos um quarto. Era uma solução que meu livro *Como acalmar sua mente e dormir um pouco* deixara de mencionar: apaixone-se por um belo homem e ouça as batidas do coração dele. Ele me ajudou a relaxar e eu adormeci.

Quando fechei os olhos, estava no complexo de apartamentos com o detetive Maguire, mas, desta vez, o complexo de apartamentos era a Mansão Avalon abandonada, em Tipperary. Havia uma faixa de cena do crime amarela em volta do prédio e Simon estava no telhado. O detetive Maguire estava pegando uma escada para eu subir, mas eu estava protestando que não podia subir porque estava usando vestido e ventava. Porém, no final, subi a escada, meu vestido sendo soprado para cima em volta da minha cintura e todos abaixo de mim rindo. Eu me esquecera de colocar calcinha porque tinha acabado de fazer sexo com Adam, que foi o que eu disse a eles. Maria estava lá e todos concordavam que eu deveria ser presa por ter um comportamento tão inapropriado. Todos concordaram, até Leo Arnols, que estava parado ao lado de Maria. O detetive Maguire disse a eles todos que iria me prender, mas, primeiro, eu tinha que salvar Simon. Ele começou a gritar para mim na escada, negociando um acordo: se eu salvasse Simon, ele não me prenderia. Mas ele estava rindo enquanto dizia aquilo, zombando de mim. De qualquer forma, concordei e fizemos um pacto. Subi e subi a escada, sem chegar a lugar nenhum, todos rindo abaixo de mim conforme minha saia continuava a voar para todos verem. De repente, a escada começou a se inclinar para trás, para longe da casa. Levantei o olhar e vi Simon no canto do telhado; ele estava chorando, olhando para mim com a expressão exata que estava em seu rosto naquela noite. Eu podia ver a culpa no rosto dele, ver que, se eu não chegasse a ele, ele morreria. Maguire, Maria e Leo estavam urrando de tanto rir. A escada estava no limbo, pairando, indo até Simon e, depois, mudando de ideia e indo para trás de novo, e não havia nada que eu pudesse fazer para pará-la. Depois, Adam estava ali, mortificado comigo e com meu fracasso óbvio, desejando nunca ter me conhecido. Ele estava dizendo isso para todo mundo, e essa foi a última coisa que ouvi antes de a escada começar a se inclinar para trás por completo e eu começar a cair para o chão.

Acordei assustada. Olhei para o relógio e vi que só dormira vinte minutos.

— Tudo bem? — Adam resmungou.

— A-hã.

Os braços dele estavam me envolvendo com firmeza, seu peito subia e descia, e eu adormeci de novo. Voltei ao condomínio de apartamentos, o verdadeiro desta vez, mas estava totalmente mobiliado e pessoas estavam vivendo ali, cada apartamento fervilhando com sons de vida, da forma como devia ser. Simon estava parado diante de mim com uma banana na mão, que ele tirara da tigela de frutas do balcão da cozinha. Ele estava me dizendo que era uma arma.

Comecei a falar, mas falei rápido demais e minhas palavras se confundiram umas com as outras e não fizeram sentido. No entanto, de alguma forma, ele entendeu. Quando eu tinha acabado minha conversa sem senso, ele colocou a arma no balcão. Suspirei aliviada. Olhei ao redor em busca do detetive Maguire, mas não havia ninguém ali e, assim, esperei os policiais assumirem; eu fizera o trabalho, eu terminara, eu o convencera a parar! Contudo ninguém veio. Onde estava todo mundo? Eu estava muito aliviada e, ainda assim, ao mesmo tempo ansiosa, meu coração batendo descontrolado no peito. Ele estava parecendo perdido, exausto com a experiência. Eu sabia que tinha que dizer alguma coisa, preencher o silêncio.

— Agora você pode ir para casa, Simon, voltar para casa e as suas filhas.

Eu sabia que estava errado assim que falei. O tempo todo ele estivera me dizendo que aquele apartamento era sua casa, que tinham tentado tirá-lo da sua casa, e tudo o que ele queria era voltar com a família, para a casa pela qual ele economizara, a casa que ele comprara com a esposa, a casa onde ele planejara morar com as filhas; a primeira casa deles juntos como família. O aposento de repente se esvaziou, ficou cinza e inabitado, e percebi que *estávamos* na casa dele. Eu dissera a coisa errada. Ele levantou o olhar para mim e eu soube no mesmo instante que eu tinha cometido um erro.

Ele pegou a banana, que virou uma arma.

— Esta é a minha casa.

Ele puxou o gatilho.

Acordei, as palavras dele soando nos meus ouvidos. Meu coração estava martelando em meu peito, Adam não estava mais embaixo de mim, ele estava ao meu lado na cama, o relógio marcava quatro da manhã. Eu me sentei, quente e grudenta por causa do sono, pânico e medo revirando-se pelo meu corpo com a memória do que acontecera. Peguei o bloco de notas ao lado da cama e escrevi: *Tive que ir. Vou explicar. Até mais tarde.*

Pensei se deveria acrescentar um *beijo*, mas decidi que não. Eu não queria parecer muito ligada, muito presunçosa. Nesse ponto, eu já tinha desperdiçado tempo demais e não tinha tempo para refletir. Eu voltaria antes de ele acordar, com sorte. Saí da cama, vesti umas roupas e logo estava na recepção esperando por um táxi. Vinte minutos depois, eu estava no hospital.

Entrei correndo na ala e, pela minha expressão, a segurança sabia que deveria me deixar passar. Por sorte, Angela estava trabalhando.

— Christine, o que aconteceu?

— Foi culpa minha — falei, com lágrimas em meus olhos.

— Não é culpa sua, eu disse isso.

— Eu preciso dizer a ele. Eu me lembro agora. Preciso pedir desculpas.

Tentei passar por Angela, mas ela me segurou.

— Agora, você não vai a lugar nenhum até se acalmar, você me ouviu? — A voz dela estava firme.

Uma enfermeira saiu do seu posto para ver se tudo estava bem e, sem querer fazer uma cena, logo me forcei a me acalmar.

Sentei-me ao lado da cama de Simon, inquieta. Ele fora tirado dos aparelhos de suporte enquanto eu estava em Tipperary, mas ainda estava na UTI. Estava respirando sem ajuda, embora ainda não tivesse aberto os olhos ou recuperado a consciência por completo. Meus dedos tremiam conforme as palavras que pronunciei na noite da tentativa de suicídio dele — que eu esquecera — voltavam reverberando pela minha cabeça, insultando-me, culpando-me, apontando o dedo para mim, acusatórias.

— Simon, estou aqui para pedir desculpas. Eu me lembrei do que eu disse. Você provavelmente sempre se lembrou e queria gritar para mim, mas eu sei agora.

Funguei.

— Você tinha abaixado a arma. Você me deixou ligar para os policiais. Parecia diferente, aliviado e, depois, fiquei muito aliviada, muito feliz por ter evitado que você atirasse em si mesmo, mas eu não sabia o que fazer. Provavelmente foram apenas cinco segundos, mas pareceu muito tempo. Estava com medo de você pegar a arma de novo.

Fechei os olhos apertados, as lágrimas escorreram pelas minhas bochechas e coloquei-me de volta ao aposento de mais de um mês antes.

— "Muito bem, Simon" — repeti. — "Os policiais estão a caminho. Eles vão levá-lo para casa, para sua esposa e suas filhas." E você de repente pareceu diferente. Foi por causa do que eu disse, não foi? *Casa*. Eu disse ir para *casa*, mas você tinha passado o tempo todo me dizendo que aquela era a sua casa, a que você fora forçado a deixar. Eu o escutei,

Simon, entendi por completo, eu... escorreguei no final. Cometi um erro e sinto muito.

Eu queria pegar a mão dele, mas senti que qualquer contato seria uma intrusão. Eu não era uma amiga, não era da família, era a mulher que não conseguira salvá-lo de si mesmo.

— Seria errado da minha parte, egoísta da minha parte sugerir que houve um motivo para você fazer o que fez, que qualquer coisa boa pode ter saído do que você fez, mas, quando eu o perdi, fiquei tão desesperada para nunca cometer o mesmo erro de novo que fui além, tenho ido além, no meu esforço de salvar a vida de outro homem. E, se eu não tivesse fracassado com você, então talvez não tivesse tido sucesso com ele. Quero que você saiba disso.

Pensei em Adam e na noite que compartilhamos e sorri por um instante.

Fiquei sentada com Simon em um longo silêncio. De repente, houve um bipe alto de uma máquina ao lado da cama. Congelei no começo e, depois, dei um pulo para ficar em pé. Ao mesmo tempo, Angela entrou correndo no quarto e partiu para a ação.

— Eu só estava falando com ele — eu disse, em pânico. — O que eu fiz?

— Você não fez nada — ela falou depressa.

Ela correu para a porta, disparou uma lista de ordens para outra enfermeira do turno e, depois, olhou para mim.

— Você não fez nada. Pare de se culpar. Fico feliz porque você estava aqui com ele. Agora, vá.

O quarto se tornou um alvoroço de atividade e eu fui embora.

Simon Conway foi declarado morto naquela noite.

24

Como se afundar no seu desespero de uma maneira simples

Voltei à suíte do Hotel Morrison às cinco e meia da manhã, exausta e completamente esgotada. Queria voltar para a cama ao lado do corpo quente e forte de Adam, sentir-me segura, ganhar uma recarga dele com amor e alegria, fé e bondade de novo. Era o que eu esperava fazer, mas, quando entrei na suíte, ele já estava acordado.

Vê-lo me fez sorrir e meu coração flutuou, vê-lo era remédio suficiente para mim, mas, então, notei a expressão no seu rosto conforme eu entrava no quarto e meu sorriso desapareceu. Sinais de alarme soaram. Eu conhecia arrependimento quando o via, estivera olhando para ele no espelho todo dia desde que me casara com Barry. Preparei-me, preparei meu coração, subi a guarda em volta de mim em preparação para o ataque. As defesas da rainha de gelo estavam acionadas.

— Você esteve chorando — ele disse.

Olhei meu reflexo no espelho do corredor e eu estava horrível. As roupas que vestira depressa não combinavam, meu cabelo não tinha sido escovado, eu não estava usando maquiagem, meu nariz estava vermelho, minha pele estava manchada. Eu não estava exatamente com uma aparência para conquistá-lo. Estava prestes a lhe contar sobre Simon quando começou.

Começou com um olhar e eu soube, soube antes de ele sequer dizer as palavras, imediatamente sentindo-me um pedaço de lixo que tinha tirado vantagem de um homem doente, e eu queria que aquele momento já tivesse acabado para eu poder pegar minha mala e fazer a caminhada da vergonha de volta a Clontarf. Eu não tinha aprendido nada com a experiência com Simon Conway? O que eu fizera com Adam? Ele estava péssimo; eu havia desfeito o bom trabalho que ele tinha feito em si mesmo, deixado-o confuso e com nojo de si mesmo, desorientado o bastante para mandá-lo de volta direto para a ponte abaixo da nossa janela? Como eu poderia deixá-lo agora? Naquele estado? Mesmo que ele me pedisse para ir embora.

— Não é... Nós não devíamos ter... Eu não devia ter... — Adam tentou começar a dizer. — Eu assumo a responsabilidade total — falou enfim. — Sinto muito, Christine, eu não devia ter... ido até você na noite passada.

— Não, eu devia ter sido mais inteligente.

Engoli em seco, minha voz rouca, parecendo ter tido que percorrer uma grande distância.

— Você tem a Maria, a grande festa, o grande dia e novidades emocionantes para compartilhar com o mundo sobre o seu trabalho, então, não se preocupe.

Eu o ajudei a dizer as palavras.

— Vamos esquecer o que aconteceu. E, por favor — coloquei a mão no peito e minha voz falhou —, me desculpe. Peço desculpas do fundo do coração por ser tão...

Prejudicial? Carente? Egoísta cuidando das minhas próprias necessidades quando deveria estar pensando nas dele? Por onde eu começaria?

Ele pareceu triste.

— Foi um erro — falei e tentei manter o queixo erguido, mas, como poderia? Sentia-me tão constrangida. — Desculpe — sussurrei, indo depressa para o quarto. — Não quero deixá-lo caso...

— Estou bem — Adam disse.

Ele estava esgotado, exausto, porém eu acreditava nele.

Minha presença ali não ajudaria em nada naquele momento. Eu teria que arriscar deixá-lo sozinho.

— Nós nos vemos mais tarde? — ele perguntou. — Na festa?

Congelei.

— Você ainda quer que eu vá?

— É claro.

— Adam, você não precisa...

— Quero que você esteja lá — ele declarou com firmeza, e fiz que sim com a cabeça, esperando agora que Maria completasse a cena, para que ele não precisasse da minha presença como pensava que talvez precisasse.

Fiz bem em esperar até chegar ao meu apartamento para despencar em lágrimas.

Escondi-me na cama do apartamento, ignorei o telefone, a porta e o mundo enquanto cobria minha cabeça com o edredom e desejava que pudesse voltar no tempo e não fazer nada daquilo. Mas o problema era que eu nem podia desejar isso de verdade porque a noite anterior havia sido tão boa, tão incrível, algo que eu nunca experimentara antes, mais do que apenas sexo bom. Adam fora tão terno e carinhoso, mas eu sentira uma ligação, ele tinha sido muito confiante e seguro, como se soubesse que era a coisa certa. Não houve hesitação, nenhum beijo ou toque indeciso. E, se em qualquer ponto eu senti um minúsculo tremor de dúvida, uma olhada nos olhos dele, um beijo foi o suficiente para saber que era a coisa certa e a mais natural do mundo. Não era como nenhum caso de uma noite que eu já tivera, era meigo, nós fizemos amor, como se nossa história tivesse feito aquilo ter um significado verdadeiro e como se promessas silenciosas estivessem sendo feitas para o futuro. Ou então Adam era apenas muito bom e eu era uma ingênua total.

Eu estivera ignorando o telefone e a campainha, mas isso não quer dizer que alguém tivesse se dado ao trabalho de me ligar. Eu sabia porque verifiquei. Tinha o telefone comigo sob o edredom e, como estava ignorando-o conscientemente, eu tinha que ficar verificando quem era que eu estava ignorando. Ninguém. Mas era manhã de sábado e a maioria das pessoas estava na cama ou aproveitando o tempo com a família e não estava se dando ao trabalho de mandar mensagens de texto. Nem mesmo Adam. Era a primeira vez em duas semanas que eu não estava com ele e eu sentia uma saudade terrível, sentia um buraco na minha vida.

A campainha tocou.

Minha cabeça se levantou com a ideia de que Adam estivesse na porta, o coração nas mãos, ou ainda melhor, o coração em uma folha de lírio-d'água, oferecendo-o para mim. Porém, no fundo, eu sabia que não seria ele na porta.

A campainha tocou de novo, o que, quando eu pensei a respeito, era bem incomum. Ninguém sabia que eu morava ali, a não ser a família e amigos próximos. A maioria dos meus amigos estava ocupada com suas novas e jovens famílias ou de ressaca na cama. A menos que fosse Amelia. Eu sabia que ela tinha percebido a minha tristeza na noite anterior pelo telefone e não ficaria surpresa se fosse ela com dois cafés nas mãos, um saco cheio de cupcakes, pronta para me animar. Ela já tinha feito isso no passado. A campainha tocou de novo e, começando a gostar da ideia de café e compreensão, joguei as cobertas, sem me importar com minha aparência, e me arrastei até a porta. Abri-a, esperando ver meu ombro amigo e, em vez disso, fiquei diante de Barry.

Ele pareceu mais surpreso em me ver que eu em vê-lo, apesar de ele ter tocado a campainha quatro vezes.

— Não achei que você fosse estar aqui — ele falou, olhando-me de cima a baixo.

Enrolei meu cardigã mais apertado no corpo.

— Então por que ficou tocando minha campainha?

— Não sei. Vim até aqui.

Ele encolheu os ombros. Olhou-me de cima a baixo de novo, claramente nada impressionado com minha aparência.

— Você está péssima.

— É porque eu me sinto péssima.

— Bem, é isso que você ganha — ele falou, infantil.

Revirei os olhos.

— O que tem na caixa?

— Algumas das suas coisas.

Parecia mais uma desculpa patética para vir me provocar. Carregadores de telefones que eu fazia muito tempo havia jogado fora, fones de ouvido, caixas de CD vazias.

— Eu sabia que você iria querer isto — Barry falou, limpando o lixo por cima e revelando a caixa de joias da minha mãe.

Caí no choro no mesmo instante, as mãos voando para o meu rosto. Ele ficou surpreso, sem saber o que fazer. Antes, tinha sido função dele me consolar, tinha sido a minha deixá-lo fazer isso, *querer* que ele fizesse isso, mas ficamos parados ali como dois estranhos; porém, dois estranhos seriam mais gentis, já que eu chorava e ele me observava.

— Obrigada.

Funguei, tentando me recompor. Peguei a caixa dele e ele ficou parado ali, desconfortável, sem saber o que fazer com as mãos inquietas e sem barreiras atrás das quais se esconder. Ele enfiou as mãos nos bolsos.

— Eu também queria dizer... — ele começou.

— Não, Barry, por favor, não — falei, a voz fraca. — Porque eu sinceramente não acho que consigo aguentar mais do que você tem a dizer. Sinto muito, sabe, sinto muito *mesmo*, mais do que você sequer pode imaginar, por tê-lo machucado. O que fiz foi horrível, mas eu não conseguia me *fazer* amá-lo como você merece ser amado. Não éramos certos um para o outro, Barry. Não sei de que outra forma pedir desculpas, não sei o que mais eu poderia ter feito. Ficado? E deixar que nós dois fôssemos infelizes por inteiro? Nossa...

Limpei meus olhos ardentes de qualquer jeito.

— Sei que estou errada, Barry, sinto muito. Sinto muito. Certo?

Ele engoliu em seco, ficou em silêncio por um tempo e eu me preparei para outra das coisas mais cruéis que ele podia pensar em dizer para mim.

— Eu queria dizer que sinto muito — ele balbuciou.

Aquilo me pegou de surpresa.

— Pelo que exatamente? — Falei, a raiva aumentando, embora eu estivesse tentando contê-la. — Por ter destruído o carro da Julie? Por limpar nossa conta conjunta? Ou por insultar meus amigos? Porque eu sei que *você* ficou magoado pelo que eu fiz, mas eu não arrastei outras pessoas para isso.

Ele desviou o olhar. Toda a desculpa parecia ter saído dele.

— Não, não por isso — ele falou, bravo. — Não sinto muito por nada disso.

Não conseguia acreditar na audácia dele. Ele se recompôs.

— Sinto muito pela mensagem de voz. Eu não devia ter dito o que disse. Foi um erro.

Meu coração martelou, ele só podia estar fálando de uma mensagem de voz, a que eu não ouvira, a que Adam tinha escutado e apagado.

— Qual, Barry? Teve uma porção delas.

Ele engoliu em seco.

— A mensagem sobre a sua mãe, tudo bem? Eu não devia ter dito aquilo. Eu queria machucá-la da maneira mais profunda possível. Sei que esse é o seu maior medo, então...

Ele deixou um silêncio e tentei entender. Depois de uma pausa constrangedora, compreendi e percebi que eu soubera o tempo todo. Às vezes, você pode saber algo e não saber ao mesmo tempo.

— Você disse que eu iria me matar como a minha mãe fez — falei, minha voz tremendo.

Ele teve a decência de parecer envergonhado.

— Eu queria machucá-la.

— Bem, isso teria dado certo — falei triste, pensando em Adam ouvindo a mensagem.

Então ele sabia que minha mãe tinha se matado, que, em meus momentos mais profundos, mais sombrios, quando todos me diziam como eu e minha mãe éramos parecidas, eu tinha me preocupado em segredo que fôssemos parecidas demais. Um segredo que eu compartilhara com meu marido e que voltara para me assombrar até mesmo em um momento quando eu sabia que não era igual à minha mãe dessa forma. Minha mãe tinha sofrido com uma depressão profunda a vida toda. Ela tinha entrado e saído de clínicas e terapias desde que era adolescente. Por fim, incapaz de derrotar os demônios da sua cabeça, ela tirara a própria vida quando eu tinha quatro anos de idade. Ela fora uma pensadora, preocupada, poeta. E, de todos os pensamentos e poemas que ela havia escrito ao longo da vida enquanto tentava entender sua cabeça confusa, tinha um que havia me marcado e eu o tornara meu: aquele que eu lera nos funerais da mãe de Amelia e do pai de Adam.

Eu sempre soubera, mesmo quando criança, como minha mãe deixara o mundo. Quando eu era adolescente, as pessoas estavam sempre me dizendo como eu era parecida com ela, e aquilo me dava medo. Passei a temer as palavras "você é tão parecida com a sua mãe". Depois, conforme me tornava adulta e aprendia sobre mim mesma, percebia que eu não era a minha mãe, que eu podia fazer escolhas diferentes das que ela fizera.

— Então... — Barry disse, recuando.

Eu não sabia o que mais dizer. Ele desceu as escadas para o nível da rua e comecei a fechar a porta.

— Você estava certa sobre nós — eu o ouvi dizer, de repente. — Não éramos emocionantes nem românticos, nunca saímos muito e provavelmente nunca sairíamos. Não ríamos como Julie e Jack, ou viajávamos pelo mundo como Sarah e Luke. É provável que não fôssemos ter quatro filhos como Lucy e John.

Ele jogou as mãos para cima.

— Não sei, Christine. Eu gostava de como nós éramos. Sinto muito por você não gostar.

A voz dele falhou e, assim, ele parou por um momento. Abri mais a porta para vê-lo.

— Desejei pelos últimos dias que você fosse infeliz, totalmente nas profundezas do inferno. E agora eu a vejo assim... Não consigo mais sentir isso. Você parece pior do que eu.

Barry fez que não com a cabeça.

— Você me deixou porque achou que seria uma melhoria e, depois, você ficou pior do que pensei. Tenho pena de você.

Aquilo me provocou de novo. Ele foi embora rua abaixo. Fechei a porta e voltei para a cama, para me esconder do mundo.

Algumas horas depois e eu ainda não tinha me mexido. Estava com fome, mas não havia nada para comer no apartamento e eu não conseguia encarar ter que ir às lojas, estando e me sentindo daquele jeito.

Meu telefone começou a tocar e verifiquei a tela para ver quem eu estava ignorando. Detetive Maguire. Com certeza eu iria ignorá-lo. O telefone parou e, depois, começou de novo. Encarei o teto, meu coração batendo descontrolado. Só voltou para um ritmo normal quando o toque do celular parou. Esperei que parasse e coloquei-o no silencioso.

O telefone chamou de novo.

— Deixe uma mensagem — resmunguei.

Saí da cama, sentindo-me tonta quando levantei. Depois, pensei em Adam e entrei em pânico. Talvez ele tivesse feito alguma coisa. Eu me joguei no telefone e apertei o botão para retornar a última ligação.

— Maguire — ele atendeu, bravo.

— É a Christine. O Adam está bem?

— Adam?

— O homem da ponte.

— Por quê? Você o perdeu?

Mais ou menos. Mas suspirei de alívio por ele não estar ferido.

— Ouça, preciso que você venha ao Hospital Crumlin agora. Pode vir?

— Crumlin?

Enrolei. Era um hospital infantil.

— É, Crumlin — ele repetiu, nervoso. — Pode vir? Agora?

— Por quê?

— Porque eu estou pedindo.

Eu estava totalmente confusa.

— Eu não posso, eu, ahn... Eu não posso agora.

Procurei uma mentira, mas não consegui fazer isso.

— Não estou me sentindo bem hoje.

— Bem, saia dessa logo, porque há alguém aqui que se sente muito pior.

— Do que se trata? Eu não tenho que ir a nenhum...

— Christine — ele disse, e saiu quase como um choro soluçado. — Preciso que você venha para cá, merda.

— Você está bem?

— Só venha — ele disse. — Por favor.

25

Como pedir ajuda sem se humilhar

O detetive Maguire estava me esperando na entrada principal do hospital. Assim que me viu, ele fez o que tinha feito toda vez em que eu o encontrei, virou e saiu andando. Entendi a dica para segui-lo. Dei uma corridinha para alcançá-lo e, ao fazer isso, olhei ao redor à procura do parceiro dele. Não o vi. Na verdade, não havia mais nenhum reforço. Virei uma esquina e o lugar não tinha sinal do detetive Maguire. Um assobio me fez correr para o elevador aberto como o cachorro que ele parecia achar que eu era. Juntei-me a ele e foi aí que vi quanto ele parecia péssimo, e meu estômago deu um nó, pressentindo o pior. Engoli em seco, tentando me equilibrar; eu não tinha forças para tudo aquilo, não tão perto de ter perdido Simon, depois de estragar tudo tão espetacularmente com Adam, depois de ter tido que lidar com Barry. Eu precisava de um dia sozinha, mas ninguém parecia disposto a me conceder esse pequeno favor. Eu precisava curtir a tristeza; muitas coisas podiam ser alcançadas ao curtir a tristeza. Talvez esse seria o assunto do meu livro. *Como se afundar no seu desespero de cinco maneiras fáceis*, de Christine Rose.

— Você está péssimo — falei para ele.

— Você também não está muito animadinha — ele disse, sem sua malícia usual.

Ele estava fazendo tudo de um jeito mecânico, mal se envolvendo. Algo com certeza estava errado. Mais errado do que o comum.

— Quem eu vou ver? — perguntei.

— Minha filha — ele respondeu, a voz oca, vazia. — Ela tentou se matar.

Meu queixo caiu e o detetive saiu do elevador e virou num canto. Tive que sair depressa do meu choque antes de as portas se fecharem e o elevador descer. Eu o segui.

— Ah, detetive, sinto muito em saber disso, de verdade...

Engoli em seco.

— Mas posso perguntar por que você me trouxe aqui?

— Quero que você converse com ela por mim.

— O quê? Espere!

Enfim estendi a mão e o agarrei pelo braço e o fiz parar.

— Você quer que eu faça o quê?

— Fale com ela — ele disse, revelando os olhos muito vermelhos. — Há pessoas aqui, mas ela não fala com elas. Não diz duas palavras. Pensei em você. Não me pergunte o porquê, digo, eu não a conheço, mas você parece ter jeito com esse tipo de coisa, e eu estou muito envolvido na situação, não consigo...

Ele fez que não com a cabeça, os olhos inchando.

— Detetive...

— Aidan — ele interrompeu.

— Aidan — falei com delicadeza, gostando do gesto. — Eu não sou capaz. Não ajudei Simon Conway e, com Adam, eu...

Eu não queria comentar o que acontecera com Adam.

— Você conseguiu fazer Simon deixar que você ligasse para nós — ele disse. — Isso foi bom. Você fez Adam Basil sair da ponte, e ele pediu para vê-la depois. Eu a vi com ele, na delegacia... Ele a respeita. Além disso, sei o que aconteceu com a sua mãe — Maguire acrescentou.

Olhei para baixo.

— Ah.

— Você entende disso. Só fale com ela, por favor.

Eu o segui pelo lugar, uma série de corredores e viradas confusas até ele enfim me levar para dentro da ala. Das doze camas no quarto, apenas uma tinha cortinas puxadas por toda a sua volta.

Afastei a cortina devagar e fiquei cara a cara com a esposa de Maguire, Judy, os olhos contornados de vermelho enquanto ela segurava a mão da menina na cama. Olhei para a garota: cabelos grossos castanho-avermelhados como os do pai, olhos azuis sinceros como os da mãe.

— Caroline — falei com delicadeza.

O braço esquerdo da menina tinha sido envolto em muitos curativos e estava apoiado na cama, a mãe segurava sua mão direita com força.

— Quem é você? — Judy perguntou, levantando-se devagar, mas ainda sem soltar a mão da filha.

— Aidan me chamou — falei.

Ela fez que sim com a cabeça e olhou para a filha. Vi o rosto do detetive Maguire se enrugar no momento antes de ele se virar e sair da ala, como se estivesse envergonhado com sua demonstração de emoção.

— Por que você não busca um café? — sugeri para Judy. — Caroline, tudo bem se eu ficar aqui com você por um tempo?

Caroline me olhou incerta. Judy ainda segurava sua mão.

— Acho que talvez sua mãe precise de um intervalo. Aposto que ela está aqui há algum tempo.

Caroline fez um aceno com a cabeça para ela e ajudei Judy a soltar sua mão. Assim que ela se afastou, puxei a cortina e sentei-me ao lado de Caroline.

— Meu nome é Christine. Eu conheço seu pai.

Caroline me olhou com desconfiança.

— Você trabalha aqui?

— Não.

— Então não tenho que falar com você.

— Não. Não tem.

Ela ficou em silêncio enquanto ponderava.

— Eles ficam mandando pessoas para falarem comigo. Perguntando por que, por que, por quê. Deixaram um monte de folhetos. São nojentas. Insinuando coisas nojentas.

— Que tipo de coisas?

— Tipo, se meu pai tocou em mim... Coisas assim. Digo, elas não falaram com todas as letras, mas pude perceber que estavam imaginando isso. Depois, deram todos esses folhetos para mim. Eu vi os programas.

— Eu não vou lhe perguntar nada assim, acredite em mim. Não sou médica, não sou terapeuta. Eu quero conversar, só isso. Parece que você passou por um momento muito ruim e quero ouvi-la, sem julgamentos.

— Você é policial?

— Não.

A menina me olhou de soslaio e, depois, brincou com os lençóis da cama com a mão boa. A outra mão continuou mole e sem se mexer.

— Então, por que meu pai pediu que você viesse?

— Porque ele sabe que quando eu era pequena minha mãe se matou.

Ela me olhou então e deu-me sua atenção total.

— Ela se matou quando eu tinha quatro anos. Então, entendo como é viver com alguém que se sentia como você se sente.

— Ah.

Caroline olhou para o curativo.

— Sinto muito.

— Entendo por que você não quer falar com os seus pais. É constrangedor, não é? Meu pai ainda é constrangedor e eu tenho trinta e três anos.

Caroline deu um sorriso fraco.

— Mas por isso não tem problema você falar comigo. Não vou julgá-la. Não vou dizer que você não devia ter feito isso ou feito aquilo, só vou escutar. Às vezes, conversar, dizer as coisas em voz alta, ajuda. E, se você não souber a quem recorrer ou com quem conversar, pode me pedir e farei o que puder para ajudar. Sempre há alguém a quem recorrer, Caroline. E podemos deixar isso entre nós duas... Não precisa se preocupar que eu vá contar a alguém o que você não quiser.

O rosto de Caroline se enrugou e ela começou a chorar. Tentou se esconder atrás do pulso bom, deixando o outro apoiado sem vida na cama, como se tivesse sido esquecido, como se tivesse morrido na tentativa. Os ombros dela chacoalharam e ela se desmontava em lágrimas.

— Eu não achei que tivesse alguém — ela admitiu.

— Agora você sabe — falei com delicadeza, dando a ela um lenço. — Sempre há alguém para escutá-la e ajudá-la. Sempre.

Caroline limpou os olhos, recompôs-se, pareceu pensar nas coisas.

— Eu cortei meus pulsos — ela disse.

Levantou a mão e me mostrou o curativo como se eu já não tivesse reparado.

— Acho que você pensa que sou louca.

Ela me analisou.

Fiz que não com a cabeça.

— Eu entrei na internet e descobri como fazer. Usei minha lâmina, mas era muito difícil. Levei muito tempo para romper a pele. E doeu. Não estava acontecendo nada comigo, apesar de estar sangrando. Eu estava deitada ali na cama, esperando para morrer, mas nada aconteceu. Só doeu. Tive que voltar para a internet e ver o que eu tinha feito errado. Acabei descendo a escada para mostrar para a mamãe porque estava assustada.

Ela continuou chorando.

— A mamãe ficou gritando "*O que você fez? O que você fez?*". E juro que queria subir e fazer de novo, para poder morrer e não ter que ver o jeito como ela me olhava. Eu me senti uma aberração. Papai não para de me perguntar por quê. Nunca vi o papai tão bravo. É como se ele quisesse me matar.

— Ele não quer matá-la, Caroline. Ele está chocado e assustado e tudo o que ele quer fazer é protegê-la. Seus pais querem melhorar as coisas. Eles querem entender para poder ajudar.

— Eles vão me matar.

Ela começou a soluçar de novo.

— Foi assim que você se sentiu? Você odiou a sua mãe?

— Não — falei em um tom tranquilizador, lágrimas aparecendo em meus olhos com as memórias confusas de meu pai voltando do hospital para casa, um olhar alegre falso, como se eles tivessem saído de férias, e minha mãe deitada em uma cadeira no deque do jardim dos fundos, totalmente vestida sob a chuva forte porque queria "sentir alguma coisa".

Mesmo quando ela estava comigo, parecia que ela não estava lá de jeito nenhum. Eu a amava, tudo o que eu queria era sentar ao lado dela, ficar com ela. Eu segurava a mão dela e me perguntava se ela sequer notava que eu estava lá.

— Eu nunca a odiei, nem por um minuto.

Deixei um silêncio.

— Por que era tão insuportável para você? O que aconteceu?

— Não posso contar para eles. De qualquer forma, eles vão descobrir logo. Estou surpresa por ainda não terem descoberto. Todo dia eu voltava da escola e esperava que eles percebessem. Estava aterrorizada. Na escola, todo mundo sabe, todo mundo está olhando para mim, rindo de mim, falando coisas para mim. Até os meus próprios amigos. Eu não tinha ninguém... Ninguém me ajudava, ninguém falava comigo. Nem mesmo a Aisling... — a voz dela sumiu, confusão e traição por todo o seu rosto.

— Aisling é sua amiga?

— Era. Ela era minha melhor amiga. Desde os cinco anos. Ela nem olhava para mim. Durante um mês inteiro. Primeiro, eram todos os outros e ela ainda era minha amiga, mas, depois, piorou. Começaram a deixar coisas no meu armário, coisas nojentas, ficavam falando coisas no Facebook, espalhando mentiras. Depois, começaram a arrastar a Aisling, dizendo coisas sobre ela também. Ela me culpou pelo que estava acontecendo e, então, parou de ser minha amiga. Como ela pôde?

— Aconteceu alguma coisa que todo mundo descobriu? — Supus.

Ela fez que sim com a cabeça, lágrimas escorrendo pelo seu rosto.

— On-line?

Ela fez que sim de novo. Depois, ficou surpresa.

— Você sabe?

— Não. Você não é a primeira pessoa com quem isso acontece, Caroline. Você estava... em uma situação comprometedora?

— Ele me disse que seria apenas para nós — Caroline disse, seu rosto cor de carmim. — E eu acreditei nele. E, depois, um amigo me mandou uma mensagem de texto e disse que estava no Facebook, e então todo mundo começou a ligar para mim. Algumas pessoas estavam rindo daquilo, outras estavam muito bravas e me chamando de vadia e todo tipo de coisa... Pessoas que eu pensei que eram minhas amigas. Entrei na internet para ver e juro que fiquei enjoada. Nem *eu* quero me ver fazendo aquilo, imagine os estranhos. Era para ser uma brincadeira engraçada para nós dois. Não achei que ele fosse mostrar para ninguém. Achei que talvez um amigo tivesse pegado o telefone dele e feito aquilo, ou tivesse sido um hacker, mas...

— O que ele disse?

— Ele não queria falar comigo, nem olhava para mim. Depois, um dia consegui pará-lo, disse a ele como me sentia com aquilo, que não podia mais continuar e ele só olhou para mim e riu. Ele *riu*. Ele não conseguia entender por que eu estava tão chateada. Disse que eu deveria ficar feliz. Que muitas celebridades ficaram famosa com aquilo e, agora, são milionárias. Digo, nós moramos em Crumlin, merda! Quanta fama vamos conseguir? Onde estão os nossos milhões depois disso?

Ela começou a chorar de novo.

— Você e ele estavam fazendo sexo, Caroline?

Ela ficou mortificada com a pergunta e levou um tempo para me contar: ela estava fazendo sexo oral nele, quando eles estavam em uma festa numa casa certa noite e os dois tinham bebido muito. Foi ideia dele filmar. Ele já havia começado a gravá-la antes de ela ter a chance de discordar e, quando viu que a câmera estava nela, não quis parar, não queria parecer uma "amarelona".

— Quando isso aconteceu? — perguntei, a raiva crescendo dentro de mim.

Se eu me sentia assim, podia imaginar a reação do detetive Maguire. Ele tornaria a vida do menino do telefone com câmera um inferno, mas, depois do que tinha feito, aquele garoto deveria se considerar com sorte se Maguire pelo menos permitisse que ele continuasse vivo. Eu não tinha inveja de Caroline, sendo adolescente hoje em dia; o panorama de questões como confiança, intimidade e sexo haviam mudado por inteiro desde que eu tinha a idade dela, deixando meninos e meninas em um campo minado.

— Faz mais ou menos dois meses, mas ele publicou o vídeo há três semanas. Tentei ignorar. Tentei continuar indo para a escola, manter a cabeça baixa, ignorar todos, mas ainda recebo mensagens de texto das pessoas. Olhe.

Ela me entregou seu telefone e passei pelas mensagens dos seus supostos amigos, a maioria de uma maldade tão horrenda que eu mal podia acreditar no que estava lendo.

Entendi por que Caroline tinha sentido que não tinha para onde correr. Seus amigos haviam lhe virado as costas; o cara de quem ela gostava tinha rido dela, feito piada dela; ela estava sendo insultada diariamente no pequeno universo que são as redes sociais: um universo do qual ninguém podia escapar, onde mentiras se espalhavam como bactérias antes de alguém ter a chance de provar que não eram verdade. E a pobre menina estava envergonhada demais e com medo demais para procurar os pais, com medo de que eles a "matassem". Assim, decidiu fazer aquilo, acabar com o constrangimento, a dor, a solidão. Uma solução permanente para um problema temporário. Aquela dor não duraria para sempre; ela levaria as cicatrizes da experiência e iria se lembrar dela para o resto da vida, sem dúvida aquilo iria influenciar cada decisão que Caroline tomasse daquele momento em diante. Mas, onde havia dor, viria a cura; onde havia solidão, novos relacionamentos poderiam ser formados; onde havia rejeição, um novo amor poderia ser encontrado. Era um momento. E momentos mudam. Ela teria que sobreviver àquele momento e ir para o próximo.

— Você conta isso para eles? — Caroline perguntou, a voz baixinha, o corpo magrinho e infantil na cama. — Por favor?

Nós nos despedimos, Caroline prometendo manter contato comigo ou com os telefones nos panfletos que o hospital já lhe dera se um dia precisasse de alguém para conversar. Eu saí para o corredor, onde

Judy estava sentada quase em coma em uma cadeira de plástico e o detetive Maguire estava andando de um lado para o outro como um animal enjaulado.

— Conte para nós — ele disse, bravo, assim que me aproximei.

— Não — falei com firmeza. — Não vou contar nada até você me fazer uma promessa.

Ele pareceu que iria arrancar a minha cabeça com uma mordida.

— Você vai ter que controlar seu temperamento. A Caroline está com muito medo da sua reação... Neste momento, ela está se sentindo isolada e temendo ser rejeitada por você. Se quer ajudá-la, suspenda seus julgamentos e lhe dê o apoio de que ela precisa de você.

— Aidan.

Judy colocou a mão no braço dele.

— Escute-a.

— Ela já sabe que cometeu um erro, não faça um sermão. Não faça com que ela se sinta idiota. Não agora, não enquanto ela está tão vulnerável.

Judy fez que sim com a cabeça, enfática, olhando de mim para o marido como se quisesse fazê-lo entender.

— Ela precisa do seu amor e do seu apoio incondicional. Precisa que vocês digam para ela que não estão bravos. Que não estão com vergonha. Que não estão enojados. Vocês a amam. Vocês estão do lado dela.

Ele balbuciou algo que parecia uma ameaça.

— Estou falando sério, Aidan. Não estamos lidando com os seus criminosos agora. A Caroline é sua filha. É hora de você parar com a intimidação, deixar de lado o interrogatório e a teimosia extrema e *ouvir* o que ela tem a dizer.

E, então, contei a eles o que ela havia me contado.

O detetive Maguire ouviu desta vez. Os dedos de Judy ficaram vermelhos enquanto ela apertava o braço dele à medida que eu falava. Ela enfiou as unhas nele quando pareceu que ele iria sair correndo — ou para o lado da filha ou para achar o menino que fizera aquilo com ela —, mas ele ficou e eu permaneci com ele até a raiva louca que vi em seus olhos ir embora e ser substituída por uma preocupação paterna e um coração cheio de amor. Depois, observei-o se afastar de mim, de mãos dadas com Judy, um apoiando o outro enquanto se aproximavam da filha.

Exausta, saí do hospital para ir para casa e me preparar para o aniversário de Adam. Apesar de ele alegar que estava em um bom estado de espírito agora, Adam mal começara a seguir na estrada para se curar. Eu esperava que Maria aparecesse e o amasse. Senão, eu estava com medo de que poderia perder o homem que eu amava para sempre.

26

Como achar o lado positivo de um dilema

Quando cheguei à prefeitura, tarde, Adam estava parado na entrada principal cumprimentando seus convidados. Ele estava lindíssimo com seu smoking e fiquei sem fôlego quando saí do táxi. Foi apenas quando o motorista gritou para eu fechar a porta porque estava deixando todo o calor sair que percebi que estava congelada no mesmo lugar, hipnotizada com a visão.

Diferentemente de minhas irmãs, que já haviam chegado e tinham esbanjado em vestidos novos para o evento formal, eu fora contra a corrente do meu guarda-roupa multicolorido e me contentara com um vestido que combinava com meu humor: meu confiável vestido preto longo, com uma fenda na perna e costas de fora. A fenda tinha subido um pouco quando saí do táxi e, agora, rasgara mais. Enquanto eu tentava cobrir a coxa nua à mostra, percebi que Adam não estava mais cumprimentando os convidados, e havia se virado para observar minha entrada nada graciosa e totalmente reveladora. Tirei a segunda perna do carro, ajustei minha estola de pele falsa e subi as escadas. Os olhos de Adam em mim o tempo todo. Eu me senti um pouco despida e exposta como ficara na escada no meu sonho, embora estivesse usando calcinha desta vez. Precisei de toda a minha força para mascarar minha humilhação e meu coração partido, sem falar de olhar Adam nos olhos. Então, não olhei.

— Você está linda — ele murmurou.

Ele não sabia se constranger. Estava calmo, firme, vigilante, no controle. Aquele era o Adam dos últimos dias, aquele com quem eu não estava acostumada a lidar.

— Ahn, obrigada. Não tive muito tempo para me arrumar — falei. — O Barry apareceu esta manhã, e outra pessoa precisou de uma ajuda, e não sei se você soube, mas Simon Conway, o cara que... Você sabe, bem, ele faleceu na noite passada. Era onde eu estava hoje de manhã, quando saí do quarto, então foi um dia daqueles.

Ainda sentindo pena de mim mesma, meus olhos se encheram de lágrimas e desviei o olhar.

— Espere, o quê? — ele perguntou, preocupado.

— Qual parte você quer que eu repita?

— Simon morreu esta manhã?

O rosto de Adam logo ficou pálido.

— Foi por isso que você saiu?

Fiz que sim com a cabeça.

— Bem, eu saí porque me lembrei de algo e tinha que falar para ele. Mas, aí, cheguei lá e ele teve uma parada cardíaca.

Estremeci. Não tinha sido um bom dia, começara com morte, e eu esperava que não acabasse assim.

Adam pareceu perturbado por aquela notícia, identificando-se com Simon e suas desgraças muito mais do que eu teria esperado.

— Então, ela está aqui?

Adam levou um momento para registrar a mudança de assunto, a mudança na minha linguagem corporal e, depois, lidou bem com isso, da maneira como ele percebia que eu queria que ele agisse.

— Não. Ainda não.

— Ah — falei, surpresa. — Pensei que ela fosse estar aqui às sete.

— Eu também — ele disse, olhando para a porta de novo, ansioso.

Eram oito horas.

Tive uma sensação intensa de alívio, logo seguida por uma de medo quando meu dilema mais uma vez entrava em ação. Se não desse certo com Maria, então não seria nos meus braços que Adam cairia, era mais provável que fosse na ponte mais próxima ou no prédio mais alto. Precisava que Maria viesse e dissesse a ele que o amava, ou eu não poderia nem amá-lo de longe. De repente, gostar de um homem e *não* tê-lo era vital, era uma ameaça, um bônus. Era a perspectiva de que eu precisava.

— Ouça, Adam.

Eu me recompus e olhei nos olhos dele.

— Se ela não vier hoje, preciso que você pense no plano de contenção de crise. Sei que temos um acordo, mas quero que você saiba que eu não aprovo. Não quero que você... — engoli em seco — se mate. Pense em todas as coisas que discutimos. Lembra-se do plano? Você sobreviveu por essas duas últimas semanas, não foi? Use as ferramentas que eu lhe dei. Se, por algum motivo, algo der errado esta noite... Não que vá dar — falei depressa —, mas, se der, lembre-se do que ensinei a você.

— Feliz aniversário! — Ouvi uma voz feminina atrás de mim.

Bem quando eu deveria me sentir extasiada, aquela sensação de derrota se apossou de mim de novo.

Os olhos de Adam ainda estavam em mim.

Maria se juntou a nós.

— Desculpe, estou incomodando?

— Não — falei, piscando para conter minhas lágrimas. — Estou tão feliz por você ter vindo — acrescentei, minhas palavras um sussurro. — Ele é todo seu.

— Está tudo resolvido? — papai me perguntou quando me juntei a eles.

Tudo o que consegui fazer foi confirmar com um aceno de cabeça; não podia confiar que conseguiria falar, pois meus olhos se enchiam de lágrimas.

— Ah, eu sabia — Brenda disse, compreensiva, envolvendo-me em seus braços. — Você está apaixonada por ele, não está? Pegue.

Ela pegou uma taça de champanhe da bandeja de um garçom que passava.

— Fique bêbada, vai amortecer a dor.

Beberiquei as bolhas, desejando que fosse verdade.

— Já que estamos falando de coração partido — Adrienne disse —, Graham e eu terminamos.

Ela não recebeu a mesma reação da família que eu.

— Ele não comprou os bolos feitos de queijo — papai disse, decepcionado. — Por que ele não comprou os bolos feitos de queijo?

Encolhi os ombros.

— Mas eles são tão inteligentes — ele continuou, confuso.

— Não que alguém pareça se importar, havia algo de errado entre nós — Adrienne acrescentou, ofendida.

— Um pênis, talvez — papai afirmou, e eu não pude deixar de rir.

— Ah, aí está ela, minha menininha!

Ele piscou para mim.

— Conte para mim onde está aquela namorada malvada dele com quem você se esforçou tanto para ele voltar, para eu poder lançar olhares bravos de pai na direção dela.

— Ah, não faça isso, pai.

Suspirei.

— Eles são perfeitos um para o outro, destinados a ficar juntos. Digo, o cara estava prestes a se jogar da ponte se ele não a conseguisse de volta. Isso não é romântico?

— Nada romântico — Adrienne disse, ainda triste por sua novidade ter sido ignorada.

— *Salvá-lo* de pular de uma ponte é muito mais romântico — Brenda afirmou.

— Você tem sorte de tê-lo salvado — papai disse, depois todos eles ficaram em silêncio.

Fazia quase trinta anos desde que nossa mãe havia se suicidado, desde que papai entrara e a encontrara no chão do banheiro com um frasco de comprimidos ao lado do corpo. Ele tinha confessado para nós que não tentara salvá-la, uma revelação em relação à qual tínhamos passado por vários graus de compreensão. Brenda entendeu, Adrienne sabia o ponto de vista dele, mas queria que ele tivesse ligado para a ambulância antes e eu não falei com ele durante meses. Eu tinha dezenove anos e estava na faculdade quando ele me contou. Achando que eu tinha poder de salvar todo mundo, ou pelo menos queria tentar salvar todo mundo, eu disse a ele que nunca o perdoaria. Tinha sido duro para o papai na época porque ele já havia salvado a esposa por seis vezes. Ele tinha feito ressuscitação nela duas vezes, tirado-a de um banho, feito Deus sabe o quê, corrido com ela para o hospital tantas vezes que ele simplesmente não tinha força para continuar tentando, persuadindo-a a ficar.

— Quer saber, pai? — eu disse, de repente. — Acho que você a salvou. Ela não queria estar aqui.

Ele ficou tão emocionado com aquilo que teve que desviar o olhar para se recompor.

— Ali está ela — falei, observando Maria entrar no salão à frente de Adam.

— Uuu, não vou saber se devo cumprimentá-lo com um aperto de mão ou lamber o rosto dele — Brenda disse.

— Por favor, aperte a mão — falei.

— Aquela é ela? Com os lábios vermelhos? — Adrienne perguntou.

— Você quer lamber o rosto dela, não quer? — papai disse a ela.

Adrienne deu uma risadinha.

Suspirei.

— Eu sabia. Eu disse que ela era bonita.

— De um jeito meio Morticia Addams — declarou Brenda.

Adam e Maria entraram no salão, Maria cumprimentando as pessoas calorosamente, conhecida pela maioria dos convidados por causa do tempo em que namorou Adam. Virei meu champanhe e tirei a taça das mãos de Brenda.

— Ei! — ela protestou, depois desistiu.

Em seguida, soaram batidas em um copo e todos olharam para um homem no palco que estava tentando silenciar a multidão.

Ele agradeceu a alguns convidados ilustres por estarem lá — o ministro do Comércio, não o Taoiseach, como papai estivera esperando

— e, cada vez que ele falava o nome de alguém importante, papai fazia uma expressão impressionada. O homem falou sobre o triste falecimento do Sr. Richard Basil, de quem todos sentiriam falta — estava claro que ele não o conhecera muito bem —, e, depois, anunciou Adam como o novo CEO da Basil Confectionery. Houve uma grande comemoração da multidão e Adam caminhou em direção ao palco.

Ele subiu os degraus e assumiu seu lugar, parecendo um astro de cinema.

— Uma amiga me ajudou a preparar este discurso esta noite — Adam disse, olhando para a plateia.

Maria sorriu para ele, orgulhosa, das laterais, e minha garganta apertou.

— Não sou bom em falar como me sinto. Noites como esta nem sempre são as mais fáceis e é demais para mim, mas *estou me sentindo*... honrado por vocês terem vindo até aqui hoje. Ouvi falar que é um novo começo para a Basil, mas estou esperando que seja mais uma continuação do seu sucesso, talvez o começo de um novo crescimento para a empresa. *Estou me sentindo*... alegre e apoiado por tantas palavras gentis que tantas pessoas disseram sobre meu pai, embora esteja claro, apesar das boas intenções de vocês, que vocês todos são mentirosos.

Isso provocou uma boa risada da multidão.

— Meu pai era muitas coisas, mas, principalmente, era bom no seu trabalho.

Algumas cabeças acenaram concordando. Vi Arthur May, o advogado, entre a plateia.

— Ele colocou o coração e a alma nessa empresa. Na verdade, acho que ele dedicou tanto à empresa que tinha muito pouco para o resto de nós.

As pessoas riram de novo.

— *Estou me sentindo*... orgulhoso por ele ter me nomeado como seu sucessor, por ele ter me achado capaz para essa posição. Sei que eu e o conselho e a maravilhosa Mary Keegan, nossa nova diretora administrativa, estamos unidos nos nossos objetivos para a empresa. *Estou me sentindo*... pronto. Minha experiência pode ser pouca, e minha função, desconhecida, mas tenho no meu pai e no meu avô um exemplo que posso seguir com certeza e com confiança conforme aceito as tradições da Basil e, ao mesmo tempo, olho para o futuro. E, por fim, devo um grande agradecimento para aqueles que planejaram este evento e aqueles que foram necessários para me trazer até aqui.

O olhar dele parou em mim. Houve um silêncio considerável. Ele limpou a garganta.

— Obrigado, de todo coração.

Enquanto todos explodiam em aplausos, eu me desloquei pela multidão, com pressa, não conseguia sair do salão rápido o bastante, não conseguia ar suficiente. Desci correndo a escada, grata por encontrar o banheiro vazio durante os discursos, tranquei-me em um cubículo e desabei em lágrimas.

— Christine?

Era a voz de Brenda. Congelei. O banheiro tinha se enchido bem rápido depois de os discursos terem acabado e havia uma fila fora dos cubículos. Eu estava esperando meus olhos inchados diminuírem antes de arriscar abrir a porta para revelar o rosto manchado de lágrimas para quem quer que pudesse estar lá fora. O problema era que eu tinha ficado ali por tanto tempo que era o assunto constante do debate da fila do outro lado.

— Christine? — Adrienne chamou. — Christine, você está aí?

— Achamos que esse está interditado — alguém disse.

Mortificada, peguei meu telefone e comecei a escrever furiosamente uma mensagem de texto para minhas irmãs me deixarem em paz, mas elas começaram a bater na porta, assustando-me e acabando com minhas mensagens frenéticas.

— Christine, o Adam está aí dentro com você? — Adrienne perguntou, logo do lado de fora da porta.

— O Adam? É claro que não! — Cuspi as palavras.

Eu tinha me delatado e ouvi uma mulher na fila dizer:

— Devem ter sido os *vol au vents*.

— Ele sumiu — Brenda disse depressa. — Você ouviu? Estão trazendo o bolo e ninguém consegue achá-lo.

— Ele não está com a Maria, se é isso que você está pensando — Adrienne acrescentou.

Era exatamente o que eu estivera pensando.

— Nós perguntamos a ela onde ele estava quando ela estava indo embora. Ela disse que não fazia ideia.

Adrienne abaixou a voz e deve ter se aproximado da porta porque parecia estar bem junto dela.

— Eles não voltaram, Christine.

A voz dela estava baixa e nervosa.

De repente, minha pulsação estava latejando em minhas orelhas e eu não conseguia ouvir nada mais e não podia esperar para sair dali. Abri a porta e de repente não me importava com as vinte mulheres me encarando ou o fato de ninguém entrar no meu cubículo depois de eu ter ficado tanto tempo lá. Tudo o que eu conseguia ver eram os rostos preocupados de Brenda e Adrienne; rostos que nunca mostravam apreensão, não para a irmã caçula delas, que sempre estava preocupada demais; em vez disso, sempre mantinham uma conversinha leve com a intenção de me alegrar caso, Deus nos livre, eu *fosse* como a mamãe no final das contas. Porém, agora, elas estavam me olhando, sérias, preocupadas, em pânico.

— Você sabe onde ele está? — Brenda perguntou e eu vasculhei meu cérebro, procurando, passando um pente fino pelo nosso arquivo de conversas em busca de uma dica de onde ele poderia estar.

— Não, não sei — gaguejei, tentando pensar direito. — Não acredito que a Maria fez isso com ele — falei, brava.

Duas vezes ela tinha partido o coração dele; ela não conseguia ver quanto ele era maravilhoso?

— Eu devia ter ficado com ele. No que eu estava pensando?

— Certo, não se preocupe com isso agora, apenas se concentre em onde ele estaria. Pense bem.

Pensei na cobertura, na noite que tínhamos passado juntos, na noite passada dele. A vista para a ponte Ha'penny. Congelei. Ele estivera planejando desde o começo.

— Ela sabe — Adrienne disse.

— Vá, Christine — Brenda me impeliu.

Levantei a barra do vestido e corri. Correr de salto não era uma tarefa fácil, mas um pedaço de vidro no meu pé descalço também não era uma opção. Nem pular para dentro do carro com Pat, que estava estacionado do lado de fora. Eu precisava virar à direita na rua do Parlamento para chegar à ponte, e era uma rua de mão única. Pat me levaria para longe da ponte para se aproximar dela. Não tínhamos tempo para isso. Corri com a temperatura congelante, segurando minha estola de pele falsa com uma mão enquanto segurava o vestido para cima com a outra. Corri pela rua do Parlamento e direto para o cais Wellington, atraindo olhares e comentários dos festeiros do sábado à noite. Vi a ponte a distância, mas não conseguia ver ninguém nela. Continuei correndo, o frio queimando minhas narinas enquanto eu o respirava, meu peito queimando enquanto eu ofegava em busca de ar. À medida que a ponte ficava mais próxima, eu o vi. No exato mesmo lugar onde havíamos nos conhecido duas semanas antes, uma figura de preto, parada debaixo do brilho laranja dos três postes, as luzes verdes viradas para cima fazendo com que ele e a ponte ficassem em uma iluminação sinistra. Apesar da minha exaustão, procurei fundo dentro de mim mais energia e disparei para a ponte. Subi os degraus.

— Adam! — gritei, e ele virou-se para me olhar, assustado. — Não faça isso, por favor!

Ele me encarou; preocupação, tristeza, surpresa no seu rosto.

— Não vou tocar em você, não vou me aproximar, tudo bem?

As pessoas continuavam cruzando a ponte sem saber o que fazer, contornando Adam em um grande círculo, com medo, como se ele fosse uma mina terrestre.

Eu estava chorando. Havia começado em algum momento durante minha corrida para a ponte, e agora eu estava diante dele, uma mulher aos pedaços, com frio, trêmula, sem fôlego e choramingando.

Ele não disse nada.

— Sei que as coisas não deram certo com a Maria...

Tentei recuperar o fôlego.

— E sinto muito por isso, sinto muito, muito. Sei que você a ama e sei que se sente como se não tivesse nada agora. Isso não é verdade. Você tem a Basil e há um salão cheio de pessoas animadas com isso. E você tem...

Eu vasculhei meu cérebro.

— ... tantas, tantas coisas. Sua saúde, seus amigos...

Engoli em seco.

— E você tem a mim.

Levantei as mãos, patética.

— Sei que não sou o que você quer, mas estarei do outro lado do telefone sempre. Juro que vou fazer qualquer coisa para ajudá-lo, para fazê-lo feliz. A verdade é que — respirei fundo — *eu* preciso de *você*. Quando nos conhecemos e eu prometi mostrar a você a beleza do mundo, e não sabia o que fazer. Comprei um livro!

Eu ri, digna de pena.

— Mas não se pode perseguir a felicidade. A alegria acontece de um jeito espontâneo... Não é uma fórmula genérica, passo a passo, que você segue. Mas eu não sabia disso, não sabia o que fazer. Acho que eu tinha parado de ver a beleza do mundo por um tempo, sem nem perceber. Estar com você... Você me ajudou a ver como a vida é bonita, como ela é *divertida*. Você foi o meu guia da felicidade maravilhosamente original e sob medida. Você me mostrou que fazer coisas simples é tudo de que precisamos, desde que façamos isso com alguém que *quer* estar conosco. Era para eu ensiná-lo e ouvi-lo, mas foi você quem acabou me mostrando o caminho. E sei que isso não é o que você quer ouvir, mas você me ajudou a me apaixonar. Amor de verdade. Não apenas pela vida.

Engoli em seco.

— Mas por você. Acho que sempre tentei não me arriscar. Sempre tentei consertar as coisas para todos à minha volta e sempre estive com pessoas que são... seguras.

Pensei em Barry e no nosso relacionamento. Eu escolhera alguém com quem sabia que não haveria dramas, nem surpresas, nada que fosse quebrar e, assim, eu não precisaria consertar. Eu não tinha me permitido me apaixonar de verdade. Não até conhecer Adam, que trouxera nada além de drama e surpresa todos os dias que passei com ele.

— Não me importo se meu amor é correspondido ou não, porque estar com você e simplesmente *pensar* em você me deixam feliz. O argumento que estou tentando colocar é que você é amado porque *eu* te amo, Adam. Por favor, não faça isso. Por favor, não pule porque *eu* preciso de *você*.

Os olhos de Adam estavam cheios de lágrimas. Um casal que havia ficado para ouvir estava parado de mãos dadas, cochichando, obviamente sem entender a parte em que Adam estava ameaçando pular da ponte.

Eu me senti muito patética, exausta depois das minhas revelações. Estava esgotada e morrendo de frio. Abrir meu coração era tudo o que eu podia fazer para salvá-lo. Assim, esperei, desejando, rezando que ele não apenas ouvisse, mas *sentisse* minhas palavras, que elas de alguma forma entrassem naquela parte do cérebro dele que o estava manipulando para pensar que nada daquilo valia a pena mais. Eu tinha fracassado com Simon, não podia, não iria fracassar com Adam.

— Olhe para mim — Adam disse.

Eu não conseguia. Não queria ouvir as razões dele ou sua despedida. Comecei a chorar ainda mais.

— Olhe para ele — a mulher me incentivou e levantei o olhar.

Adam tinha um sorriso no rosto, e eu estava confusa. Aquilo não era engraçado, por que ele estava achando engraçado? O casal estava sorrindo também, como se houvesse uma piada que ninguém me contara. Senti vontade de bater neles e dizer "*Vocês não entendem... uma vida está em jogo aqui!*".

— De qual lado da ponte eu estou? — Adam indagou, o sorriso ainda no seu rosto.

— O quê?

Franzi as sobrancelhas, olhando dele para o casal.

— Do que você está falando?

Era metafórico. Significava alguma coisa? Ele ainda estava com um sorriso largo para mim, completamente calmo, como se estivesse com o pensamento racional, quando eu sabia que não estava. Lembrei-me de quando o vi pela primeira vez na ponte, ele estivera *do outro lado*, os pés na saliência, perto de pular. Olhei para ele naquele momento, seus pés no concreto, sem se pendurar na borda, sem se segurar no lado errado da proteção. Ele estava em pé na ponte, olhando a vista, o que significava que ele não estivera prestes a pular.

— Ah, merda — sussurrei.

— Vem aqui — ele riu, estendendo os braços para mim.

Bati as mãos na cabeça em total constrangimento, amaldiçoando minhas irmãs, amaldiçoando Adam, amaldiçoando a mim mesma. Eu revelara minha alma para ele. Dei passos para trás, mortificada.

— Ah, merda, desculpe, pensei que, minhas irmãs disseram que, eu presumi, errado, que...

Adam andou na minha direção, estendeu a mão para mim e me impediu de me afastar. Ele era tão alto que tinha que abaixar os olhos para mim.

— Eu disse para a Maria que não daria certo para nós.

Meu queixo caiu.

— Você o quê? Por que você fez isso?

Ele pareceu me achar engraçada.

— Porque falei sério. Ela me machucou, não quero voltar para aquilo. Entendo que ela não foi tratada como merecia no ano passado, mas pedi desculpas por isso. Ela admitiu que ficou emocionada com tudo o que eu tinha feito para conquistá-la de volta, mas que estava realmente nostálgica com o nosso relacionamento antigo, o modo como éramos no começo. Suponho que eu estivesse também. Mas agora sei que não podemos mais ser um casal... Muita coisa mudou, a vida seguiu em frente. Nós acabamos, não tem volta. Não quero andar para trás.

Estremeci, ainda em choque, e ele me puxou para perto.

— A Maria disse para mim "é por causa daquela garota?". E eu percebi que, em grande parte, era.

— Que garota? — perguntei, sentindo que estava perdendo totalmente o fio da meada.

Adam riu.

— Adam, isto não é engraçado. Não faço ideia do que está acontecendo. Um minuto atrás, pensei que você estava prestes a pular porque não tinha a Maria e, agora, você está me dizendo que não ia pular e que não quer a Maria por causa de uma outra garota de quem você nunca falou nada para mim. E falei coisas para você — gemi, apoiando a cabeça no peito dele, mortificada pelo que eu dissera.

— Você falou sério? — ele perguntou com suavidade.

— É claro que sim.

Eu me retraí.

— Eu não teria dito se não fosse verdade. Mas, Adam, você tem que entender por que eu disse aquilo. As circunstâncias...

— Você é a garota — ele interrompeu meu discurso enrolado.

Aquilo me fez parar.

— A garota de quem a Maria estava falando. Percebi que eu não amo a Maria. Eu estar ou não com ela não vai determinar se eu vivo ou morro. Meu problema era que eu estava infeliz com ela. Você fez com que eu gostasse de mim de novo. Você me fez viver minha vida de novo. E, se você ficar comigo ou não, não significa que vou pular ou acabar com a minha vida. Preciso ser feliz comigo. Todas aquelas coisas que fizemos para a Maria, eu me diverti porque as fiz com você. Eu me diverti com você. Ela pode ter sido o motivo, mas você foi a causa. Enquanto você estava tentando fazer a Maria se apaixonar por mim e me fazer me apaixonar pela vida, eu me apaixonei por você.

As mãos dele estavam no meu rosto, meu rosto perplexo. Adam riu nervoso.

— Você pode parar de olhar para mim desse jeito agora.

— Desculpe — sussurrei.

— Quando acordei nesta manhã e você tinha saído, pensei que você tivesse mudado de ideia — ele explicou.

— Não, eu...

— E, depois, quando você voltou para o quarto e tinha chorado, achei que você fosse me dizer que estava arrependida.

— Não, eu...

— Quando você me contou sobre o Simon, fez sentido. Entendi tudo errado. Eu quis falar antes de você. Achei que facilitaria para você.

— Você é um idiota — eu disse, delicada, enfim conseguindo um espaço para falar.

Adam sorriu.

— Beijo — a mulher ao nosso lado disse.

— Eu tenho algumas condições — anunciei, interrompendo-o.

Ele recuou.

— Você sabe que ainda tem um longo caminho a seguir — falei. — Eu o ajudei da melhor maneira que pude e vou continuar a fazer isso, mas claramente não sou terapeuta, Adam, não sei como ajudar quando você se torna... aquele cara.

— Eu sei — ele concordou, sério agora. — Vim até aqui para pensar no quanto cheguei longe. Não sou o mesmo homem que estava aqui há duas semanas, mas sei que posso ser essa pessoa de novo se não conseguir ajuda, se eu não me ajudar. Sinto que ganhei uma chance de viver... Você me ajudou a ter essa chance e vou agarrá-la e tentar aproveitá-la ao máximo. Tenho certeza de que vou fazer bobagem às vezes, só, que de verdade, sinto pela primeira vez em muito tempo que quero tentar aproveitar minha vida. Então, sim, vou procurar alguém para cuidar disso. Não quero nunca mais chegar tão baixo de novo.

Nossos olhares se cruzaram e ele sorriu. Adam se inclinou em direção a mim e nos beijamos. O homem e a mulher comemoraram e, depois, ouvi os passos enquanto eles nos deixavam a sós e cruzavam a ponte.

Adam tirou o paletó do smoking e colocou-o em volta dos meus ombros arrepiados. Meus dentes estavam batendo, meus dedos dos pés estavam frios como gelo.

— Eu me esqueci de dar isto a você.

Ele colocou a mão no bolso e tirou o brinco perdido da minha mãe.

— Pat encontrou no carro hoje de manhã.

— Obrigada — sussurrei aliviada.

Segurei a pedra de esmeralda na mão apertada, sentindo-me honrada por minha mãe ter se tornado parte de um dos momentos mais incríveis da minha vida. Eu conseguia senti-la ali comigo.

— Não podemos abandonar a festa — protestei quando Adam me levou para o lado oposto da ponte.

— Já abandonamos.

Ele me envolveu em seus braços.

— A festa é minha, posso fazer o que eu quiser. E vou levar a mulher que eu amo de volta para o meu hotel.

Eu sorri.

— Sabe, tive uma ideia para o meu livro — falei, tímida.

Eu tivera a ideia enquanto passava o dia enrolada sob o edredom, chorando pela minha vida. A inspiração vem dos lugares mais inesperados.

— Teve? Qual é?

— O nome é *Como se apaixonar*. Vai ser a história de como eu o conheci.

Adam sorriu.

— Você vai ter que mudar nosso nome.

— Vou ter que fazer mais que isso. Acho que há um motivo para eu ter levado dez anos para começar. Eu estava tentando escrever a coisa errada. Vou escrever como ficção. Assim ninguém saberá que é verdade.

— A não ser por nós — ele disse, beijando meu nariz e pegando minha mão.

— A não ser por nós — concordei.

Andamos de mãos dadas pela ponte Ha'penny em segurança até o outro lado.

27

Como comemorar suas realizações

Eu estava parada na rua Talbot com uma faixa de "parabéns" na mão, um chapéu de festa na cabeça e uma língua de sogra na boca. Estava ganhando olhadas feias das pessoas que passavam, mas tentei ignorar meu constrangimento e me concentrar nas pessoas que desciam do ônibus bem à minha frente. O último foi Oscar, que parecia bem trêmulo enquanto se concentrava, de cabeça baixa, em descer os degraus.

Soprei a língua de sogra e ele olhou, surpreso. Seu rosto se abriu em um sorriso, e ele riu enquanto eu balançava a faixa na cara dele, atraindo sorrisos da multidão.

— Você conseguiu! — gritei. — Você veio até a cidade!

Ele sorriu, envergonhado, mas orgulhoso.

— Como se sente?

— Eu me sinto... Estou *vivo*!

Oscar deu um soco no ar, como se fosse explodir.

— Que bom!

Eu ri.

— E lembre-se dessa sensação, Oscar, sempre que tiver um dia ruim ou um momento de fraqueza, lembre-se de como é bom *se sentir vivo*. Combinado?

Ele fez que sim com a cabeça, entusiasmado.

— Com certeza, com certeza, nunca vou me esquecer disso.

— Ligue para a Gemma e marque um atendimento para terça-feira. Vamos arrumar um emprego para você, agora que você consegue vir para a cidade.

— A Gemma voltou? Eu gosto dela. Mas você sabe que sempre prefiro as segundas-feiras. Isso me ajuda a começar a semana — ele disse, preocupado.

Gemma concordara em voltar depois de eu ter enviado para ela, pelo correio, *Como dizer a alguém que você mudou de ideia sem parecer indeciso*. No dia seguinte, na minha mesa, estava *Como lidar com um chefe difícil* e ela voltara ao trabalho na manhã seguinte. Nunca discutimos o incidente.

— Vou estar em Tipperary na segunda-feira — falei feliz, ansiosa pela minha próxima viagem.

Eu desistira da minha busca por um lugar feliz depois de perceber que aquele livro era um monte de porcaria que só conseguia fazer com que eu me sentisse pior comigo mesma, porque nunca poderia alcançar o que ele pregava. Eu o levara para ler no armazém de barcos em Tipperary certo dia, enquanto Adam estava no escritório, e ele me frustrara tanto que eu o jogara no lago. Por ironia, sempre que me lembro de como me senti naquele momento, eu sorrio e tenho uma enorme sensação de liberdade, uma sensação que posso recuperar quando quero.

Enquanto íamos achar algo para comer antes de Oscar pegar o ônibus para voltar para casa, meu telefone tocou. Era o detetive Maguire. Parei de andar, Oscar continuou até perceber que eu sumira.

— Ei, qual é o problema? — Oscar gritou para mim.

Encarei o telefone que tocava, percebendo pela primeira vez que eu provavelmente sempre me sentiria assim em relação a Adam por um tempo, sem saber ao certo o que o futuro guardava para ele, sempre me perguntando se ele estava bem quando eu não estava com ele. Por fim, atendi, com medo do que ouviria, mas com ainda mais medo de ignorar a ligação.

— Estou ligando em nome da Caroline — Maguire disse bravo. — Na próxima semana, ela fará dezesseis anos. Vamos dar uma festa na sexta-feira. Você juraria que ela vai ao maldito Oscar do jeito que não para de falar nisso. De qualquer forma, ela queria que você viesse.

Ele pigarreou e diminuiu o tom agressivo.

— E eu quero que você venha também.

— Obrigada, Aidan. Estarei aí.

Antes de desligar, ele acrescentou:

— Ah, e traga aquele homem da ponte também, se quiser. Se, você sabe, ele estiver bem no momento.

Sim, naquele momento ele estava. A vida é uma série de momentos e momentos sempre mudam, assim como pensamentos, negativos e positivos. E, embora possa ser da natureza humana ficar se prendendo a eles, não faz sentido, como acontece com muitas coisas naturais; não faz sentido permitir que um único pensamento habite a mente porque pensamentos são como hóspedes ou aqueles amigos que só aparecem nos bons momentos. Assim que chegam, podem ir embora, e até mesmo aqueles que levam muito tempo para emergir por completo podem desaparecer em um instante. Momentos são preciosos; às vezes eles se demoram e, em outras ocasiões, são passageiros, mas, ainda assim, muito pode ser feito durante eles; você pode mudar de ideia, pode salvar uma vida e pode até se apaixonar.

Agradecimentos

Gostaria de agradecer à minha editora, Lynne Drew. *Como se apaixonar* é nosso décimo romance juntas: mal posso acreditar e devo muito do sucesso dos meus livros a você. Obrigada por sua compreensão, sua paciência, seu apoio, sua orientação e sua animação genuína com o que estamos fazendo e o que virá a seguir. Agradeço pela liberdade que tenho para criar e pelas reuniões de *brainstorm* quando preciso também. Que venham mais dez livros! Obrigada a Thalia Suzuma por ideias tão calmas e inteligentes, e por me ajudar a dar forma às histórias. Eu sei, eu sei, eu corro para chegar logo ao final, sempre corri e sempre correrei...

Obrigada a Louise Swannell, Martha Ashby, Elizabeth Dawson, Lucy Upton e Moira Reilly, com quem falo quase todo dia, que não são nada menos do que incríveis e fazem a parte não escrita do trabalho ser muito mais fácil e divertida.

Também gostaria de agradecer especialmente a Victoria Barnsley, uma mulher de visão, de quem sentiremos muita falta na HarperCollins. Obrigada por sua sabedoria, por seu amor pelos livros, por sua energia para que as coisas sejam diferentes e novas e por seu apoio e fé em mim. Desejo o melhor para você no futuro.

Obrigada, família e amigos, pelo apoio e por fingirem estar interessados quando anuncio animada que acabei de ter uma nova ideia, e por ouvirem as novas ideias, e por nunca perguntarem o que aconteceu com as ideias que não são usadas em livros, na televisão ou em filmes, mas, em vez disso, na minha cabeça e em cadernos, o que é igualmente divertido para mim. Obrigada por saberem que tudo isso é importante para mim e por logo esquecerem e, então, passarem a falar de assuntos adequados. Obrigada a todos vocês por me entenderem. Ou fingirem entender.

Um agradecimento enorme a Marianne Gunn O'Connor, que suporta as minhas constantes ideias, e-mails, telefonemas, histórias e os "e se" e "imagine se" e me ajuda a transformar ideias em realidade. Algumas pessoas querem que as coisas aconteçam, algumas pessoas desejam que as coisas aconteçam, algumas fazem as coisas acontecerem. Você é uma dessas que fazem as coisas acontecer. Que venham mais dez...

Obrigada a Vicki Satlow pelo suporte criativo, por sempre forçar os limites e me ajudar a alcançar mais leitores pelo mundo. Obrigada a Pat Lynch, Mary Lavan e Anita Kissane. Obrigada a Liam Murphy, por manter juntas partes do meu cérebro que não costumam se unir.

Com o assunto sendo esse, havia ainda mais pressão para acertar e, assim, agradeço a Allison Keating, da bWell Clinic, pelo seu tempo e *feedback* sobre a história de Christine e Adam, que, no final das contas, forçou-me a reformulá-la para ser uma história melhor. Obrigada a Maureen Black e Co. Solicitors pela ajuda com os assuntos legais para os quais eu claramente não tenho capacidade. A Fr. Michael McCullagh pelo rito de abaixar o caixão. Peguei as informações dadas por todos que foram gentis em me aconselhar e, depois, tornei-as minhas e, assim, se houver algum erro neste romance, é inteiramente meu. Busquei informação em *How I Stayed Alive When My Brain Was Trying to Kill Me: One Person's Guide to Suicide Prevention*, de Susan Rose Blauner, para entender a jornada dos meus personagens.

Obrigada a David, Robin e Sonny, minha pequena louca família, que é minha fuga do meu mundo de fuga...

Conheça outros sucessos de
CECELIA AHERN

P. S. Eu te Amo

Holly e Gerry eram amigos de infância e sempre sabiam o que o outro estava pensando. Até mesmo quando brigavam eles se divertiam. Ninguém conseguia imaginá-los separados. Até que o inesperado acontece: Gerry morre, deixando Holly devastada. À medida que seu aniversário de trinta anos se aproxima, Holly descobre que Gerry havia escrito uma carta para cada mês da nova vida dela sem ele. Com a ajuda de seus amigos e de sua família, Holly consegue rir, chorar, cantar, dançar e ser mais corajosa do que nunca. Ela percebe que a vida deve ser vivida, mas que é sempre bom ter alguém para nos guiar.

Disponível em livro e e-book

A Vez da Minha Vida

Certo dia, quando Lucy Silchester volta do trabalho, encontra um envelope sobre o tapete. Dentro dele, um convite para se encontrar com a sua vida. Ela não pode comparecer ao encontro, pois está muito ocupada desprezando seu emprego, fugindo de seus amigos e evitando sua família. Mas a vida de Lucy não é o que parece, e algumas das escolhas que fez – e das histórias que contou – também não são. Desde o momento em que ela conhece o homem que se apresenta como sua vida, as meias verdades serão reveladas, a não ser que ela aprenda a ser honesta sobre o que realmente importa.

Disponível em livro e e-book

O Livro do Amanhã

Nascida em meio ao luxo, Tamara Goodwin, de 16 anos, nunca precisou pensar no amanhã até o momento em que a morte abrupta de seu pai deixa para ela e para sua mãe uma montanha de dívidas, obrigando-as a se mudar para a casa dos tios de Tamara, em um vilarejo no interior. Solitária e entediada, a única diversão da garota é uma biblioteca itinerante. Ali, ela encontra um livro misterioso. Tamara vê nesse livro anotações feitas com sua própria letra, datadas do dia seguinte. Quando tudo começa a acontecer exatamente como o livro previa, ela percebe que pode ter encontrado a solução para seus problemas. No entanto, Tamara descobre que, apesar de muito tentar, não pode mudar o destino.

Disponível em livro e e-book

O Presente

Executivo bem-sucedido e obcecado pelo trabalho, Lou Suffern é perito na arte da dissimulação. Está sempre cumprindo algum compromisso profissional e, de uma forma ou de outra, enganando sua esposa. Desde que começou a competir por uma importante promoção, mal é visto pela família. Um dia, em uma rara explosão de generosidade, ele arranja um emprego para Gabe, o sem-teto que vive próximo ao seu escritório. A partir desse momento, apesar de sua vida milimetricamente organizada, Lou passará a ver o mundo de outra forma: Gabe lhe mostrará, de maneira surpreendente, que o tempo é um bem precioso e que não deve ser desperdiçado.

Disponível em livro e e-book

Simplesmente Acontece

Desde crianças, Rosie e Alex viviam juntos. De repente foram separados, porque a família de Alex deixou Dublin para morar nos Estados Unidos. A mágica conexão entre os dois amigos permanece, mas será que a amizade conseguirá sobreviver a uma distância tão grande? Os desencontros, as circunstâncias e uma absurda falta de sorte os mantiveram longe um do outro – até agora. Resta saber se eles vão ter coragem de apostar tudo, inclusive a própria amizade que os une, num amor para a vida inteira. Que tipo de surpresa o destino reserva para eles desta vez? *Simplesmente Acontece* é uma história comovente e divertida contada inteiramente na forma de e-mails, SMS, mensagens instantâneas, cartas, cartões-postais...

Disponível em livro e e-book

A Lista

Kitty Logan tem 32 anos e aos poucos está perdendo tudo o que conquistou: sua carreira está arruinada; seu namorado a deixou sem um motivo aparente; seu melhor amigo está decepcionado com ela; e o principal: sua confidente e mentora está gravemente doente.

Antes de morrer, Constance deixa um mistério nas mãos de Kitty que pode ser a chave para sua mudança de vida: uma relação de nomes de pessoas desconhecidas. É com base neles que Kitty deverá escrever a melhor matéria de sua carreira. Quando começa a ouvir o que aquelas pessoas têm a dizer, Kitty aos poucos descobre as conexões entre suas histórias de vida – e compreende por que foi escolhida para dar voz a elas.

Disponível em livro e e-book